JN012182

骨は、その人物が生きていたあかしなのである。
そして骨だけの存在になった骸骨は、
死の表象としてさまざまに表現されてきた。
心臓が生のシンボルだとするなら、骨は死のシンボル。
そのような骨と心臓が織りなす
さまざまな死と生の物語や表現を探ってみる。

★写真:堀江ケニー／モデル:紅日毬子

NIKAI KEN 二階健

死を通して生を幻視する

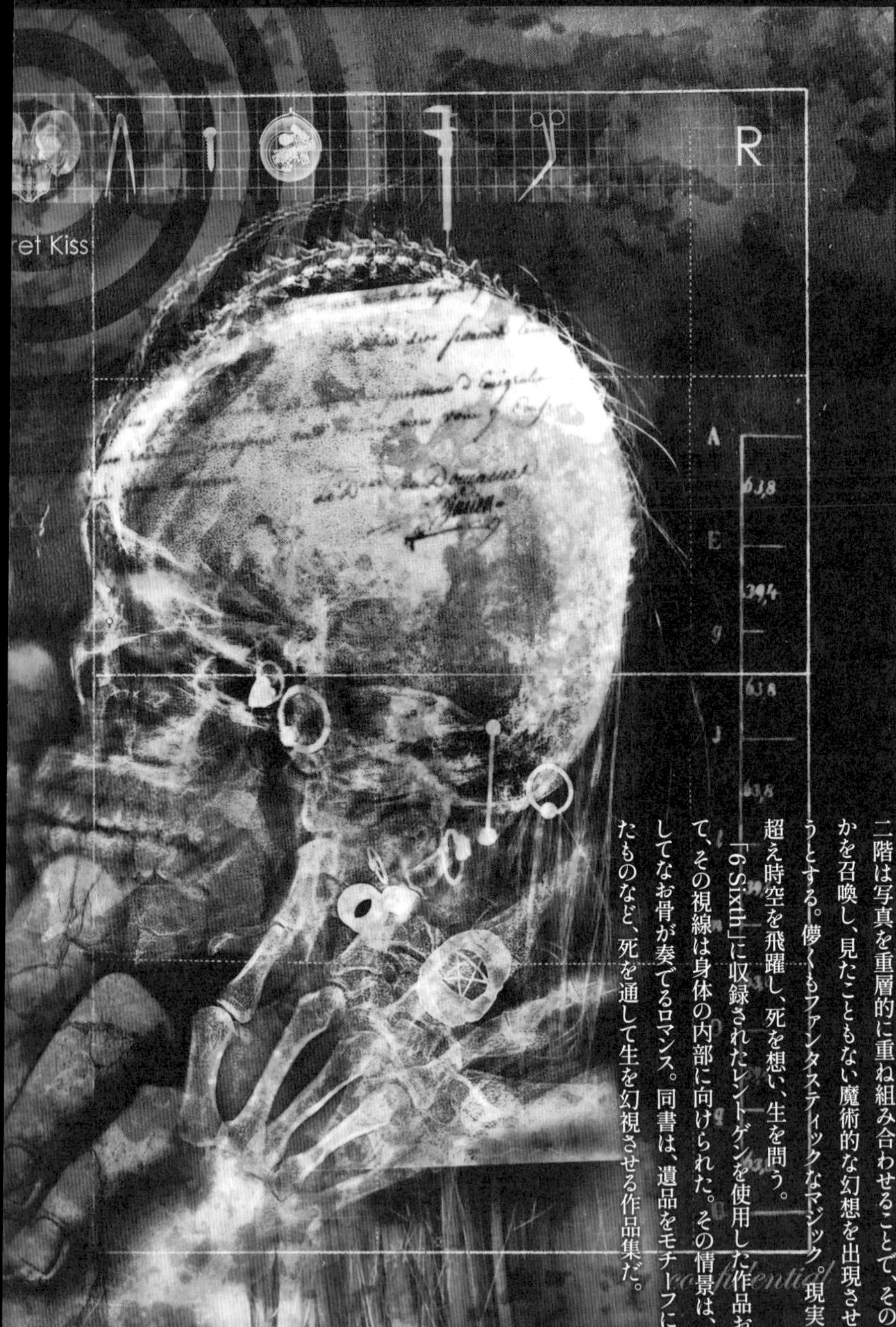

「写真」は真実を写すと書く。だがそれは本当か？ 実は世界には、写真には写されない何かが漂っているのかもしれない——そう二階健は思っているのではないか。二階は写真を重層的に重ね組み合わせることで、その何かを召喚し、見たこともない魔術的な幻想を出現させようとする。儚くもファンタスティックなマジック。現実を超え時空を飛躍し、死を想い、生を問う。

「6 Sixth」に収録されたレントゲンを使用した作品おいて、その視線は身体の内部に向けられた。その情景は、死してなお骨が奏でるロマンス。同書は、遺品をモチーフにしたものなど、死を通して生を幻視させる作品集だ。

Secret Kiss
R-01B

骨と
死と生のシンボリズム
心臓

人は脳で、頭で考える。
しかし不思議なことに古来から
「心」は、心臓の位置にあるとされてきた。

ドキンとする＝心が動揺するさまは
「心臓が飛び出す」と表現される。
心臓の鼓動が激しくなるのだから、まぁ確かに納得できる。
それが拡大解釈されて、心臓＝心となったのだろうか。
（そもそも心臓は、心の臓器と書く）

そして心臓は、生きているあかしでもある。
少なくとも日本においては、臓器移植などをする場合を除き、
脳死状態になっても、心臓が動いている間は死とは認められていない。

また、古く世界各地で行われていた生贄の儀式では、
生贄の心臓を取り出して捧げることも行われていた。
脳より何よりも心臓の方に、生命の本質があると見做されていたのだ。

一方、ある者が生きていたことのあかしとして
後世まで残されるのが、骨である。

その残滓は、数百万年前の姿を我々に残してくれていたりする。
そこまででなくても、
遺棄された死体がその存在を誰かに知らしめるのは、おおむね骨だ。

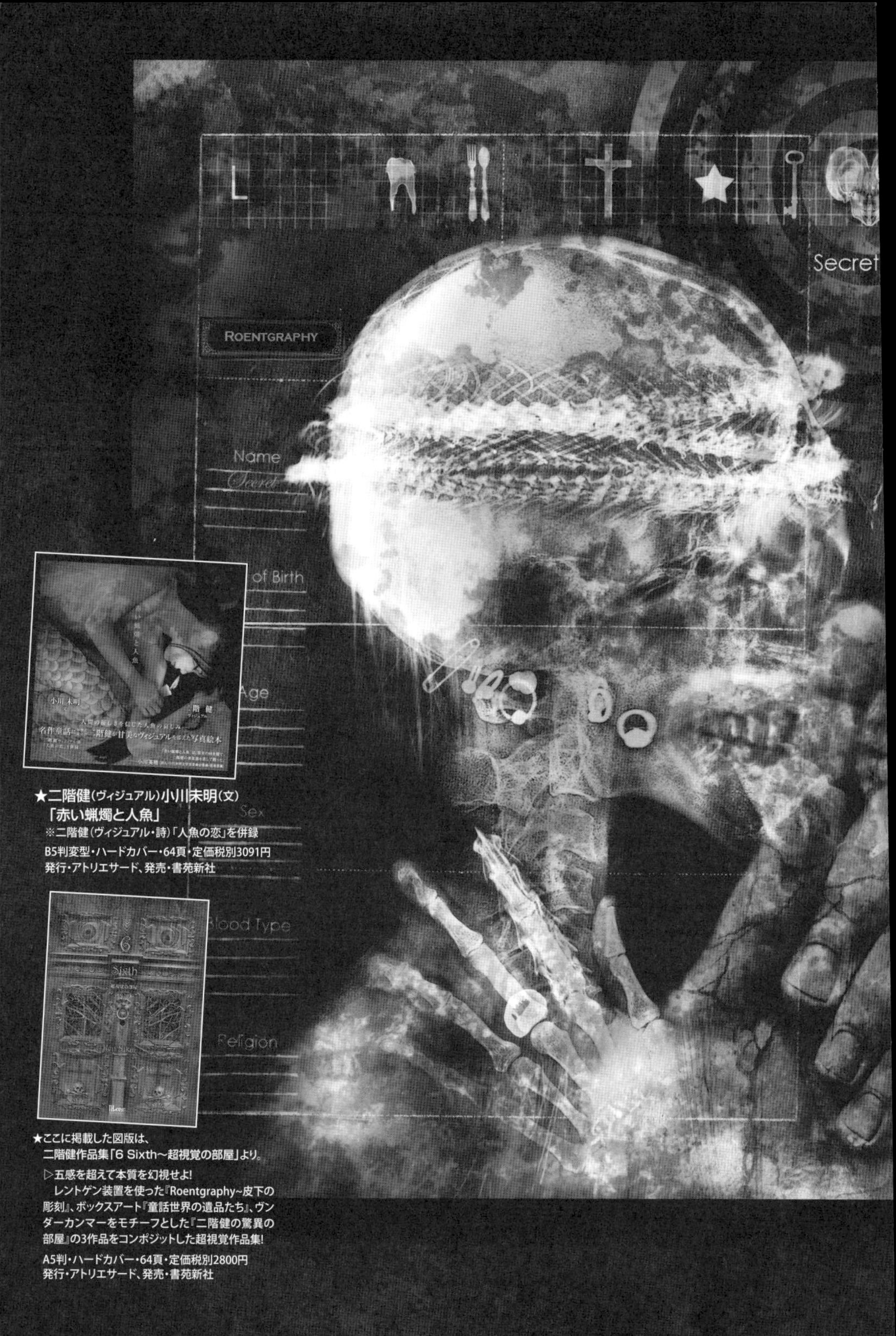

★二階健（ヴィジュアル）小川未明（文）
「赤い蝋燭と人魚」
※二階健（ヴィジュアル・詩）「人魚の恋」を併録
B5判変型・ハードカバー・64頁・定価税別3091円
発行・アトリエサード、発売・書苑新社

★ここに掲載した図版は、
二階健作品集「6 Sixth～超視覚の部屋」より。

▷五感を超えて本質を幻視せよ!
　レントゲン装置を使った『Roentgraphy~皮下の彫刻』、ボックスアート『童話世界の遺品たち』、ヴンダーカンマーをモチーフとした『二階健の驚異の部屋』の3作品をコンポジットした超視覚作品集!
A5判・ハードカバー・64頁・定価税別2800円
発行・アトリエサード、発売・書苑新社

MURATA KEN'ICHI
心臓を乞い、髑髏に寄り添う
村田兼一

死に対する強迫観念を払拭するために、タナトスに対し強烈なエロスを対峙させてきた村田兼一。その世界に心臓が現れたのは数年前からだ。その物語において、姫君はしかも、心を入れる器として心臓を乞う。それまで、無表情にエロスを放つ空疎的な存在だった村田の姫君が心を乞う——心臓は、新たな生の物語を紡ぎ出そうとしている。

MURATA KEN'ICHI 村田兼一

髑髏は死の象徴である。16世紀から17世紀にかけてヨーロッパ北部を中心に流行したヴァニタスと呼ばれる静物画は、人が死すべき運命にあることを隠喩するために髑髏を描いた。村田兼一の世界においても同様に、死の恐怖を象徴するものとして、しばしば髑髏が配置された。

新写真集『心臓を奏でる姫君』に「髑髏と私」が併録されたのは興味深い。心臓＝生と髑髏＝死との対比になっているからだ。しかしよく見れば、髑髏は以前のように生を脅かすのではなく、親しく寄り添っているかのようにも見える。村田の死への恐怖が別の展開を見せていることが、うかがえるのである。

★村田兼一「心臓を奏でる姫君」出版記念展

2024年6月7日(金)～23日(日) 月・火休
13:00～19:00 入場無料
場所／東京・神保町 神保町画廊
Tel.03-3295-1160
http://www.jinbochogarou.com/

★村田兼一 写真集「心臓を奏でる姫君」

B5判・ハードカバー・96頁
発行・アトリエサード、発売・書苑新社
2024年5月末発売予定!

▷村田兼一の写真集「心臓を奏でる姫君」が発売される。「宵待姫十三夜」は、村田の原点となる手彩色写真を集めたものだったため、新作写真集は「女神の棲家」以来4年ぶりとなる。背後に妖しく植物が繁茂するなど、村田ならではの神秘的で魔術的なオーラに満ちた写真集だ。

日隈 愛香

日隈愛香の作品には、呪術めいたものを感じてしまう。ヒトをヒトとして愛でるのではなく、その存在が秘めている根源的な力、根源的な美を追い求めているかのようだ。異形に見えるものもあるかもしれないが、それは、美の抽出のために不要な部分を削ぎ落とした結果のように思える。

削ぎ落とすことでしばしば手足が略され、骨や血管が露出する。その骨や血管は、生命のあかしであろう。

★（右頁）《I》2022年、（左頁）《種と卵》2023年
写真：田中流

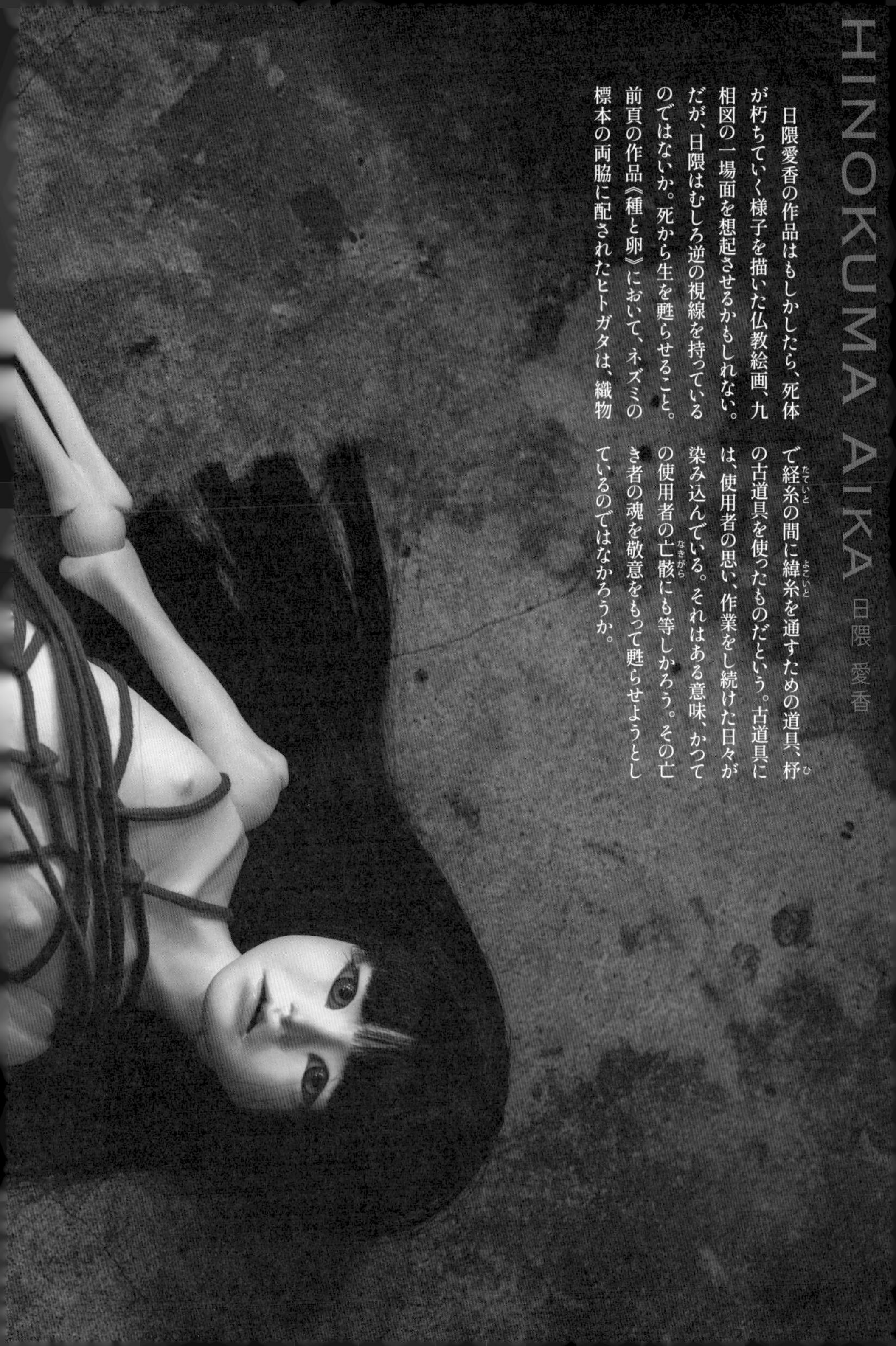

HINOKUMA AIKA 日隈 愛香

日隈愛香の作品はもしかしたら、死体が朽ちていく様子を描いた仏教絵画、九相図の一場面を想起させるかもしれない。だが、日隈はむしろ逆の視線を持っているのではないか。死から生を甦らせること。前頁の作品《種と卵》において、ネズミの標本の両脇に配されたヒトガタは、織物で経糸(たていと)の間に緯糸(よこいと)を通すための道具、杼(ひ)の古道具を使ったものだという。古道具には、使用者の思い、作業をし続けた日々が染み込んでいる。それはある意味、かつての使用者の亡骸(なきがら)にも等しかろう。その亡き者の魂を敬意をもって甦らせようとしているのではなかろうか。

★日隈愛香 個展「響命（きょうめい）」

2024年7月25日（木）～29日（月） 会期中無休
13：00～18：30（最終日は～17：00） 入場無料
場所／東京・曳舟 gallery hydrangea
Tel.03-3611-0336
https://gallery-hydrangea.shopinfo.jp/

★日隈愛香 作品集（仮）

上記個展にて先行発売予定!
発行・アトリエサード、発売・書苑新社

▷日隈愛香は京都造形芸術大学（現京都芸術大学）大学院卒で、2011年に初個展。その後、ヴァニラ画廊、ギャラリーマロニエ、カフェ百日紅などで個展開催。今度の個展「響命（きょうめい）」は、作品は、日々感じたものが、自分の体内で溶け合い響き合って生まれたものだとして、そう名付けたのだという。

★《望むものは》2009年／写真：田中流

Tsubaki
★鳥居椿
DARK FAIRY TALE
メルヘンのさらに深い闇へ
暗黒メルヘン
絵本シリーズ
2019 Kozue.K
★黒木こずゑ
★たま

★深瀬優子

★須川まきこ

メルヘンの世界が魅惑的なのは、人が心の奥底に秘めている薄暗い欲望が、いわばファンシー的なイメージに変換されて語られるからだろう。そのメルヘン世界の暗黒部分を呼び覚まし、さらに深い闇へいざなうのが「暗黒メルヘン絵本シリーズ」だ。幻想系少女画家とのコラボによって生まれているのが妙味で、その無垢な可愛らしさと暗黒さとが、間逆なベクトルで引き合うとともに、惹かれ合う。

そして暗黒の闇は死を覗き見ることでもあり、やはりここでも骨はその表象だ。その骨格が欲望の真実を物語る。

★暗黒メルヘン絵本シリーズZERO
王女様とメルヘン泥棒 大阪巡回展

2024年6月27日（木）～7月8日（月）水曜休 13:30～20:00
場所／大阪・中崎町 珈琲舎・書肆アラビク
Tel.06-7500-5519 http://arabiq.net/

※記念イベント 6/30（日）開場14:30、開演15:00 料金3,000円
（イベント当日は14時で一旦閉廊）
内容：朗読／最合のぼる（楽曲提供／大和田千弘）
トークショー／黒木こずゑ・たま・最合のぼる・本誌編集長
予約：アラビク店頭もしくは http://arabiq.net/contact

▷昨年6月に東京で開催された展示の大阪巡回展。5人の画家の「王女様とメルヘン泥棒」などの掲載作や新作、最合の写真コラージュ作品などを展示。

★ここに掲載した図版は、暗黒メルヘン絵本シリーズ全6冊の掲載作より
（上記展覧会の出品作とは異なります）

★黒木こずゑ、たま、鳥居椿、須川まきこ、深瀬優子×最合のぼる
「暗黒メルヘン絵本シリーズZERO
王女様とメルヘン泥棒」
B5判・並製・64頁・定価税別2000円
発行・アトリエサード、発売・書苑新社

★たま画集「Nighty night——少女主義的水彩画集Ⅷ」も好評発売中！ たま（原案・絵）・最合のぼる（文）の書下し短編「微睡夢紀行」を収録しています。
B5判・ハードカバー・64頁・定価税別3000円

HAYASHI MIDORI 林美登利

異形のものの魂に敬意を

異形のもの、か弱いものを優しく肯定するのが林美登利の人形だ。それは一見グロテスクに見えるかもしれないが、そう感じてしまうのはわれわれに先入観があるからにすぎない。生きとし生けるものすべてに同等の価値がある。林がしばしば骨を用いるのは、失われたその命への敬意が込められているのだろう。

一方、ここに掲載した《ブラッディ・テディベア》は、チャックで開いた胸から心臓が覗いている。その玩具的な表現に対し、目を閉じた顔はリアルな造形で、魂を感じさせる。そこには、ぬいぐるみという、か弱きものに魂を与えたいと願う、か弱き者のささやかな思いが投影されているのかもしれない。

★林美登利 人形作品集
「Night Comers～夜の子供たち」
人形・林美登利、写真・田中流、小説・石神茉莉
A5判・ハードカバー・96頁・定価税別2750円
発行・アトリエサード、発売・書苑新社

★《ブラッディ・テディベア》2016年／写真：田中流

カタカタ カタカタ
音を鳴らして
思い出を語る ご先祖さまと
生と死のシンポジウム
こやまけんいち絵本館
no. 54

こやまけんいち絵本館『ガールグース―少女画帳―』
好評発売中

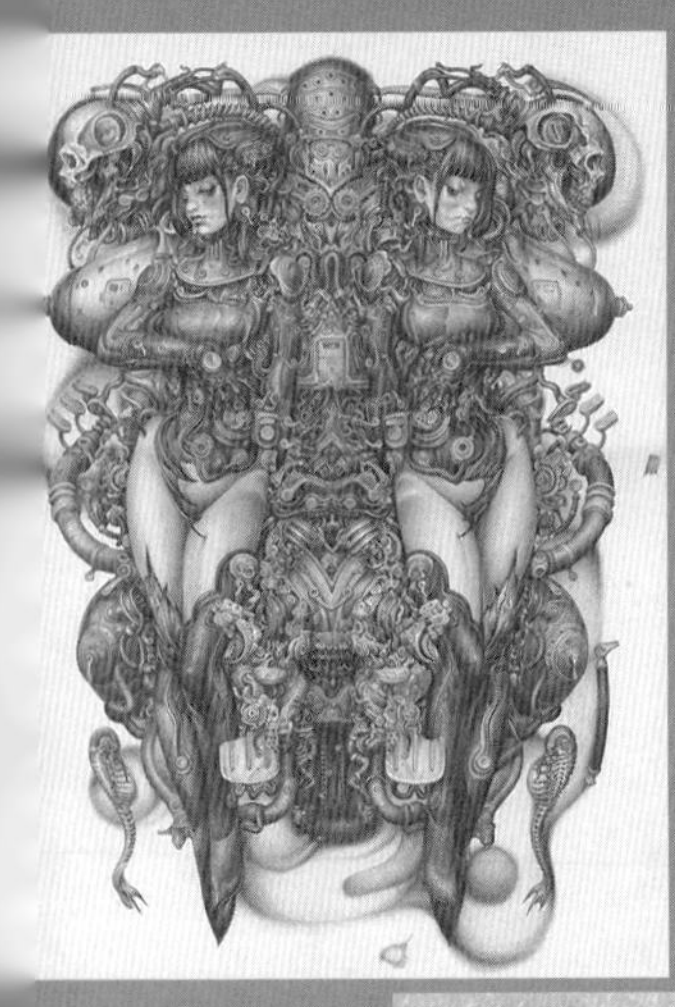

KCN 機械との融合で問う生命の本質

スチームパンクの世界観のもと、人と機械との融合を描き出すKCN。その図像には、人の生命とは何かという問いもうかがえる。機械と一体化することによって、人の存在はどのように変わってしまうのか。次の個展はカフカの『変身』がテーマだというが、KCNがそれをどう描くか興味深い。目覚めたとき『変身』では毒虫になっていたが、機械の心臓が埋め込まれていたとしたらどうだろう。あなたは生きていると言えるのだろうか。

★KCN個展「The Metamorphosis」
2024年6月1日(土)～16日(日) 会期中無休
12:00～19:00(土・日・祝は～17:00)
入場料／前売券(オンラインチケット)800円、当日券1000円
※前売券は5月25日(土)正午から発売
※A室・B室の両方を観覧可能
場所／東京・銀座 ヴァニラ画廊 展示室B
Tel.03-5568-1233 http://www.vanilla-gallery.com/

▷台湾出身の画家KCNの個展。農家出身で工業都市高雄で育ち、台湾の日本統治時代の祖父母に影響を受け、日本の戦前文化とスチームパンクの美学を融合させた作品を描く。

辛しみと優しみ〈55〉

人形・文＝与偶
doll & text by Yogu

周りに「…あの人は暗い」

「…あの人はいつも独りで話の輪に入ってこない」と言われているあなたへ。

あなたは周りと連まずに、その分の時を、独自の価値観を持って
独りであらゆることをずっと考えている貴重な感性を持った存在だ。

それはとても素晴らしいことだ。

流行にも、他人にも影響受けない自分の世界を構築することができるのは、そのような人だ。

だからあなたはありのままで良い。心からそう思う。

撮影◎サト・ノリユキ
/ SATOFOTO

昆虫がこの世を支配した時代を描く

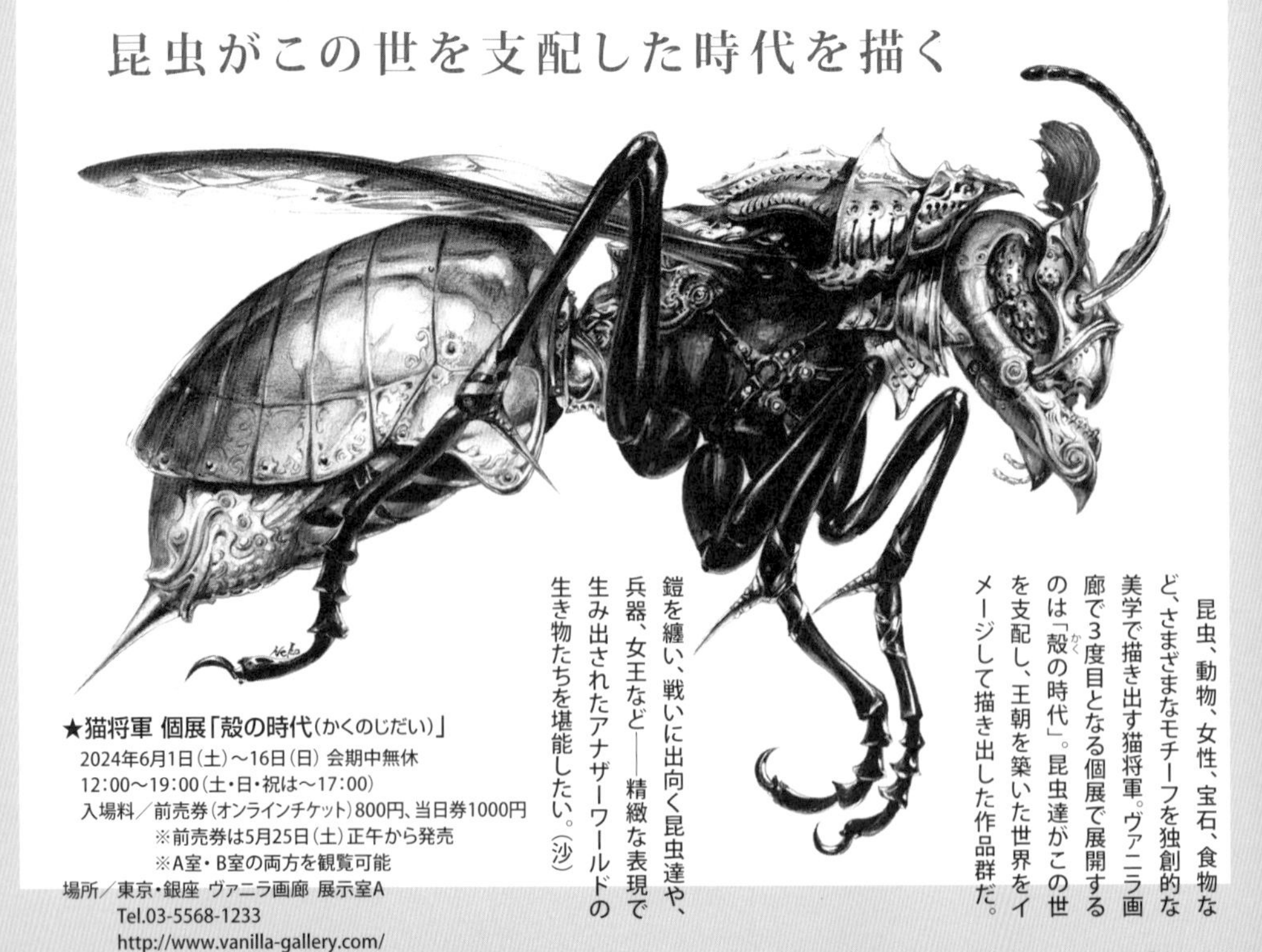

昆虫、動物、女性、宝石、食物など、さまざまなモチーフを独創的な美学で描き出す猫将軍。ヴァニラ画廊で3度目となる個展で展開するのは「殻の時代」。昆虫達がこの世を支配し、王朝を築いた世界をイメージして描き出した作品群だ。

鎧を纏い、戦いに出向く昆虫達や、兵器、女王など——精緻な表現で生み出されたアナザーワールドの生き物たちを堪能したい。（沙）

★猫将軍 個展「殻の時代（かくのじだい）」

2024年6月1日（土）～16日（日）会期中無休
12：00～19：00（土・日・祝は～17：00）
入場料／前売券（オンラインチケット）800円、当日券1000円
※前売券は5月25日（土）正午から発売
※A室・B室の両方を観覧可能
場所／東京・銀座 ヴァニラ画廊 展示室A
Tel.03-5568-1233
http://www.vanilla-gallery.com/

絵画的な色彩と装飾の世界

絢爛でまばゆさに満ちた色彩の世界。Albina Albinaは、美を共通のコンセプトに、写真を媒体とした作品をつくるクリエイターチームだ。カメラ・ヘアメイク・レタッチ・背景紙デザインを担当するmotocaと、衣装・プロップを担当するerikaの2人が組んで、2013年から活動を開始。「絵画を鑑賞するようにその美しさを楽しみ、本を読むように物語を思い描くことのできる作品の制作」を目指しているのだという。確かにその世界は、緻密に構成されて絵画的。今回の「couture」は、5つの色彩と装飾の世界で、モデル・七菜乃を描いた作品になるという。(沙)

★Albina Albina 個展「couture」
2024年7月12日(金)〜21日(日) 会期中無休
13:00〜19:00 入場無料
場所／東京・神保町 神保町画廊
Tel.03-3295-1160
http://www.jinbochogarou.com/

三浦悦子の世界〈32〉

「檸檬色の祈り」

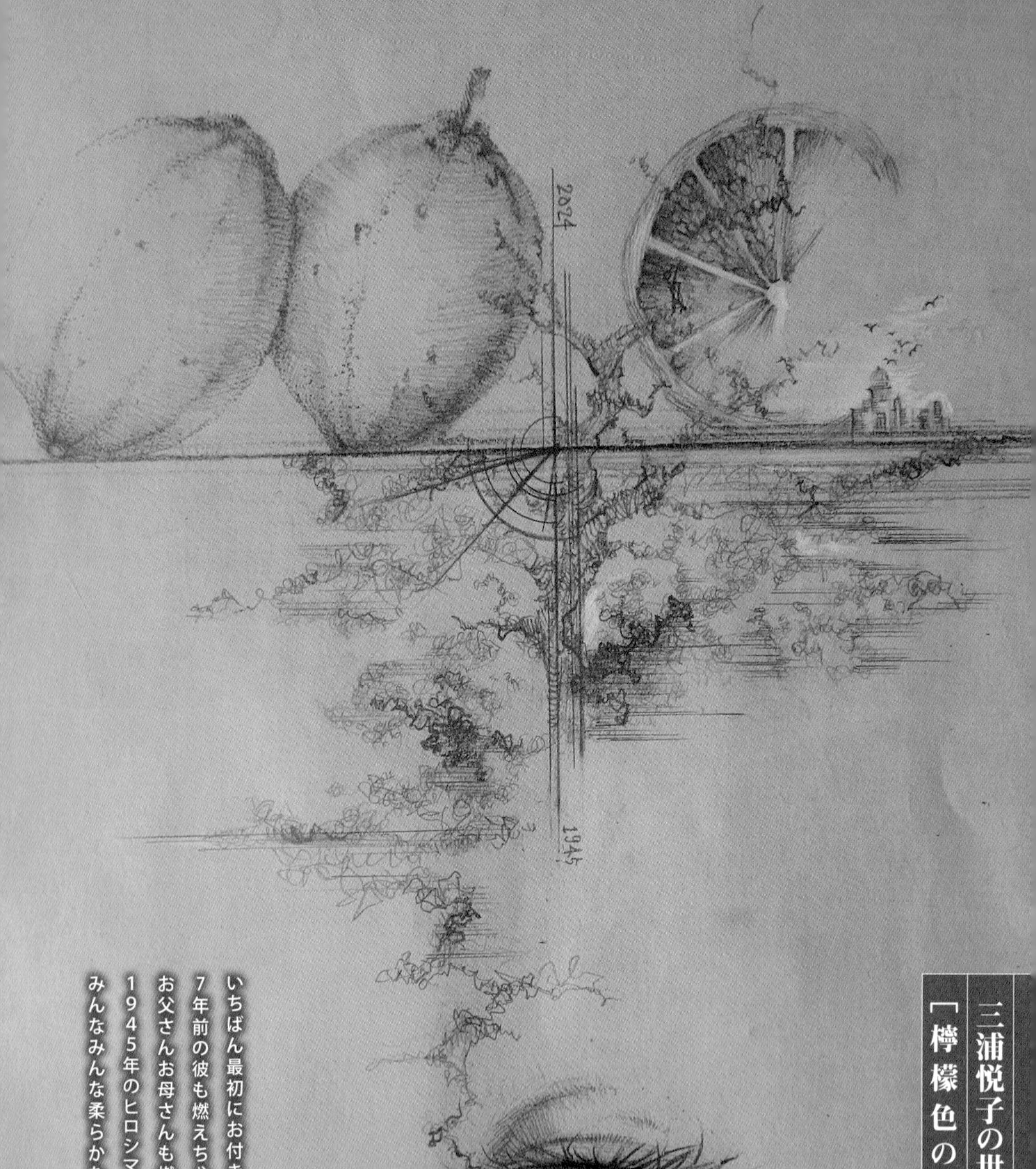

いちばん最初にお付き合いした彼が燃えちゃった。
7年前の彼も燃えちゃった。
お父さんお母さんも燃えちゃった。
1945年のヒロシマを思いました。
みんなみんな柔らかなおくるみに包んで抱きしめたい。

立体画家 はが いちよう の世界《第44回》

キャフェ・ル・マルソワン

マルソワン（MARSOUIN）とは「植民地の歩兵」という意味だ。その名を冠したキャフェが、1940年代のパリに実在し、庶民の店として人気を博していたらしい。（左下の写真）。

フランスで植民地といったらアフリカである。写真の兵士もアフリカの原野に立っている。そんな看板絵に惹かれて1996年にオイルペイントで看板そっくりの絵を描いた。しかし店の形状はそっくりにはせず、まったく別のかたちにつくり変え、その年の年末に開催された作品展の会場に陳列した。ただしこの時点では、作品の壁はレンガではなかった。

3年後の1999年、兵士の絵だけを残して、作品全体をぶっ壊してしまい、改めて、レンガ壁をたっぷりと取り入れた本作へとつくり変えた。縮尺12分の1。

この作品はミニ・ミュージアム「Gallery ICHIYOH」（東京都北区中里3の23の22）でご覧になれます。午前10時～午後6時。入場料100円。メール（ichiyoh@jcom.zaq.ne.jp）でご予約の上お出かけください。

芳賀一洋（はが・いちよう） https://ichiyoh-haga.com/
1948年、東京に生まれる。1996年より作家活動を開始し、以後渋谷パルコ、新宿伊勢丹、銀座伊東屋などでの作品展開催や、各種イベントに参加するなど展示活動多数。著作に写真集「ICHIYOH」（ラトルズ刊）などがある。

★はがいちよう作品集「錠前屋のルネはレジスタンスの仲間」
～レトロなパリと昭和の残像～抒情たっぷりの写真集！
税別2222円 好評発売中！
★ExtrART file.33に作品掲載（計11ページ）

自分だけの
大切な時に還る

細く開いた瞳は、何を見つめているのだろう。どこか寂しげだが、その人物が住まうノスタルジックな空間は、居心地が良さそうだ。現代の喧騒を逃れて、忘れ去られた時代へとそっと導いてくれる。「alone time」、それはきっと寒々しい孤独なのではなく、大切な自分だけの時間。

こまつたかしの作品は、寂しげだがぬくもりがある。髪の描き方などが特徴的で、鉛筆画というと写真のようなリアルな表現をよく見るが、そうしたものは追求せず、丹念に重ねた線で幻想性を醸し出す。闇の中に灯る郷愁を味わってみたい。(沙)

★(右頁)《幸せな空間》2024年
(左頁・左上から時計回りに)
《不思議の部屋の》2022年、《afternoon》2022年、
《夏の月》2024年、《その傍らの時間》2021年

★こまつたかし 個展「alone time」

2024年5月23日(木)～27日(月) 会期中無休
13:00～18:30(最終日は～17:00) 入場無料
音楽:igarasimakoto ex.Tokoto / 紫陽花蕃音
場所／東京・曳舟 gallery hydrangea
Tel.03-3611-0336 https://gallery-hydrangea.shopinfo.jp/

社会の裂け目にある者たちの生への渇望が、勇気を与える

「第8回横浜トリエンナーレ」レポート

◉写真・文＝ケロッピー前田

「第8回横浜トリエンナーレ」が開幕した。トリエンナーレとは3年に1度の開催を意味するが、メイン会場の1つとなる横浜美術館の改修工事の遅れに伴い、4年ぶりの開催となった。また、従来の「ヨコハマトリエンナーレ」から「横浜」と漢字表記に変更され、あらゆる点でリニューアルされた国際展となった。

今回のアーティスティック・ディレクターを務めたのは、中国のリウ・ディン（劉鼎）とキャロル・インホワ・ルー（盧迎華）の2人。テーマは「野草：いま、ここで生きてる」となっており、『狂人日記』や『阿Q正伝』で知られる中国の小説家・魯迅が1927年に出版した詩集『野草』に由来する。魯迅が思い描いた野草は中国史の激動期に体制や社会に翻弄されることなく、切望感をバネに強い個人を貫く「雑草」のようなもの。そして、本展における野草の哲学とは、社会の裂け目に生きるアウトサイダーたらんとすることという。

具体的には、展示は7つの章から構成されており、参加アーティストは全93組、そのうち日本初出展は31組。社会問題をテーマにした作家を多くフィーチャーしている点で、本誌No.93でレポートした

★オープングループ（ユリー・ビーリー、パヴロ・コヴァチ、アントン・ヴァルガ）《繰り返してください》

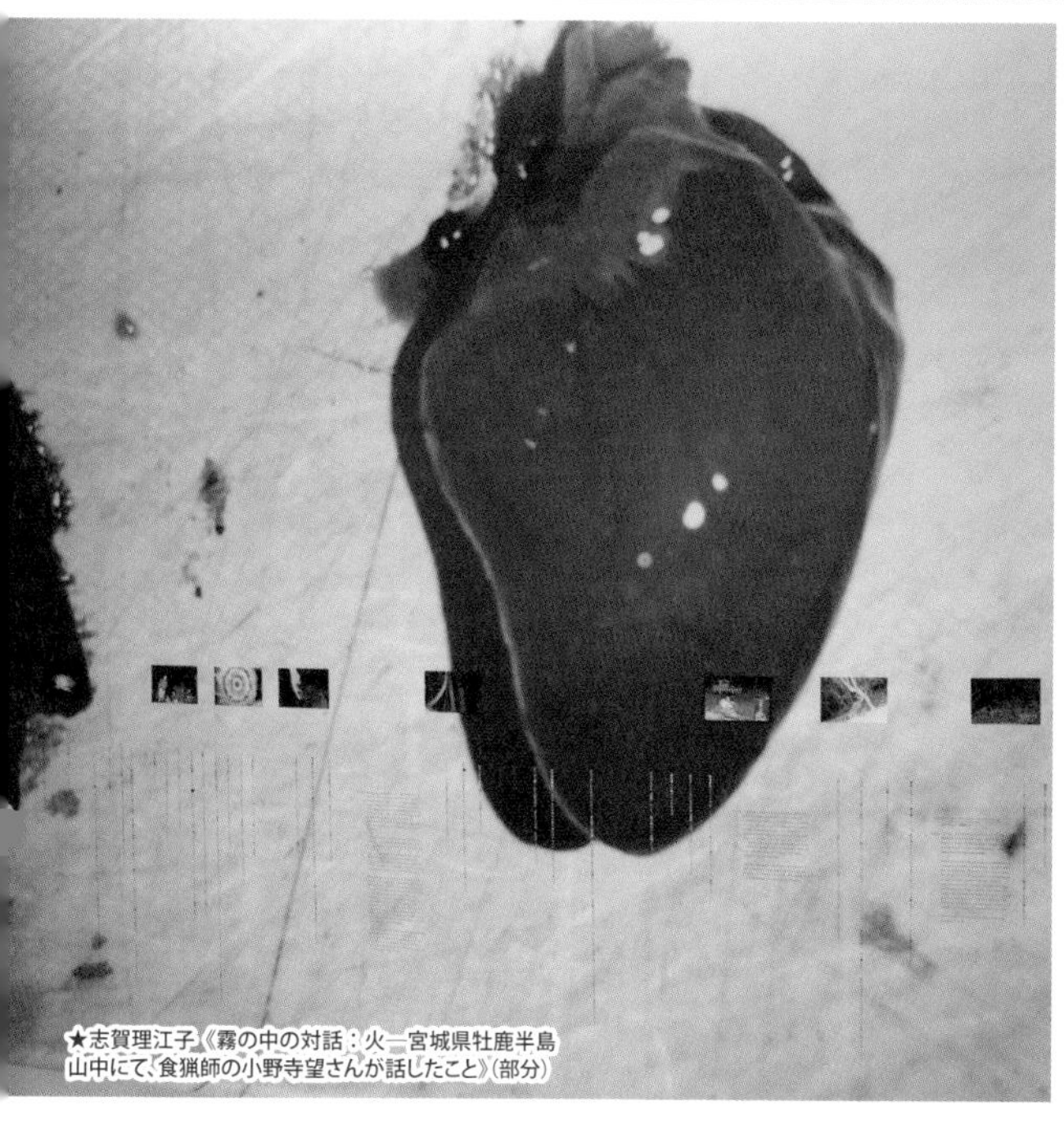
★志賀理江子《霧の中の対話：火ー宮城県牡鹿半島山中にて、食猟師の小野寺望さんが話したこと》（部分）

★横浜美術館エントランス。天井から下がるサンドラ・ムジンガ《そして、私の体はあなたのすべてを抱きかかえた》、手前の2つの巨大彫刻はマイルズ・グリーンバーグ《マルス》と《ヤヌス》、中央にピッパ・ガーナー《ヒトの原型》（STARS gallery）が見える

2022年のドイツのドクメンタを連想させるものである。実際、社会活動家やアナーキストなど、活動そのものが作品となっているアーティストも含み、それらをキュレーションという形でまとめ上げることで混沌とした世界状況に希望の光を見出していこうとしているのだ。

さっそく、メイン会場の1つである横浜美術館から見ていきたい。

改修工事を経て、自然光が射し込むようになった美術館エントラスの高い天井からはコンゴ出身のサンドラ・ムジンガによる怪物のような巨大作品が吊り下がり、グランドギャラリーの中央には、トランスジェンダーの作家ピッパ・ガーナーの「生きづらさ」を象徴するオブジェ彫刻作品が鎮座する。階段状の展示スペースには北欧の先住民族サーミ族の血をひくヨアル・ナンゴによる木材と布のテントなどが並ぶ。一見、和やかな雰囲気にも感じられるが、巨大スクリーンには一般の人々が「ブルブルブル」「ウィーンウィーン」と発声する様子が映され、その声が会場に響く。これはオープングループの作品で、ウクライナの難民キャンプにたびたび飛来するロシアからのヘリコプターやミサイルの音を声真似したものだという。彼らはのどかな自然に囲まれながらも、それらの音を聞き分けること

★章題「密林の火」
手前の彫刻は勅使河原蒼風（いずれも一般財団法人草月会）
壁面はイェンス・ハーニング
上に吊り下がる作品はエリーズ・キャロン＆ファニー・ドゥヴォー（『遅れてます』より）

★（上）トマス・ラファ《Video V65:極右主義者の難民反対デモ》
（下）左からジョシュ・クライン《長年の勤務に感謝（ジョアン/弁護士）》（Fondazione Sandretto Re Rebaudengo）、《総仕上げ（トム/管理職）》（Collection of Bobby and Eleanor Cayre, New York）

で空爆の危険から身を守っている。このフロアの章題は「いま、ここで生きてる」である。

　展示は章ごとにいくつかの展示室にわかれており、たとえば「密林の火」の章における「火」とは飛び散る火や花火のことで紛争や対立、衝突や事件のことであるという。そんな過去の歴史上の瞬間として、東ヨーロッパのデモや社会運動を記録してきたトマス・ラファの映像作品が映し出され、足元にはジョシュ・クラインの大きなビニール袋に詰めれた等身大の人形作品が転がり、正面には勅使河原蒼風の彫刻作品が迫ってくる。また志賀理江子の作品は「火」をタイトルとし、主に宮城県牡鹿半島で食猟師の小野寺望さんが語る震災からの復興や原発再稼働の話に耳を傾けて制作された。そのテーマは日本人にとっては切実な問題であり、血の赤がリアルな現実として突き刺さる。また「作品」だけでなく「活動の記録」にも重点をおいており、神奈川県に拠点をおき1960年代以降の芸術教育に力を注いだ「小林昭夫とBゼミ」、李平凡（リ・ピンファン）による戦前戦後の日中版画交流を辿る「平凡の非凡な活動」など、資料も併せて鑑賞することで理解が深まる。

　存在が際立った作家という意味では、

★（上）「小林昭夫とBゼミ」より（下）「平凡の非凡な活動」より

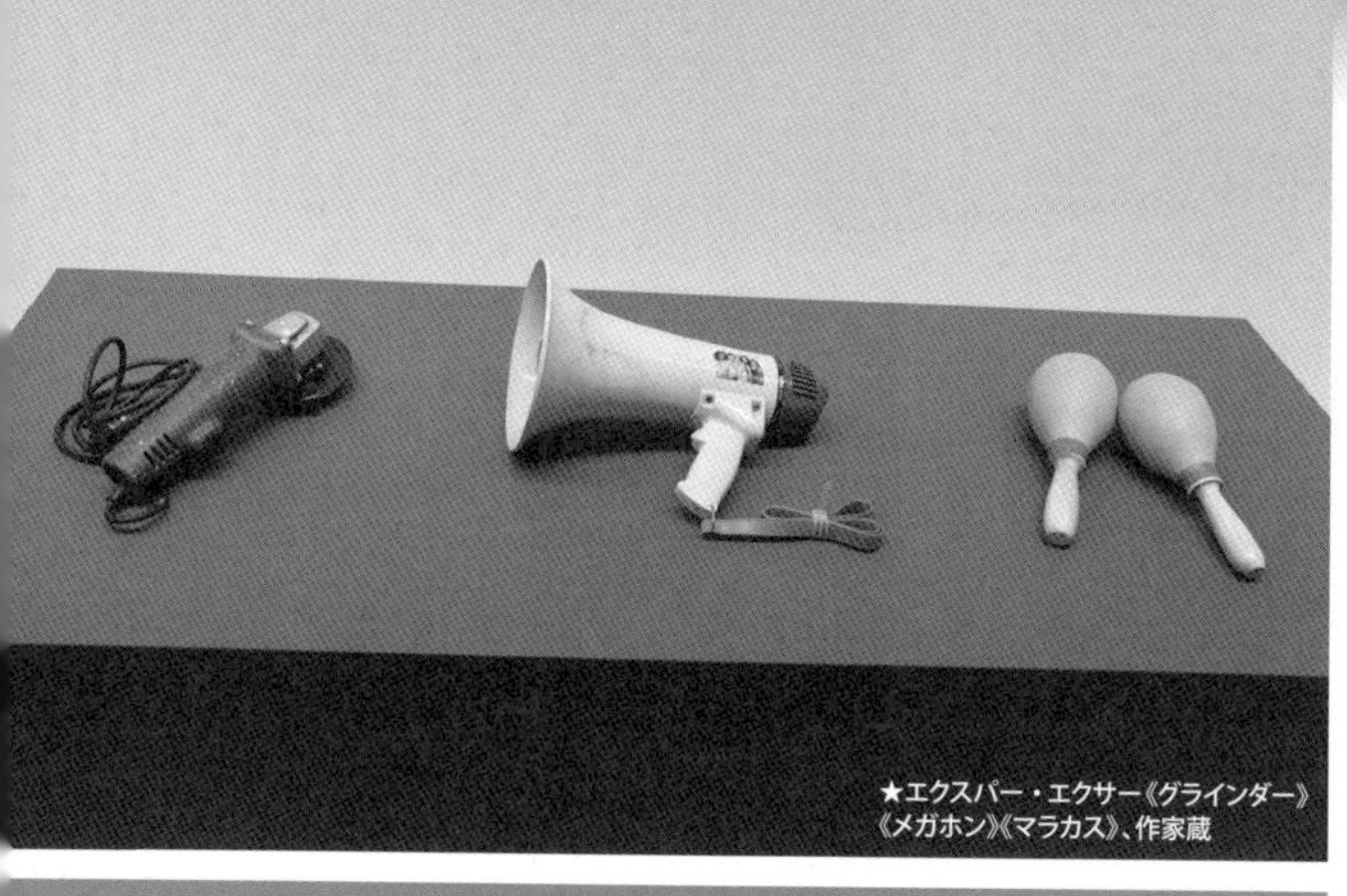

★エクスパー・エクサー《グラインダー》《メガホン》《マラカス》、作家蔵

香港を拠点とするノイズミュージシャンにしてアーティストのエクスパー・エクサーが、拡声器や火炎瓶を含む、中国では非合法にあたる表現活動に使われた道具やメモ、オブジェなどが展示されており、彼の信念や創造性の証となっていた。一方、アネタ・グシェコフスカは、作家自身にそっくりの上半身だけのシリコン人形が作家の娘と戯れる《Mama》シリーズで知られるが、遺体と戯れているような代表作だけでなく、等身大のラバードールやマスクを多用した作品では匿名性を強調し、そこにいる人型は人間なのか区別がつかなくなっており、ヒューマノイドと共存する未来の不気味ささえ連想させられる。

そのグシェコフスカも展示されていた

★アネタ・グシェコフスカ《ママ no.31》(2018/2024 pvine)

★章題「鏡との対話」
（中央）ラファエラ・クリスピーノ《We don't want other worlds, we want mirrors（われわれは他の世界なんて必要としていない。われわれに必要なのは、鏡なんだ）》、作家蔵
（両側）左からオズギュル・カー《ヴァイオリンを弾く死人（『夜明け』より）》、《杖を持つ死人（『夜明け』より）》

「鏡との対話」の章には、縄文の美の発見者である岡本太郎を始めとする日本の作家たちの「縄文と新たな日本の夢」の作品と資料のコーナーがあったことも素晴らしい。「生きづらさ」や社会問題をテーマとする展示のなかに縄文が入り込んでいることで、そこにいくつも並べられた本物の縄文土器群の意味合いも変わってくるだろう。縄文時代においても生きることの切実さは現代の日本と通じるものであり、縄文にみる芸術性が支えてきたものは現代を生きる者たちにも伝わるものだろう。筆者にとっては、今回の横浜トリエンナーレのクライマックスであった。

さて、さらに今回の展示を大きく特徴づけるものに、旧第一銀行横浜支店で展示された「すべての河」の章の「革命の先にある世界」があった。会場に入るなり、リサイクルショップや居酒屋と書かれた屋台に驚かされる。高円寺で「素人の乱」を営む活動家・松本哉の作品群である。彼の日常的な活動の場をそのままトリエンナーレに持ち込んでしまっているところが潔い。山下陽光はフリーマーケットで購入した他人の絵画に「ワサビ」の絵を貼り付けて販売している。同じフロアの壁面を埋め尽くすのは、中国、マレーシアなどのアジア各国のアナーキー活動家たちのプロテスト版画やアジビラが大迫力だ。展示解説ではアナーキストの文化人類学者デヴィッド・グレーバーを引いて、「革命」という言葉の予示性を媒介として「いま、ここで」そうありたい社会のあり方を目指すこととし、アジア各地で

★「縄文と新たな日本の夢」

★佃弘樹《On the Beach》、個人蔵

★章題「すべての河」
旧第一銀行横浜支店での「革命の先にある世界」

★山下陽光

★松本哉

★インターアジア木版画マッピング・グループ

★ロストジェンズ・コンテンポラリー・アート・スペース

の文化的実践として紹介している。改めて、展示コンセプトに立ち戻るなら、この荒削りでパンクなDIY感こそが、格差や貧困を生み出す「新自由主義経済」をすり抜け、社会システムの変革を妨げる「保守政治」から自由になるためのひとつの糸口になり得るものだろう。そして、「グローバルな友情を築くことは、芸術の名のもとに可能」とキュレーターが高らかに宣言する通り、それぞれの個人の感性を尊重し、生きることを肯定してくれることこそ重要なのだ。

第8回横浜トリエンナーレで感じた新しい息吹はどのような次の時代を生み出していくのか、生きる勇気が湧き上がる国際展であった。

※第8回横浜トリエンナーレ「野草：いま、ここで生きてる」は、横浜美術館、旧第一銀行横浜支店、BankART KAIKO、クイーンズスクエア横浜、みなとみらい線元町・中華街駅連絡通路にて、2024年6月9日まで開催。https://www.yokohamatriennale.jp/

伝説のライブハウスで サイキックな一夜

　岡山のペパーランドは、音楽のみならず、さまざまな表現が交錯する場として、写真・映画・評論など多方面で活躍する能勢伊勢雄が1974年に設立したライブハウス。その50周年記念企画として、根源への回帰を標榜する密教系芸術集団・混沌の首と、初期インダストリアルのラディカリズムを体現するノイズユニットErehwonが、儀式/ライブ「サイキックレフト」をおこなう。観客参加型の瞑想や、能勢伊勢雄・石川雷太・羅入によるトークもあり。現実を超越していく超自然的かつ呪術的な一夜をぜひ体験されたい。（沙）

★PEPPERLAND 50周年企画
「PSYCHIC LEFT―サイキックレフト―」
2024年5月5日（日）開場17:30、開演18:00
入場料（drink代別）／前売2,500円、当日3,000円
場所／岡山 PEPPERLAND
Tel.086-253-9758
http://www.pepperland.net/
予約／info@pepperland.net（ペパーランド）
kubi@kondon.org（混沌の首）

★右上の写真は撮影：中村趫、それ以外は撮影：KENTA UMEDA

「新たな戦前」のいま、ゲバルト文化を検証

★（上・右下）石川雷太による多量のガラスの破片によるインスタレーション「GEWALT」（2001年）
（左下）足立正生『赤軍-PFLP・世界戦争宣言』ポスター

かつての日本において制度的暴力に対するレジストとして存在した「ゲバルト」。その考察と検証を目的とした展覧会が開催。キュレーションはジル・ドゥルーズ等の哲学を専門とし、日本のアヴァンギャルド文化などにも造詣の深い研究者アレクサンドル・タルバ。足立正生『赤軍-PFLP・世界戦争宣言』、城之内元晴『ゲバルトピア予告編』の映画や、石川雷太、嶋田美子、キュンチョメ、ユニ・ホン・シャープのインスタレーション、花岡美緒による共同夢体験などを展示。Erehwonによるノイズ・パフォーマンスも予定されている。（沙）

★「ゲバルト」展

2024年5月18日（土）～6月16日（日）
場所／東京・飯田橋
東京日仏学院（アンスティチュ・フランセ 東京）
Tel.03-5206-2500
Erehwonパフォーマンス詳細は石川雷太HPへ
http://erehwon.jpn.org/raita_ishikawa/

★Dr.つん

★手のひら万博

妖しい色香漂う「をんな」の造形展

和をモチーフとした「をんな」をテーマに、造形作家のグループ展が開かれる。「女」ではなく「をんな」。色香を漂わせ、艶やかで妖しい、そんな魅惑的な存在を造形で表現する作家たちによる展示だ。参加するのは、花、ヒカリトイズ、手のひら万博、もえすけ、Dr.つん、藤炎、童子商店ー珠羽、黒Memi、裕樹、杉本末男（chara）、sakooo、石橋直和、絵刺屋、TETSU T&M（順不同）。場所は、神保町に

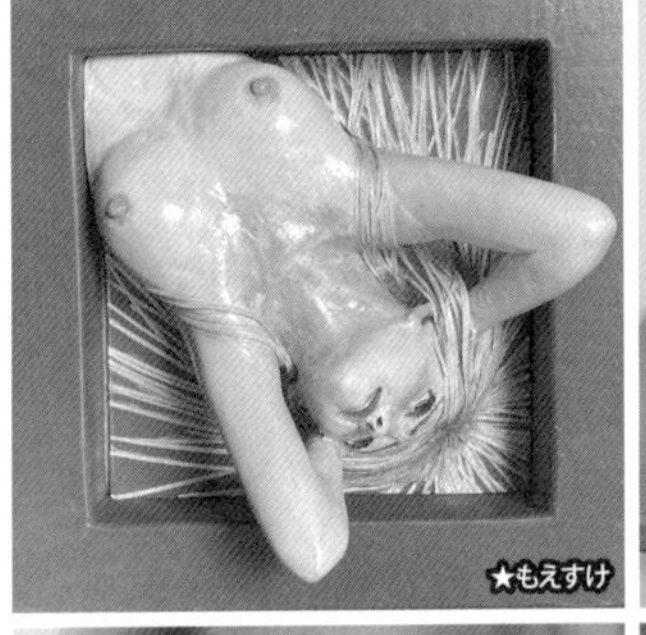
★もえすけ

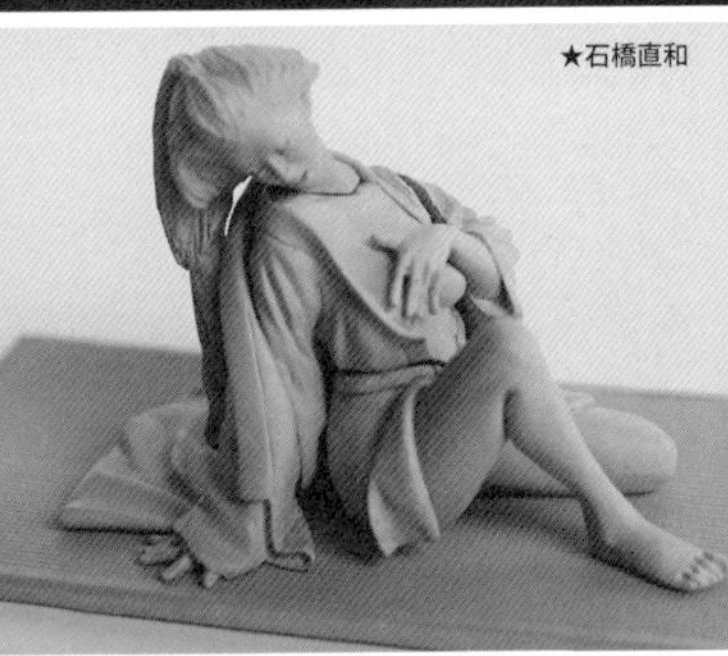
★石橋直和

★黒Memi

★花

★童子商店一珠羽

★ヒカリトイズ

★絵刺屋

★TETSU T&M

★裕樹

★sakoooo

★藤炎

★杉本末男（chara）

ある20世紀サブカル系古書店@ワンダーの2階のブックカフェを引き継いだネオ書房@ワンダー店。まさに「をんな」的な妖しさに満ちた空間で、濃い作品の数々を堪能されたい。（沙）

★グループ造形展「をんな造形展〜妖」

2024年6月1日（土）〜14日（金）月曜休 入場料／1オーダー制（500円〜）
場所／東京・神保町 ネオ書房＠ワンダー店 2Fブックカフェ https://jimbo20seiki.wixsite.com/jimbocho20c
イベント告知用Xアカウント https://twitter.com/onnazoukei ブログ https://ameblo.jp/onnazoukei/

多彩な表現方法で個人の内面を作品化、超独特な表現が爆発した展覧会

「第27回岡本太郎現代芸術賞(TARO賞)」展レポート

◉写真・文=ケロッピー前田

★(右・右下写真2点)岡本太郎賞 つん《今日も「あなぐまち」で生きていく》
(中央・左下写真2点)岡本敏子賞 三角瞳《This is a life. This is our life.》
(左)村尾かずこ《サザエハウス-village-》

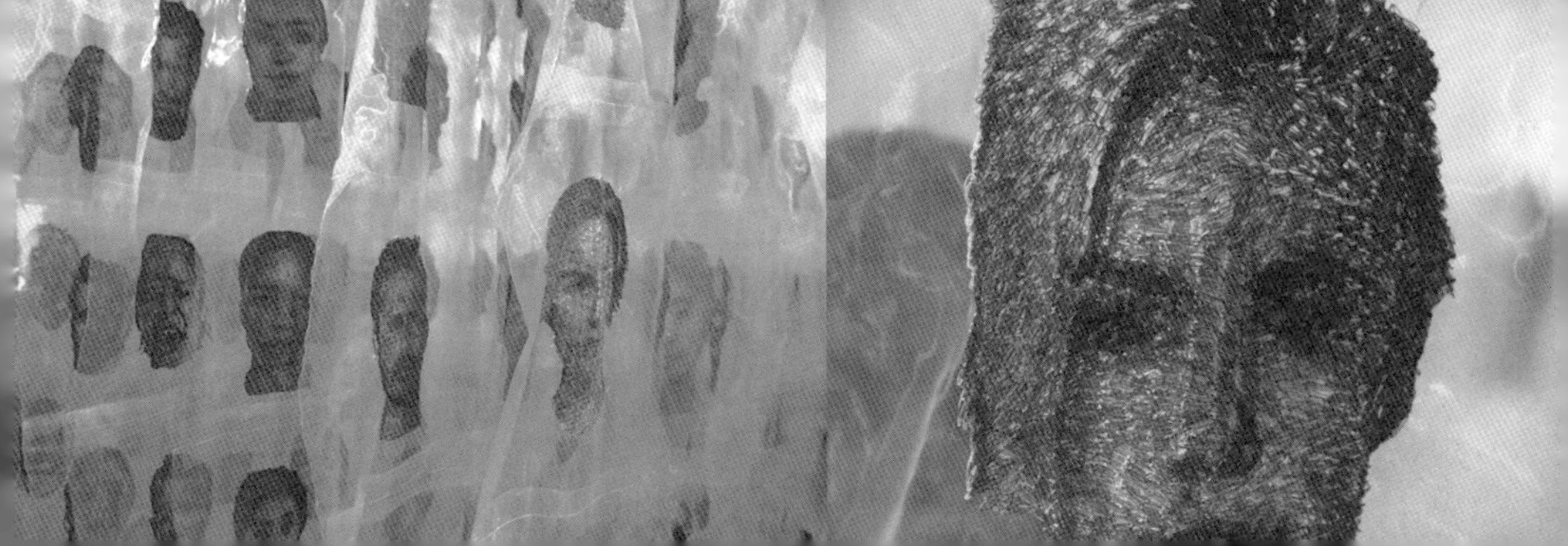

★特別賞 池田武史《Space X》

★特別賞 長雪恵《きょうこのごろ》

今年も恒例の「岡本太郎現代芸術賞（TARO賞）」展のレポートをお送りする。今回は621点の応募から22組の作家が選ばれた。昨年は岡本太郎賞、岡本敏子賞ともに該当者なしで、芸術賞としてのあり方そのものも時代の要請にどう答えていくのか問われることとなったが、そんな不安を吹き飛ばすように、今年は入選作品のレベルが大きく底上げされ、作風のバリエーションの多かったことから、つんが岡本太郎賞、三角瞳が岡本敏子賞を受賞するとともに、初めて10作家が特別賞を受賞する結果となった。

近年は複数回の入選者がいたり、年齢の幅も広くなるなど、これまでの若手作家の登竜門というTARO賞の役割も大きく変化してきている。また、複数の外国人作家が入選を果たすとともに、展示のライティングや作品の影を見せる表現など、展示会場の照明にもコントラストが強調され、受賞することに対する拘りより、自由な表現を爆発させる場として、ここでしか見れない超独特な作品がぎっしりと詰め込まれた展示となった。大きく息を吹き返した新生TARO賞は、枠に縛られない岡本太郎が本来掲げたべらぼうな作品に回帰している。そんな新境地に挑む作家たちを紹介しよう。

岡本太郎賞受賞のつんは熊本をベース

★特別賞 月光社《MUSAKARI》
★特別賞 クレメンタイン・ナット《POT PLANTS !》
★（左）特別賞 小山恭史《無明》（右）李函栂《無から来る、無故に集う》

に活動しているアーティスト。受賞作となった《今日も「あなぐまち」で生きていく》は、ダンボールでできた団地を表現した巨大な立体作品である。彼女は幼少の頃より幻視を体験し、そこで見た住民たちを作りその住まいを段ボールで作って積み上げてきた。その団地は「あなぐまち」という架空の「まち」となっているが、それは実際彼女の内面に存在しているものとも言える。それぞれの部屋の窓を覗くと小さな住民が配置され、低い位置には小さな冊子が入っており、めくると楽器や花といった絵が描かれている。作家の幼少期から老年への人生の流れが四季の花で表され、下部の春の色彩から上部の冬の白へと変化する。

岡本敏子賞受賞の三角瞳の作品《*This is a life. This is our life.*》は、ポリエステルの布に無数の人の顔が刺繍されたもので、「遺伝子に束ねられた存在である」人間の姿を表すとともに、その抗えない設計図を客観的に示したものだという。今回の刺繍による作品は、表に人物の顔、裏から見ると遺伝子や血を表す赤い糸となっており、薄い布切れに刺繍された無数の『個』が折り重なるように並べられている様が現代という社会をリアルに映している真摯な態度が胸を打つ。

特別賞は異例の10組。池田武史《Space

★特別賞 小山久美子《三月、常陸國にて鮟鱇を食ふ》

★(左) 特別賞 タツルハタヤマ《小鳥のさえずりを聞くとき、遠くで銃声が鳴り響いた》
(右) 横山豊蘭《トロトロ遺跡》

★特別賞 ZENG HUIRU《BACK TO ME》

★鈴木のぞみ
《Light of Other Days:吉田美容室》

★林楷人《調和の剥き出し》

★野村絵梨《垢も身のうち》

X》は人工知能を使ったビジュアルを絵画化した作品と多数のオブジェをインスタレーション。長雪恵《きょうこのごろ》は、2008年の敏子賞受賞作品を解体して再構築。小山恭史《無明》は、LEDバックライトで浮き上がる日本の都市の看板をコラージュ。クレメンタイン・ナット《POT PLANTS!》はジュートと厚紙の、鑑賞者がなかに入れる大きな箱庭。月光

★特別賞 村上力《學校》

★特別賞 フロリアン・ガデン《Anomalies poétiques／詩的異常》

★大河原健太《文字前夜ー火水風土ー》

★遅四グランプリ実行委員会《遅博2024 ー人類の進歩と遅延ー》

★横岑竜之《ハッピーモンスター》

★GORILLA PARK《Relief-1,Relief-2,Relief-3,Relief-4》

◉入選者（50音順）

池田 武史
大河原 健太
長 雪恵
遅四グランプリ実行委員会
小山 恭史
クレメンタイン・ナット
月光社
小山 久美子
GORILLA PARK
鈴木 のぞみ
ZENG HUIRU
タツルハタヤマ
つん
野村 絵梨
林 楷人
フロリアン・ガデン
三角 瞳
村尾 かずこ
村上 力
横岑 竜之
横山 豊蘭
李 函樽

社《MUSAKARI》は陶器の人形で、未婚で亡くなるウクライナ兵士の精子保存と東北地方に残る未婚で死んだ子供のために死後の婚姻を成就させる神事「むさかり」を重ね合わせた。

そして小山久美子《三月、常陸國にて鮟鱇を食ふ》は、広角視点の横長の巨大絵画のなかに現代と戦国時代を同居させ甲冑姿の武士たちが寛ぐ姿を描いた。ZENG HUIRU《BACK TO ME》は大量の陶磁器製カラスを配置し、その影も含めてインスタレーションとして見せた。タツルハタヤマ《小鳥のさえずりを聞くとき、遠くで銃声が鳴り響いた》は、巨大なハトをモチーフに戦争と日常が交差する現実を描いたグラフィティ風の作品。フロリアン・ガデン《Anomalies poétiques／詩的異常》は、日本各地の風俗を映し出す風景スケッチを集積。3回目の特別賞受賞となる村上力《學校》は、等身大の人物彫刻と原爆ドームを模した廃墟で子供の頃からの記憶を再現した。

力作揃いで、TARO賞ならではの巨大作品同士が隣接し存在感を主張し合う醍醐味を体感した。来年は大阪万博ということもあり、1970年の万博で代表作《太陽の塔》を発表した岡本太郎の再評価も進んでいる。TARO賞もまたさらなる新境地を求めて進んでいくだろう。

※「第27回岡本太郎現代芸術賞（TARO賞）」は、2024年2月17日〜4月14日に、川崎市岡本太郎美術館にて開催された。

陰翳逍遙《第54回》

志賀信夫

上條陽子とパレスチナ

　美術家、上條陽子とパレスチナの関わりは長い。一九九九年から二十四年以上だ。パレスチナでの絵画展をきっかけに、アートによるパレスチナ支援を行い、PHAP（パレスチナのハートアートプロジェクト）を主催して、子どもたちの絵の展示を長年行ってきた。近年は大人となった画家たちの絵の展覧会を開催し、彼らを招聘するまでに至っている。では、上條陽子とはどんな人物か。

　上條陽子は子どもの頃から画家になりたかったという。十五歳のときに近くのデッサン教室に通い、やがて独立展や女流画家展などに出品するようになる。夫の明吉も画家で、一九七二年、夫と中古車でパリから欧州をめぐった。陽子の運転でパリを出て、スペイン、ポルトガル、モロッコ、イタリア、トルコまで行ってパリに戻る野宿・放浪の旅の一年だった。そして日本に戻り、公募展などに出品。すると一九七八年、《玄黄兆》で安井賞を受賞する。美術大学などで学んでいない画家、それも女性が有名な安井賞を受賞するなど前代未聞で、以後もそうそうない。当時、美術評論家のヨシダヨシエは上條が賞を総なめにしていると評したという。ちなみに玄黄は天地玄黄からで、天は黒、地は黄（茶）という意味だ。

　そして、上條は文化庁在外研修員で一年海外に行くが、戻って大病が発覚する。左の耳が聞こえない。検査すると、脳腫瘍で開頭手術を行う。良性腫瘍だったが、顔が麻痺して歪み、涙が出て吐き気がする。そして、耳に障害が残った。そんな上條がパレスチナを支援するようになったのはどうしてなのか。

　上條が通っていた高校はカトリックで、クラス名がパレスチナだった。だけど、世間ではいつの間にか、「パレスチナはテロリストだ」となっていたので、どうしてなのかと思っていた。

　そんなときに、パレスチナに行く話が夫にきた。JAALA（日本・アジア・アフリカ・ラテンアメリカ）美術家会議という、一九七七年創立の、針生一郎らが中心となって日本とアジア、第三世界をつなぐ美術家の会からだった。日本からの「七人の天使たち」として、エルサレムからラマラ、ガザの日本人画家の巡回展を行うという企画で、上條はパレスチナについて、一冊の本を読むよりもこの目で現地を見たいと思った。そして、夫の鞄持ちのつもりだったが、当時夫は旅行に及び腰で、一人で行くことになった。

　一九九九年に行ってみると、エルサレムの画廊は石造りで壁面がなく、パレスチナを代表する画家、テレマン・マンスールが机を出して、子どもたちに教えていた。道路一つ隔ててイスラエルの兵隊が角ごとにいる。イスラエル人は欧米諸国と同じ生活をしているのに、パレスチナ人は貧しい。通行証を携帯させ、検問所もあり、兵隊が脅すなど、侮辱的な扱いが多く、人間の尊厳が失われていると感じた。理由なく五年間拘束されるなどの人権侵害が頻発し、警察などに拘束された夫を待つ妻や母も多かった。パレスチナ人は国外にも出られずに、自由がない。そんな彼らが、海外の日本人に会えてうれしいと、上條らを歓迎した。

　ガザの文化センターで日本の七人の画家の絵を展示し、ガザに一〇日間滞在した。日本に帰って、何かしようと考え、ガザに絵の具を送ろうと思った。だが、戦争で送れない。そんなとき、難民キャンプの女医から、その絵の具で絵を子どもに教えてといわれて、また、パレスチナに行くことになった。二〇〇一年からはレバノンに行き、一一年までの一〇年間で十二カ所の難民キャンプで教えたが、一二年からは、シリア内戦でレバノンに行けなくなった。

　二〇一三年にはガザを再訪し、ろう学校で絵を教えた。そのとき、一九九九年のときの学生たちが、画家として小さな画廊「エルチカ」を運営していた。

　二〇一九年には、そのうちモハメド・アル・ハワジリ、ソヘイル・セレイム、ライエッド・イサの三人を日本に招き、日本各地で展覧会やトークを行った。筆者もその展覧会とトークに参加したが、イサはガザにいるときは、爆撃された子どもを描いていたが、日本に来て花を描くという話が印象的だった。さらに、上條は、二〇二二年には七人の作品を、沖縄県宜野湾市の佐喜眞美術館で展示した。

　そして二〇二四年一月二十七日には、朝日カルチャーセンター横浜で、上條は美術研究者、宮田徹也とトークを行った。大勢の美術家などが集まり、神奈川県立近代美術館長前館長の水沢勉も聴衆として参加してコメントした。

　さらに三月二十八日から四月三日に、上條は、東京新宿のギャラリー絵夢で、展覧会「パレスチナに明日はあるのかGAZA7人の画家展」をプロデュースし、アブドゥル・ラウーフ・アル＝アジューリー、モハメド・アル・ハワジリ、ディナ・マ

★朝日カルチャーセンター横浜でのトーク／（右）上條陽子と宮田徹也（左）画面で作家を紹介

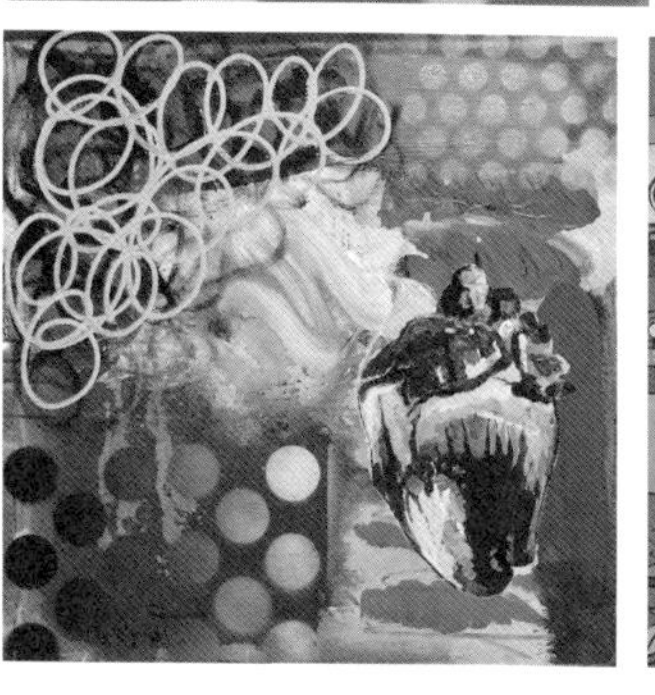

★（左上から時計回りに）ライエッド・イサ、モハメド・アル・ハワジリ、ソヘイル・セレイム、アブドゥル・ラウーフ・アル＝アジューリー、ディナ・マタール、ムハンマド・アブサールの作品

タール、ソヘイル・セレイム、ムハンマド・アブサール、ライエッド・イサ、ムハンマド・アル＝ダブスの七人の絵が展示された。戦闘の影響を示す作品もあるが、全体に色彩が豊かで独特の形象や、シュルレアルな表現をする画家もいる。

今回のイスラエルによるガザ攻撃で、画廊「エルチカ」とハワジリのアトリエは爆破され、彼の親族十人、イサの母と姪が殺され、まだ消息不明の画家もいる。そして、ギャラリー絵夢で、三月三十日に上條と映像ディレクター・原口美早紀氏とのトークが行われたが、百五十名が集まった。一九九九年から二十五年、パレスチナ、ガザと関わって現地の人々を知る上條陽子。彼女の「イスラエルは人権を無視して民族浄化を行なっている」という言葉は真実だろう。そして、今後もアートを通じて、支援を続けるという。上條の活動から目が離せない。

内海信彦とコマ、若者たち

美術と社会という点では、内海信彦の活動に触れないわけにいかない。美術家内海信彦は、かつてアウシュビッツなどでパフォーマンスを行い、かつダイナミックな作品で知られるが、早稲田大学や予備校で教鞭をとり、多くの学生たちに展覧会に参加させてきた。

現在、東京・京橋のギャラリイKで、個展や学生たちを含めたグループ展などを、定期的に展開している。「内海信彦絵画表現研究室展」は四月で二十二回を数えるが、若い学生たちによる「画家内海信彦のもとで学ぶ新大学生・高校生によるグループ展2024」が三月に二週に分けて開催された。

その第一週で、大野一雄に師事しニューヨークで活躍したエイコ＆コマの舞踊家、コマが踊るというので、三月二十二日十五時に、駆け付けた。エイコ＆コマは、二〇〇二年、JADE International Dance Festival 2002でアリアドーネの會（カルロッタ池田＆室伏鴻振付）とともに、新宿のパークタワーホールで公演した。エイコ&コマは枯れ葉の中に埋もれるような作品だった印象がある。それ以降、エイコの映像や踊る舞台を見ていたが、コマは野外で一度見たきりだった。今回の踊りは、松崎友紀Yukiとのデュオで、男女の出会いと別れというものだったが、表現力と存在感はさすがだった。内海とコマは古くからの友人ということだが、コマにはこれを契機に、舞台を展開してほしい。

そして、この展覧会でさらに驚いたのは、若者たちの展示だった。十八歳前後の若者たち、近藤祐生、白井希乃花、船本彩乃、松尾はるかの展示の質とエネルギー、そして彼らはそれぞれ作品のコンセプトについて語ったが、その論理性など

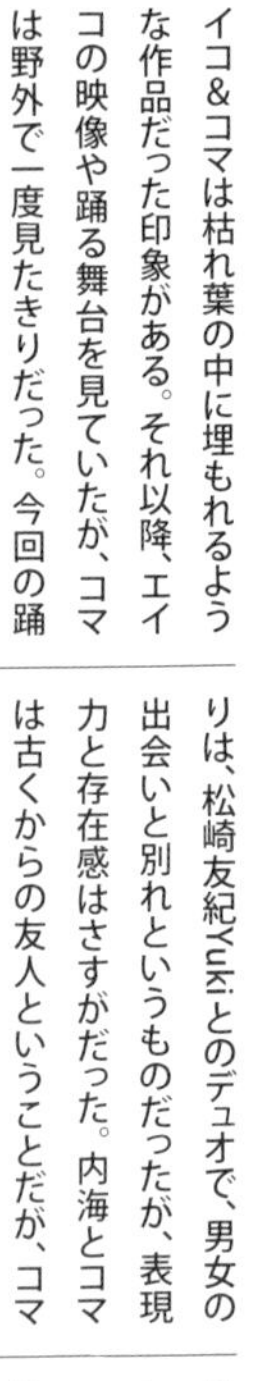

★内海信彦作品

★内海作品の前で踊るコマと松崎友紀Yuki

★白井希乃花のインスタレーション
（下の写真も。右の写真は人拓作品の部分）

★近藤祐生＋船本彩乃のインスタレーション

★松尾はるかのインスタレーション

に舌を巻いた。多くは海外生活を経ているということで、ある程度納得できたが。それにしても、例えば白井希乃花の作品は、自らのボディペインティングによる人体拓本と、写真、そして女性器をイメージしたオブジェなど、いずれもインパクトがあるものであり、松尾はるか、近藤祐生＋船本彩乃によるインスタレーションも見ごたえがあった。彼らの今後の活動が楽しみである。

野草：いま、ここで生きてる

第八回となる横浜トリエンナーレを見て、正直驚いた。社会性のある展示、各国の政治や経済、社会、環境などへの闘いと関わる展示が多かったからだ。どうしてこうなったのか。それはおそらく、ウクライナとソ連、パレスチナとイスラエルの戦争が無縁ではない。世界情勢に対する危機感がアートを展示する姿勢に影響したのだろう。それは東日本大震災のときも同様だった。あのときは切実に、アーティストたちが、何ができるか、アートをやるべきか否かなどを自らに問うていた。

今回の二つの戦争、もしくは侵略とジェノサイドは東日本大震災と比べると、日本人にとっては、リアリティは低いだろう。もちろん、過去の体験でリアルにとらえられる人もいるのは前提だが。そして、今回展示された、さまざまな地域の紛争や闘争、社会に対する申し立てなどのそれぞれは、さらに遠いものだろう。だが、それらを並列に見ることで見えてくることがある。それはやはり、アートに何ができるかという問いだろう。今回は九十三の国・地域のアーティストの作品が展示されている。

そういったなかでまず目を引いたのは、你哥影視社（ユア・ブラザーズ・フィルムメイキング・グループ）の作品である。

★你哥影視社（ユア・ブラザーズ・フィルムメイキング・グループ）《宿舎》（2023/24）

円形の一室丸ごと使い、多くの二段ベッドを並べたインスタレーションだ。それは、二〇一八年に台湾新北市にある寮で起こった一〇〇人以上のベトナム人女性労働者によるストライキから着想を得たインスタレーション《宿舎》（2023/24）だ。生活空間がそのまま持ち込まれたようなリアルに、その中で語り合う観客が多かったのも興味深い。その部屋を取り巻いて丹羽良徳の映像インスタレーションが展示され、合わせて一つの表現となっている。

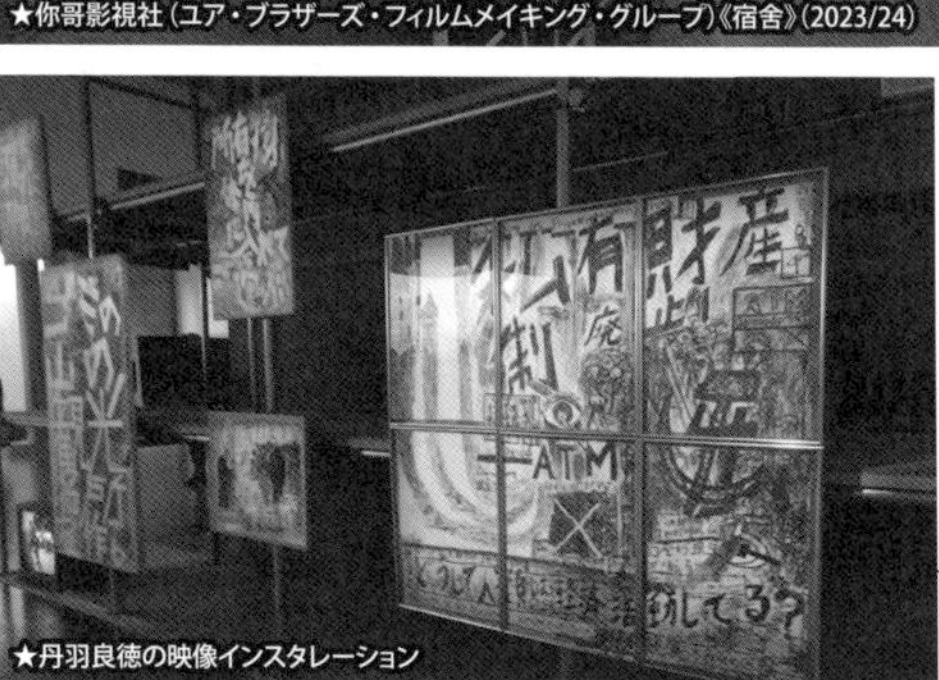

★丹羽良徳の映像インスタレーション

また日本の過去の美術家、作家などの作品や言葉に改めて光を当てる試みも目についた。近年、展示で壁に言葉をレタリングするのが流行っているが、それは美術家自身の言葉というよりも、企画者のメッセージだろう。コピーライティングでありステイトメントでもある。魯迅の本も展示されていた。実は今回の展覧会のテーマの「野草」は魯迅の詩集に基づいたものだ。魯迅は『野草』の「題辞」で、「口を開こうとすると、たちまち空虚を感ずる」と述べ、物言えぬ世相に対する警鐘を鳴らす。いまだにアパルトヘイトや圧制、権力による支配や強者による侵略の続く現在、保守勢力によるヘイトスピーチなどの情報操作によって右傾化する日本と世界に対して、「野草」「雑草」であるゆえの表現を集めた展覧会といってもいい。

日本の美術家として、企画に適していると思われたのは志賀理江子の展示《霧の中の対話：火》（2023-24）だ。震災後、福島に居を移して活動しつつ写真と言葉での展示は写真の力とともに圧倒的だ。また、大野一雄に師事して、米国でエイコ＆コマとして活躍した舞踊家、尾竹永子が福島を訪れたスライド映像《福島に行く》（2014-19）も展

★志賀理江子《霧の中の対話：火》(2023-24)

★尾竹永子《福島に行く》(2014-19)

示されていた。炭坑や光州事件、慰安婦問題を題材にしてきた富山妙子（1921-2021）の特集的展示も興味深かったが、メッセージ性のある展示なのに、そこだけ撮影禁止というのは残念である。後にNHKの番組では紹介されていたのだが。

旧第一銀行横浜支店の展示では、松本哉の「素人の乱」のインスタレーションが目に付いた。二〇〇五年に高円寺でリサイクルショップをつくったことから始まった「素人の乱」の活動は、まさにオルタネイティヴで、雑草、野草的でもある。一一年には反原発デモ、サウンドデモの先駆になった。中野から西荻窪までの中央線沿線のサブカル文化とも重なったが、そのなかから生まれた「素人の乱」を、マンガ、アニメ、古着、ロックだけでない社会的発信として意味づけたことは、重要な評価ではないか。また、小林昭夫（1929-2000）が一九六七年、横浜で開いたBゼミも、オルタナティヴな美術教育活動として注目に値する。斎藤義重などが教え、多くの美術家を輩出して二〇〇四年まで続いた。その後、息子の晴夫がBlanClassとして志を継承して活動している。

そうした展示のなかで筆者が惹かれるのは、やはり身体性が強い作品だ。シビル・ルパートの《マルキ・ド・サドのためのデッサン》（1976）などの作品はそれを強く感じさせる。刑務所や精神病院で絵を教えていた以外に詳細がわからないという謎の美術家である。また、以前に目にしていたが、人間の顔をした犬や人形、人の姿が衝撃的なアネタ・グシュコフスカの作品群もすばらしい。実は普通の犬に人間の面を着けて撮影しただけなのに、この世にない生物の不思議さがあるなど眼を惹きつける。ジョシュ・クラインの二体《長年の勤務に感謝（ジョアン／弁護士）》と《総仕上げ（トム／管理職）》（2006）も衝撃だった。リアルな人形なのだが、ビニール袋に入れただけでゴミと一体化し、戦争などの死体や、ドラマ『Mother』（2010）でゴミ袋に入れて捨てられる芦田愛菜を思い出した。

横浜美術館に入ってすぐの会場にも、身体性の強い作品がある。ピッパ・ガーナー《ヒトの原型》（2022）とマイルズ・グリンバーグの《ヤヌス》と《マルス》（2022）である。前者はさまざまな人種の人のマネキン、おもちゃなどのパーツを組み合わせたもの。後者はパフォーマンス中の自分の身体をスキャンしたデータによるもの。会場上に展示された赤い布の作品も作者のコンゴ出身の作家サンドラ・ムジンガによれば、赤い皮膚である。

そして、北欧のサーミ族の血をひくヨアル・ナンゴ《ものの宿る魂の収穫》（2024）などを含めて、ゴミの集積のような「廃墟性」が生まれている。今回の芸術監督は、北京のリウ・ディン（劉鼎）とキャロル・インホワ・ルー（盧迎華）であり、ルーもその廃墟性に言及している。南アフリカのルンギスワ・グンタの有刺鉄線の作品《馴染みのないものへの回帰》（2018-24）も刺激的だった。

さらに眼を引いたものとして、点在する勅使河原蒼風の一九六〇年代などの彫刻作品群、土肥美穂のさまざまな素材を組み合わせたオブジェ「buttai」シリーズ（2012-24）、佃弘樹の《on the beach》

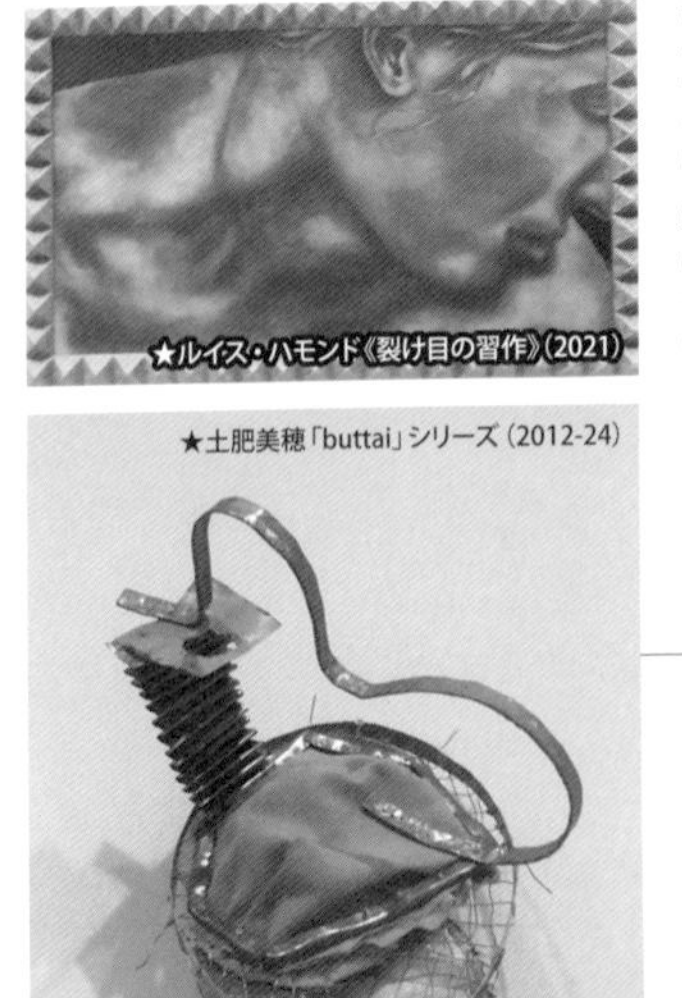
★ルイス・ハモンド《裂け目の習作》(2021)

★土肥美穂「buttai」シリーズ（2012-24）

★Bゼミの展示から

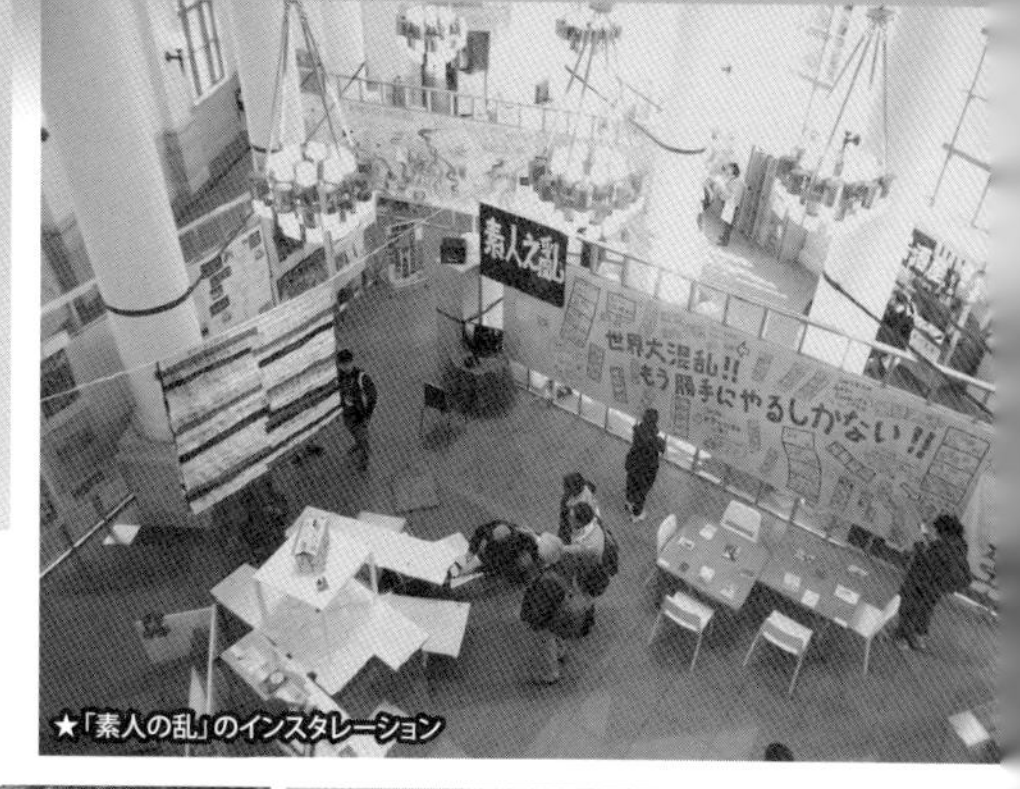

★「素人の乱」のインスタレーション

★シビル・ルパート《マルキ・ド・サドのためのデッサン》(1976)

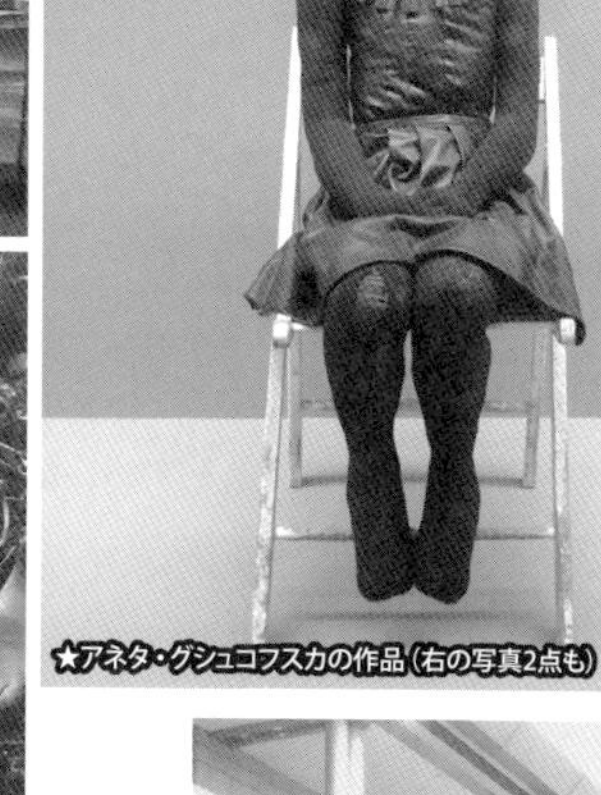

★アネタ・グシュコフスカの作品（右の写真2点も）

★マイルズ・グリンバーグ《ヤヌス》《マルス》(2022)

★サンドラ・ムジンガの赤い布の作品

★ヨアル・ナンゴ《ものの宿る魂の収穫》(2024)

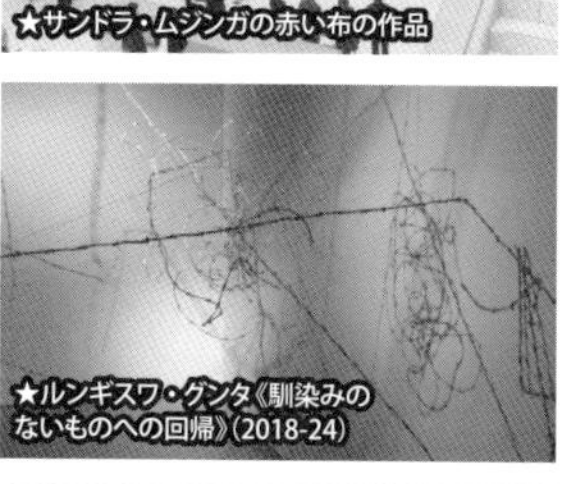

★ルンギスワ・グンタ《馴染みのないものへの回帰》(2018-24)

★ピッパ・ガーナー《ヒトの原型》(2022)

★葭村太一《北緯35度27分43秒 東経139度37分38秒》(2024)

★婦木加奈子《洗濯物の彫刻》(2024)

★水木塁《P4 (Pioneer Plants Printing Projects)》(2024)

★三田村光土里《ナコ・ファブリック》(2024)

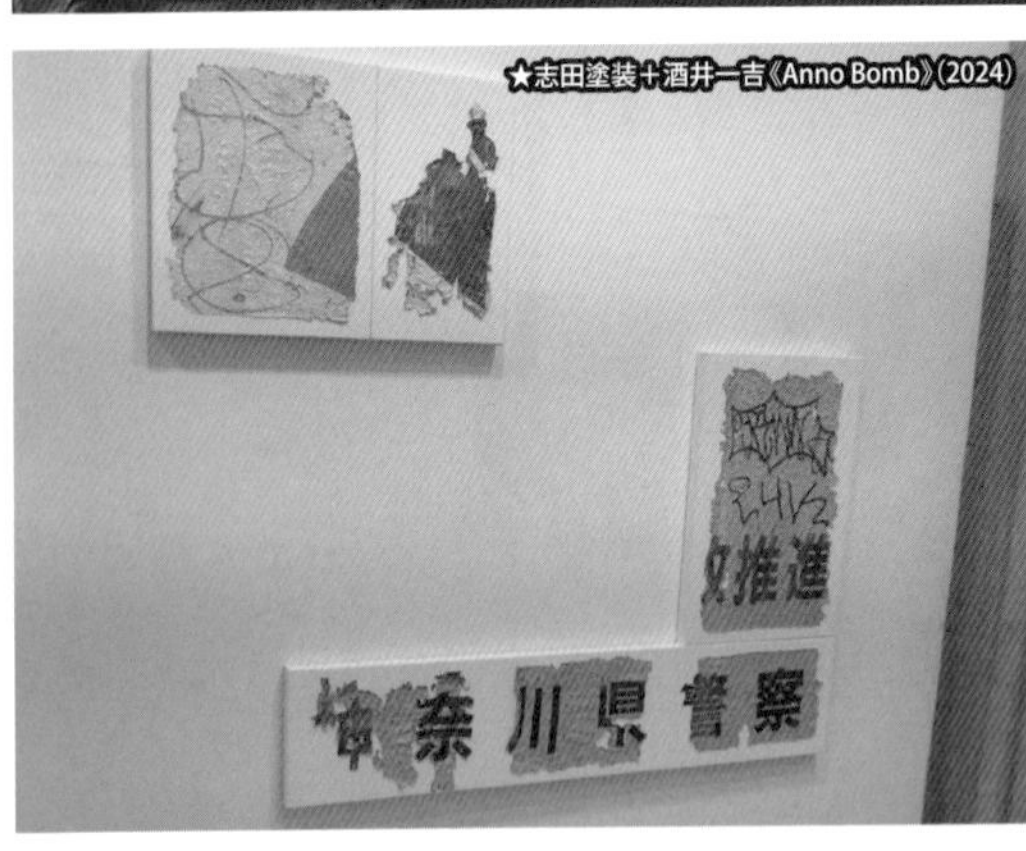
★志田塗装+酒井一吉《Anno Bomb》(2024)

★BlanClass+神村恵

★岡崎乾二郎の作品

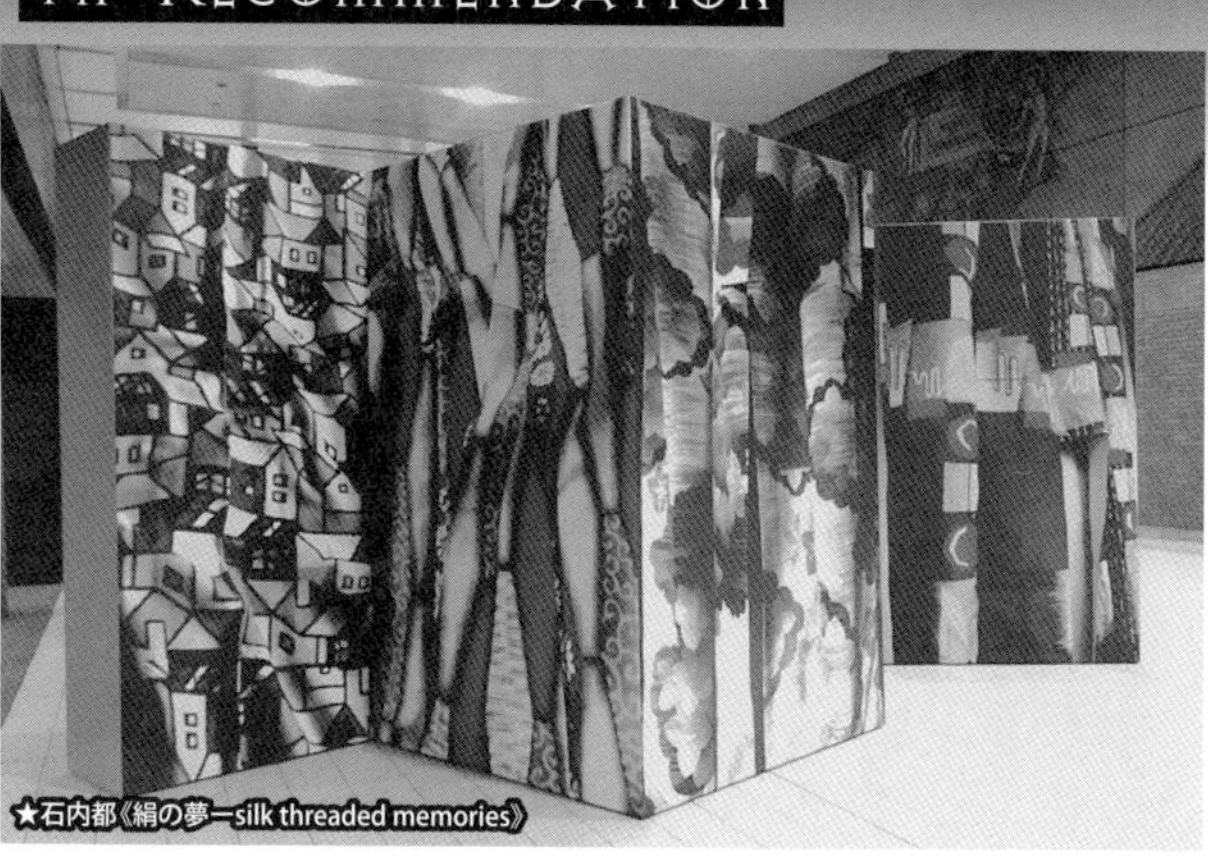

★石内都《絹の夢—silk threaded memories》

（2022）などのコラージュ、ルイス・ハモンドの《裂け目の習作》（2021）などの油絵、オズギュル・カーの映像《クラリネットを吹く死人（『夜明け』より）》（2023）をあげておく。

会場は横浜美術館とBankART KAIKOと旧第一銀行横浜支店がメインだが、後者も元々最初のBankARTだったことは記しておくべきだ。横浜市の政策で一転二転して、結局無駄な活用のなかで、ドラマのロケ地として有名になってしまった。その後のBankART NYKが運河に面して開放的な空間だったのに対して、現在の拠点であるBankART Stationは、新高島駅の地下の倉庫的空間である。それは現代美術のアンダーグラウンド（地下）性を示しているのだろうか。村上隆に代表される「売れる現代美術」の真逆の世界が続いている。特に、インスタレーションなどの不定形な「展示」は「商品」たりえない一過性で消えてしまう「表現」でもある。行為やパフォーマンスも同様だろう。

今回気になったのは、日本の若手作家への注目が弱いことだ。だが、そのBankART Stationでトリエンナーレに連動して開催されている「BankART Life7」にそれを補完している部分もあるといえる。婦木加奈子の編み物のインスタレーション《洗濯物の彫刻》（2024）、葭村太一によるグラフィティの木彫化群《北緯35度27分43秒 東経139度37分38秒》（2024）、水木塁の先駆植物アカメガシワの3Dプリンター出力作品《P4（Pioneer Plants Printing Projects）》（2024）など二つずらした感覚から、志田塗装＋酒井一吉による都市の壁の被膜《Anno Bomb》（2024）といった社会との関わりと美術の展開、さらに三田村光土里《ナコ・ファブリック》》（2024）、岡崎乾二郎といったベテランの新たな挑戦など、発見がある展覧会だ。ここには前述のBゼミの系譜によるBlanClassがダンサー神村恵と行うプロジェクトについても展示されていた。また、石内都は、馬車道駅のところで、《絹の夢—silk threaded memories》を展示している。

第八回横浜トリエンナーレはメインの三会場の他、クイーンズスクエア横浜、元町・中華街駅連絡通路で開催され、このBankART Life7、黄金町バザールなどでも関連企画が催されている。六月九日まででで、町なかで無料で見られるもの多いので、横浜を訪れる際には探してみるのもいいのではないか。

場の力

文学の朗読に関わる舞台を二つ見た。一つは泉鏡花と唐十郎、もう一つは知里幸恵、村山塊多、石原吉郎。前者は、唐組、新宿梁山泊、劇団３〇〇出身の三人の役者、後者は舞踏家、ダンサーなど身体表現者によるものだった。

柳橋というと芸者を思い出すが、その一人だった市丸の旧邸がルーサイトギャラリーとして、展示や朗読芝居などが行われている。二月一日に訪れたそこは、浅草橋駅から数分。道の突き当たりにある奥に二階のある木造の建物は、小さい料亭のような趣がある。明治・大正期の建物だろうか。小さい玄関から靴を脱いで入ると、奥のスペースがカフェと待合場所、コートかけなどになっている。床や柱なども木の感触がいい。そして手前の狭い急な木の階段を二階に昇ると、会場になっている。

奥のガラス窓からは、小さいテラス、その先に大川、つまり隅田川が広がっている。右手に浅草橋駅、JRの線路が見える。正面左手には、隣の両国駅のレトロな歴史的建築が少し顔をのぞかせ、その左には現在の国技館が望める。隅田川には、遊覧船、そしてジェットボートなどが時折、走っている。

この窓を背景に三つの卓と椅子が並び、そこが舞台で、その手前に椅子、座布団の客席。料亭の一室でちょっとした催しが行われる、といった風情である。

そこで語られるのは、まず、泉鏡花の『絵本の春』。十歳くらいの少年と不思議な女の話。昔の屋敷町の荒れ果てた土塀がそのままになっている裏小路。初春の逢魔が時、子どもの「私」が荒れた庭の中を覗く。ボロボロの雨戸に月光がさし「かしほん」の文字がほのかに見える。湯帰りの大柄な女が近づく。占い師をしている小母さんで、「私」を自分の家へ連れて帰り、語る。

　あの屋敷には侍がいて、仕える殿様が難病を患い、巳の年月の揃った若い女の生き肝で治るというので、人買いから若い女を手に入れ、雨戸に裸の女を打ちつけ、真っ白な腹を割いた。その生胆の壺を殿様に持っていくと、真っ赤な血肝は糠袋で、怒った殿様は侍を斬らせた。

　そして、一昨年の夏の夜明け、若い男が倒れていた。口いっぱいに紅絹の糠袋。男は、月夜に美しい女の湯帰りのあとをつけ、舌を無理矢理吸ったのだという。「私」はその一つ目の話を知っていた。あそこで、美しいお嬢さんに借りた草双紙（絵本）に書かれていたからだ。

　明治七年七月七日、七日七晩大雨の降り続いた日、死人はなかったが、二階家を借りた小僧の叔母の年寄りが流れる水を見ると、一条の真赤な蛇。

　翌日、屈強な職人二人が水の引際を炎天下、暑さに泳いだ。一息して振返ると、白浜一面、何百匹の蛇が砂の中から鎌首をもたげて一斉に空を仰いだ。二人は波打際を裸で逃げた。

　生き胆と糠袋という身体的エロスと、男根の象徴でもある蛇という、エロティシズムとサディズムも静かに感じられる作品だが、それを子どもの聞いた物語として絵本の幻想譚にしているところが、さすが鏡花といえるだろう。

　次に唐十郎の『雨のふくらはぎ』。保険外交員の男と二人の女の話。鶯谷駅の陸橋から、四年前に別れた人妻「藤巻さん」の家を見る男。成績も上がらぬセールスマンをやめようと、便所の窓からカバンを投げ捨て、山手線に飛び乗る。喫茶店をはしごして映画館で眠り、目覚めると、目の前にそのカバンを持つ義足の女。自分を「五郎さん」と呼ぶ女の家に連れ込まれる。女に迫られながら逃げ出し、藤巻さんの家を訪ねて、北海道に引っ越すといい、最後に保険を「ふくらはぎ」にかけたいという。だが、たしなめられ、藤巻は、トランプ占いで義足の女に騙されて、あなたをとられたという。そのときに譲られたといって、藤巻は義足をつけていた。藤巻が立ち去ると、あの義足の女が立っていた。そして「家に帰りましょう」という。

　唐の芝居には「田口さん」という主人公が多い。時にはサラリーマンにもなって登場するため、それを連想した。実は、唐の母方の姓が田口で、田口耕三という叔父が特別な存在だったらしい。この作品には、女性のふくらはぎに対するフェティッシュが感じられるが、それに「泥がはねがった」ところがポイントだろう。美しいふくらはぎが泥で汚されたというのも、エロティックだ。そして、それをさらに義足と接合するのが、唐十郎ならではだろう。

　この二つの物語を、唐組出身の鳥山昌克、劇団３〇〇にいた杉嶋美智子、新宿梁山泊で活躍した三浦伸子の三人が語る。淡々としながら、物語がしんと染み入る語りは、それぞれ魅力的だった。音楽・音響はシューヘイが担当し、抑えた音が語りをしっかり伝えた。

　もう一つは、成城学園前駅のそばの小劇場、アトリエ第Ｑ藝術で二月三日に行われた。ここも実は著名な日本画家、高山辰雄邸を改装してつくられたものだ。一階と地下が劇場、二階にはギャラリーカフェがある。こちらは昭和三〇年以降

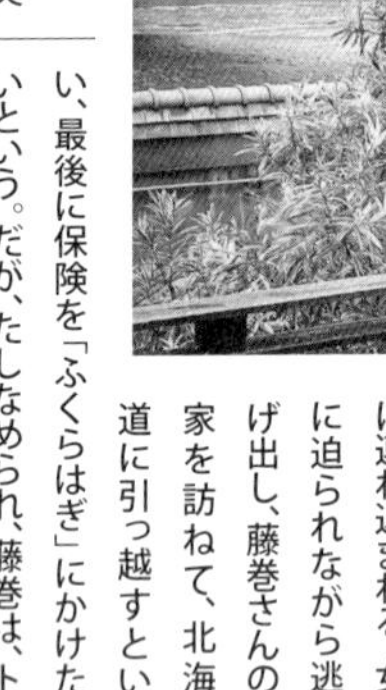

★（上から）ルーリ・イトギャラリーの外観、エントランス、二階テラスから大川を望む

★ルーサイトギャラリー二階で。右から鳥山、杉嶋、三浦

★『文学とダンスvol.4 冬編』（上から）みのとう爾徑とほとりよしの、ほとりよしのと津田犬太郎、津田犬太郎とみのとう爾徑／photo：加藤英弘

の建物だろう。小さい庭には八重桜の木があって、季節の移り変わりを示し、私邸の劇場という雰囲気をとどめている。

行われたのは「文学とダンス」という劇場による企画で、今回は四回目の『文学とダンスvol.4 冬編』。出演は津田犬太郎、みのとう爾徑（にけ）、ほとりよしの。内容は朗読とダンスを組み合わせるというものだ。一人が朗読し、一人が踊る。それを三組。

最初はみのとうが知里幸恵の『銀のしづくふるふる』を朗読。岩波文庫に入っているアイヌ文学の傑作だ。踊りはほとりよしの。みのとうの朗読が巧みで驚いた。踊りは何度も見ていたし、かつてサーカスにいたことも知っているが、役者といわれても不思議はない語りだ。ほとりよしののダンスは、身体表現、パフォーマンスというイメージ。訓練された技術はないが、素直な表現で好感が持てる。

次はほとりよしのの朗読で、村山槐多の『遺書』ほかを、津田犬太郎が踊る。津田は、かつてはヴォイスパフォーマーとして活動していたようだが、ダンス、身体表現は実に見事。体が自由に動くという印象で、器用すぎるかもしれないが、即興力の強い表現者だ。ほとりよしのの朗読はていねいで、真面目さが伝わる。アトリエ第Q藝術の前身、明大前のキッド・アイラック・アート・ホールのカフェの名は「槐多」で、村山槐多の絵画や本が並んでいた。

最後は、津田の朗読で、石原吉郎の『ある〈共生〉の経験から』を、みのとうが踊る。津田の朗読も巧みで、動きながらの語りも見事だが、みのとうの踊りには圧倒された。上手手前から、低くゆっくりと動いていくと、だれしも目が離せない。そして、ハイヒールをオブジェとして扱い、身体を浮かび上がらせる。久しぶりに彼女の踊りを見たが、やはり凄かった。

みのとう爾徑とは変わった名前だが、もちろん本名ではない。みのとうはミノタウロス、爾徑はサモトラケのニケ、すなわちスニーカーのナイキの語源でもある。ともにギリシャ神話からだ。一つ目の巨人と勝利の女神がどうつながるのかわからないが、優れた舞踏家として認識してきた。ただ、長らく舞台に立っていなかったので、その出演自体も驚きだった。

この二つの朗読は、歴史的建造物とまではいわないが、柳橋の芸者の私邸と著名な日本画家のアトリエという、それぞれの歴史がある場所で行われたことも興味深い。演劇などの舞台芸術は、どういう場所で演じられるかによって異なってくる。劇場公演とテント芝居の比較がいい例だろう。今回、前者は朗読に歌が少し、そして後者は朗読にダンスという舞台だったが、鏡花の世界と花柳界、そして槐多を含めた文学とアトリエという「場の力」が何かに作用していることが感じられた。演じる間も目に入るルーサイトギャラリーの窓の外の大川の風景、そして木の壁に大きく窓が開くアトリエ第Q藝術のアトリエらしい風情と、画家の私邸らしいエントランスなどが、通常の劇場にはないものをもたらしたのは間違いないだろう。

022 辛しみと優しみ55●人形・文＝与偶
026 三浦悦子の世界〈32〉［檸檬色の祈り］●三浦悦子
027 立体画家 はが いちようの世界44～キャフェ・ル・マルソワン●はが いちよう

024 TH RECOMMENDATION
「第8回横浜トリエンナーレ」レポート～社会の裂け目にある者たちの生への渇望が、勇気を与える
●ケロッピー前田
「第27回岡本太郎現代芸術賞（TARO賞）」展レポート
～多彩な表現方法で個人の内面を作品化、超独特な表現が爆発した展覧会●ケロッピー前田
猫将軍個展「殻の時代（かくのじだい）」～昆虫がこの世を支配した時代を描く
Albina Albina個展「couture」～絵画的な色彩と装飾の世界
こまつたかし個展「alone time」～自分だけの大切な時に還る
「PSYCHIC LEFT―サイキックレフト―」～伝説のライブハウスでサイキックな一夜
「ゲバルト」展～「新たな戦前」のいま、ゲバルト文化を検証
グループ造形展「をんな造形展～妖」～妖しい色香漂う「をんな」の造形展
陰翳逍遥54～上條陽子とパレスチナ、内海信彦とコマ・若者たち、第8回横浜トリエンナーレ、
2つの朗読舞台●志賀信夫

132 TH FLEA MARKET
カノウナ・メ～可能な限り、この眼で探求いたします
／第55回2024年は『平原のモーゼ』を書く●加納星也
私の小景異情●釣崎清隆
中国語圏映画ファンが選ぶ２０２３年〝金蟹賞〟は『小さき麦の花』に！●小谷公伯
よりぬき［中国語圏］映画日記／映画にみる現代中国の「夢のような」貧困――『小さき麦の花』『青春』
●小林美恵子
ダンス評［2024年1月～3月］
／新たな挑戦へ～笠井叡、三東瑠璃、大植真太郎、大瀧拓哉、森山未來、島地保武、辻本知彦、
菅原小春、小池博史、松島誠、今井尋也、ヴァツワフ・ジンペル●志賀信夫
「コミック・アニメ・ゲーム」×ステージ評／ブルーロック、CAT'S♥EYE、モノノ怪●高浩美
流血と痛みのアートパフォーマー、身体改造カルチャーのレジェンド、ロン・アッセイに会った！
●ケロッピー前田
「天才は狂気なり」という学説を唱え、犯罪人類学を創始した奇矯な精神病理学者
チェーザレ・ロンブローゾの思想とその系譜〈52〉●村上裕徳
山野浩一とその時代（27）
／『サンリオ出版大全』と、「管理」への抵抗たるニューポップス●岡和田晃
弦巻稲荷日記
／新しい「薄桜鬼」へ！～ミュージカル「薄桜鬼 真改」土方歳三篇（前編）●いわためぐみ
オペラなどイラストレビュー●三五千波
東京の流刑地（6）生存の耐えられない重さ●大黒堂ミロ
TH特選品レビュー

表紙＝写真：堀江ケニー、モデル：紅日毬子

All pages designed by ST

CONTENTS

002 まえがき●沙月樹京
004 二階健～死を通して生を幻視する
006 村田兼一～心臓を乞い、髑髏に寄り添う
010 日隈愛香～生命のあかしを造形する
014 暗黒メルヘン絵本シリーズ～メルヘンのさらに深い闇へ
016 林美登利～異形のものの魂に敬意を
020 KCN～機械との融合で問う生命の本質

018 こやまけんいち絵本館54「生と死のシンポジウム」●こやまけんいち
072 四方山幻影話57●写真・文：堀江ケニー、モデル：紅日毬子

058 ぼくたちは骨の上で生きている●本橋牛乳
062 骨を見て、死を想え
　　——「死の舞踏」「ターミネーター」「少女架刑」などにみる骨と人の関係●浦野玲子
068 骸骨どもと踊り狂おう！——サン＝サーンス「死の舞踏」●あや野
070 セドレツ、あるいは骨の象徴性——シュヴァンクマイエル「コストニツェ」●梟木
074 鎮魂としての骸骨の話●馬場紀衣
077 驚異の個人コレクション、シャレコーベ ミュージアムで生を知る●相良つつじ
080 太古から続くドクロ信仰の魔力●ケロッピー前田
085 「骨片の瓔珞」を身につけた少女——光瀬龍『百億の昼と千億の夜』と『夜ノ虹』●宮野由梨香
092 ラテンホラーに託された「痛み」——マリアーナ・エンリケス『寝煙草の危険』●高槻真樹

088 《小説》ダークサイド通信no.14「Bone & Heart」●最合のぼる
109 《コミック》「とらおむの樹 02」●eat
084 一コマ漫画●岸田尚

106 心臓のいたむ話あれこれ●日原雄一
113 神話や神秘思想にみる人体と宇宙とのつながり●鈴木一也
116 杭で打ちつけられた心臓——ドラキュラと血みどろ伯爵の邂逅●馬場紀衣
118 心不在焉、視而不見——古今東西心臓奇譚●阿澄森羅
122 乙女たちの心臓争奪戦——楳図かずお「うばわれた心臓」をめぐって●八本正幸
124 ヘルマン・ニッチュの血と臓物に塗れた悪魔の見世物●並木誠
126 食べたり掴んだり移植したり……驚異の発想満載の心臓映画たち●浅尾典彦

095 REVIEW●トビラ絵：村祖俊一
　ジェイソン・モーニングスター「スケルトンズ」●岡和田晃
　ドン・チャフィ監督「アルゴ探検隊の大冒険」●水波流
　宮川サトシ「母を亡くした時、僕は遺骨を食べたいと思った。」●日原雄一
　横溝正史「髑髏検校」●市川純
　ウォルター・スコット「ミドロジアンの心臓」●本橋牛乳
　佐藤究「テスカトリポカ」●穂積宇理
　塚本晋也監督「ヴィタール」●梟木
　町井登志夫「血液魚雷」●健部伸明
　ジョナサン・レビン監督「ウォーム・ボディーズ」●さえ　ほか

ぼくたちは骨の上で生きている

●文＝本橋牛乳（物書き）

BONE & HEART

溝口健二監督の映画『武蔵野夫人』には、こんなシーンがある。庭で防空壕のための穴を掘っていたら、頭蓋骨が出てくる。ヒロインの道子は「気持ちが悪い」というが、一緒に穴を掘っていた男たちは、大昔の骨だといって気にしない。しかし、これが道子にとっては悪い予感だった。この直後、父親が亡くなり、道子が家督を継ぐことになる。

『武蔵野夫人』の原作は大岡昇平の小説。戦争で男兄弟を失った道子が武蔵野にある実家に戻るところからはじまる。そこに、道子のいとこである勉が復員し、下宿する一方、隣に住む石鹸工場の娘の雪子の家庭教師をする。道子の夫の忠雄は一夫一婦制を不合理とするフランス文学が専門の大学教師。近所の石鹸工場社長である英治の妻の富子は忠雄や娘の家庭教師の勉を誘惑する。一方、夫の英治はそれを黙認する。そうした中、道子は勉に恋をするものの、既婚者であることから、結ばれることは拒む。

★『武蔵野夫人』／頭蓋骨を掘り出した場面

この作品の舞台は、武蔵野といってしまえばそうなんだけれど、今でいうと、狛江市、調布市、三鷹市、国分寺市あたり、野川沿いの国分寺崖線があるエリアだろう。この崖線には「はけ」とよばれる、湧き水が出てくる場所があり、それが野川の水源となっている。そして野川の水が農業のための水源となっている。今でこそ住宅地だけれども、終戦直後までは、近郊農業が行われているエリアだった。というか、今でも畑はたくさんあって、直売所もある。

そしてこのエリアには古墳がたくさんある。例えば狛江古墳群では、その多くは農地や宅地造成で破壊されてしまったものの、それでも十数基が現存している。たいていは小さな古墳で、畑の中でちょっと盛り上がったところがあったり、公園の一部になっていたりもするし、内部が公開されている小さな古墳もある。その一方で、社だけが立っていたりして、発掘調査しなければ古墳だとわからないようなところもある。古墳は調布市や三鷹市、あるいは世田谷区にも広がっている。等々力渓谷近くにある御岳山古墳や野毛大塚古墳など、ちょっとした山に見えるような古墳もある。

　武蔵野の古墳時代は、およそ１８００年から１４００年くらい前。そしてその時代の人々の墓の上に、武蔵野の人たちが住んでいることになる。ぼくもその一人だ。

　『武蔵野夫人』は、没落する豪農を背景に、滅ぶ家に縛られた女性の限界を描いた作品だといえる。それは暗喩としても、過去の人たちの骨の上に、武蔵野夫人が生きている、あるいはそこで死ぬ、ということにはならないだろうか。


　それにしても、骨には、どこか忌まわしいものがついてまわる。それはまあ、死体であり、腐りにくい、分解しにくいものとして残ってしまうからだけれども、その生きた痕跡は、どこかで私たちに何かを語ろうとしているようにも感じられる。


　およそ40年前までは、田舎(母親の田舎で栃木県)では土葬だった。母方の祖母はそのまま土に埋められた。実際、死体は籠にのせられて墓場まで運ばれ、墓の前に埋められる。埋めた後、しばらくは土が盛り上がっている。そんなわけで、墓場で盛り上がったところは踏まないようにしていた。死者を踏むことは忌われる行為だし、祟られる行為である。

　その後、祖父が亡くなったときには、火葬だったけれど、骨壺を穴に埋めようとして掘ってみると、祖母の骨が出てきたっけ。

　火葬になって遺灰になっても、遺骨というくらいで、多少は骨が残っている。昨年は相次いで両親を亡くしたけれど、親父は火葬して納骨もして、お墓に入っているわけだが、母親は献体をしたので、まだ病院にいる。秋には遺骨が帰ってくる予定。それで、お墓にはいない、ということになるけれど。でも、遺骨にしたって、ただの物質ではないかとも思う。そこにはそれ以上のものはない、はず。

　なのに、母親は生前、父方の祖父母と同じ田舎の墓には入りたくないといって、ぼくに別にお墓を作らせた挙句、そう話したことをすっかり忘れて、田舎の墓に入ると言い残した。

　まあ、遺骨がお墓に入っていれば、墓参りにもなるのだろうけど。でも、入っていなくてもいいかな。それって、生きているときの想像と、生き残っている人の想いでしかない。墓参りだけが供養ではないとは思う。

　骨というのは、抽象的でありつつ物質的なものである、そう思う。結局のところ、遺骨を粗末に扱うことはできないでいる。それはどうしたって、人が生きてきた、なにがしかしてきた痕跡でもあるから。遺骨は手触りを持って、その人が生きてきた事実を伝えてくれる。

　第二次世界大戦の戦地には、日本軍兵士の遺骨が残っている。いや、日本軍兵士だけではなく、それを含めた戦没者の遺骨である。戦後、遺骨を収集し、遺族のところに戻す事業が行われてきた。２００３年からはＤＮＡ鑑定も行われているという。本当に、生き残った人たちにとっては、遺骨が戻らないと戦争が終わらないのかもしれない。

　だから、人が生きてきた痕跡を粗末にされれば、生きている人が、生きてきた人への尊重がなされないと感じる。それは自分たちの歴史が損なわれているということでもある。

　さすがに、古墳時代の骨については、学術的資料ということになるだろう。そこから何かを読み取ることで、ぼくたちは過去に堆積していた時間を感じることができる。

　でも、そうではない人の遺骨が、生きている人の歴史を尊重させないように取り扱われることがある。それも、日本において。
1つは、国内外の大学・研究機関にあるアイヌ民族の遺骨だ。研究目的で盗掘されたものだ。一部、海外の大学などから返還される動きはあるものの、だからといってお墓に戻っているとは限らない。20世紀の遺骨を墓から掘り出して、第三者が研究しようというときに、それは当事者性が欠落している。生きている人の背後にある歴史が損なわれているということになる。

それは、最近でいえば、奈良にある富雄丸山古墳を発掘し、4世紀の日本について明らかにしようということとは大きく異なっている。古代の墓を調査することは、陵墓が歴史を語ることに、耳を傾ける行為だ。まあだから、天皇陵も調査して欲しいとも思うけど。

もう1つは、沖縄でのことだ。辺野古基地の建設に使う埋め立てのための土砂に、沖縄県南部の戦没者の遺骨が混じった土砂を使うというものだ。一方で「日本人の戦没者」の遺骨を収集しつつ、他方で「沖縄の戦没者」の遺骨を米軍基地の下に埋めるというのは、それもまた沖縄に生きる人たちの生きてきた人たちによる歴史を損なうことになるはずだ。そして、死体は人どころか、兵器によって踏まれることになる。

まったく逆のケースもある。オウム真理教の教祖であった麻原正晃の遺骨は、まだ遺族に返還されていない。オウム真理教の後継団体に所属する次女が返還を求めた裁判で、東京地裁は国（政府）が「返還を拒める法令上の根拠がない」として、返還を命じる判決を下した。遺族にとっては、それがどんな人間であったとしても、手触りをもって供養したいと思うのではないか。これに対し、国が返還を拒んでいる理由というのは、遺骨が返還されれば、それが利用されて重大な事件につながるというものだ。ここでは、たかが遺骨、ではなくなっている。

オウム真理教の後継団体はずっと公安が監視しているので、それで重大犯罪が起こせるとも思わないし、起こしたとしたら公安が無能だということになる。それ以前に、遺骨にそれだけの力があるものなのかどうか。踏もうが墓場から掘り出して研究室に保存しようが、気にならない遺骨がある一方で、政府が恐れる遺骨もある。

そして、東アジア反日武装戦線に所属し指名手配中だった桐島聡の遺骨は、遺族が引き取らないという。それは、桐島が生きてきたことをなかったことにしたいという遺族の想いなのだろう。ただ、遺骨がなかったとしても、東アジア反日武装戦線が問おうとしていたものは、きちんと受け止めておくべきなんじゃないかな。

日本ではほとんどの場合、死体は火葬にされる。これは、法律で決まっているわけではなく、各自治体の条例で決まっていることだ。だから、今でも土葬が可能な場所はある。

これは、イスラム教の信者にとっては重要なことだ。イスラム教徒は最後の審判を迎えるために、肉体が必要であり、火葬にされると審判が受けられなくなる、と考えている。日本には、イスラム教徒の外国人が20万人いるとされているが、それどころか日本人のイスラム教徒も4万人くらいいるらしい。知人にもイスラム教徒の日本人がいる。その人たちにとっては、土葬は切実な問題だ。だから、イスラム教徒のための墓地がある自治体もある。

頭の悪い日本人だったら、イスラム教徒は日本から運び出して出て土葬すればいいんじゃないか、とか言いそうだけれど、それって、結局のところ人の信教を尊重しないと

骨は、手触りを持って生きた痕跡を伝えてくれる

いう行為だ。信教の自由とは相いれない行為だ。というのも、土葬は死んだあとの問題なのではなく、生きているときの信仰の問題だ。もっとも、それは頭の悪い日本人だけの話ではなく、フランスでは学校でスカーフの着用を禁じているけど、これもイスラム教徒の信教を尊重しないという間抜けな規則だ。フランスに限らず、欧米にはイスラム教徒を蔑視する傾向がある。欧米の人権思想の底の浅さを露呈している現象の一部なのだけれど。

実は土葬はもっとも環境にいい埋葬方法だという。火葬の場合、体重1kgあたり石油1ℓ相当の燃料を使うというので、火葬するたびにどれだけの温室効果ガスが排出されるのか(今は、ほとんどがガスによる燃焼だとしても)。それに比べたら、生物が分解してくれる土葬の方がましだし、自然に還るという気がする。できれば桜の木の下に埋めて欲しい、とか思ってもみたりする人もいるのではないか。地球温暖化防止のために、土葬が復活する、ということもあるかもしれない。

日本ではほとんどが火葬になってしまうのは、お墓の許容量が少ないからなのだろう。今は骨壺サイズだけれど、その気になれば溶融してスラグにしてしまうこともできる。そうしたら、小さな瓶に入ってしまう。将来、電炉でたくさんの電気を使って、ほんの少しの溶けた金属のような遺骨になるのかもしれない。

そういえば、遺骨をダイヤモンドにするという会社もある。確かに炭素を含んでいるので、ダイヤモンドをつくることはできる。それもまた、遺骨の形だ。そして、亡くなった人の痕跡とその想いを身に着けることができる。

骨をめぐる文学作品として、最初の思い出したのは、チェンジェライ・ホーヴェの『骨たち』だった。ジンバブエの作家である。でも、この小説については、『本誌№5 チュツオーラとアフリカの大地の想像力』で書いたので、繰り返さない。書いたのはもう30年くらい前になるのだけれど、新たに書くことはない。

これは、ホーヴェの『影たち』も同じなのだけれど、内戦が続いてきたジンバブエにおいては、人々は多くの人の骨が積み重なった上で生きている。それは直接的なことでもあり、比喩でもある。あるいは死者は社会の中で影として存在している。

それはジンバブエに限った話ではない。それどころか、今でも各地で内戦がある。例えばスーダンでは避難民が深刻な食糧不足にある。コンゴ民主共和国が世界有数の産地となるコバルトは武装組織の資金源となっている。西サハラは今でもモロッコに占領されたままだ。

そしてもちろんこれは、アフリカに限った話ではないし、内戦に限った話でもない。でも、内戦を含めた戦争、あるいはそう呼ぶことをためらわれるような一方的な虐殺では、多くの人が生きることを途中で止められる。あるいは、そうではなくても、社会の中で非合理に命を失う人がいる。それは、ぼくたちは多くの未完の人生の上で生きているということにもなるだろう。

『武蔵野夫人』では、道子は自殺をする。新しい時代の、新しい道徳の手前で、生きることを諦める。でも、埋められた道子の骨の上に、次の時代の人が生きている。骨は、手触りを持って生きた痕跡を伝えてくれる。それは、実際の骨というよりも、骨がそこにあるということで、比喩として伝えてくれる。呪われた勇気を与えながら。

骨を見て、死を想え

——「死の舞踏」「ターミネーター」「少女架刑」などにみる骨と人の関係

◎文＝浦野玲子（ライター）

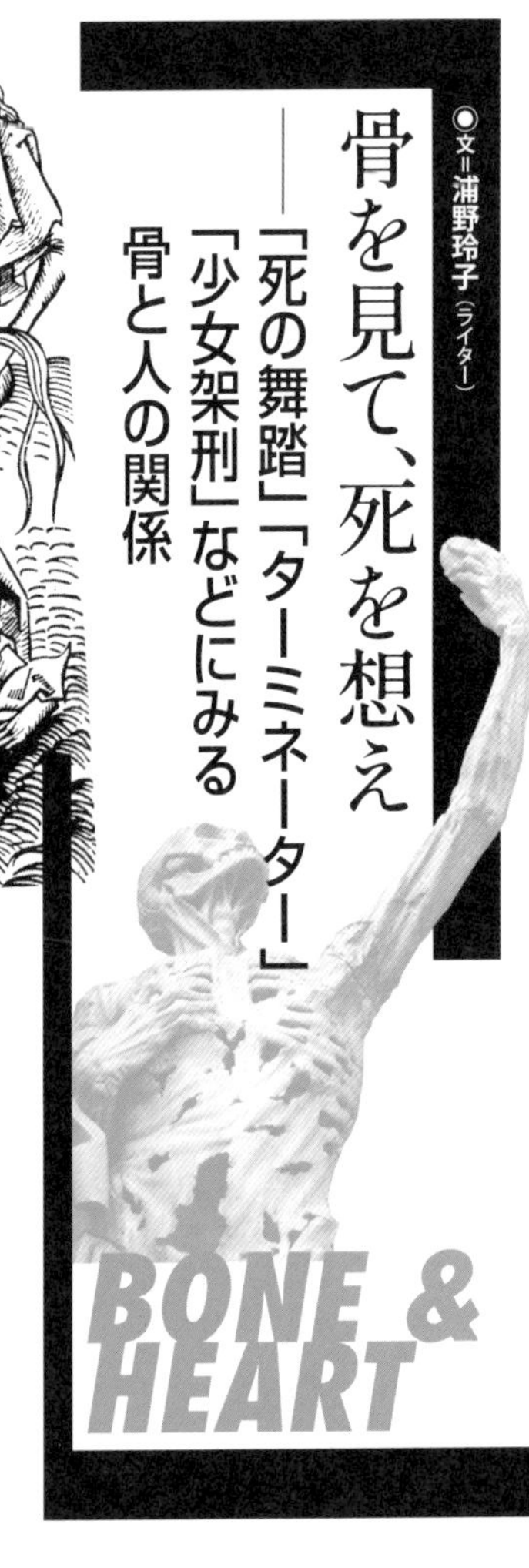

★ミヒャエル・ヴォルゲムート「死の舞踏」（1493）

★ディズニーのアニメ「骸骨の踊り」／修復版がディズニープラスで配信されている

死へ誘う骸骨の舞踏

死の舞踏の図像の始まりは、中世ヨーロッパのパンデミックである黒死病（ペスト）に起因するという説がある。14世紀中葉から半世紀もの間、猖獗を極めたペストによって当時のヨーロッパの人口の三分の一が犠牲になった。そのころから、教会や墓地に「死の舞踏」といわれる壁画が描かれるようになったという。

ペストが大流行した時代、あまりにたくさんの死者が出て、埋葬も追いつかず、遺体がそのへんに放置されたのだろう。

生きているときの属性がわかる人骨は怖い。だが、性別も身分もわからず、もはや「馬の骨」と化した大量の骨は、不気味さも恐怖心も通り越しているのかもしれない。アノニマスの極致である。

この大量の人骨の集積所がカタコンベ（地下墓所）だという。ヨーロッパには各地にカタコンベや骸骨寺が点在している。これは骸骨を積み重ねて墓所にしているもので、観光名所になっているところもある。何千、何万もの人骨がひしめき、髑髏（頭部）だけを積み重ねたものや全身骨格に服を着せたものもある。教会などでは、聖職者の骸骨を祀っているところもある。

わたしも数十年前、イタリアからフランスの観光カタコンベに行ったことがある。いい塩梅にくすんだ骨は無機質で、思ったほど不気味ではなかった。本物の骸骨を見たことがなかったせいかもしれないが。

ウォルト・ディズニーの初期短編アニメ『骸骨の踊り』も骸骨の不気味さ、怖さを緩和するのに役立ったかもしれない。アメリカ大恐慌の1929年に作られたとは思えないほど、骸骨たちが夜の墓場で陽気で軽快なダンスを繰り広げる。これがゾンビなら、もうマイケル・ジャクソンだ。死の舞踏の伝統は、ちゃっかりポップカルチャーに組み込まれている。

ヨーロッパのカタコンベが成立しているのは、土壌のおかげだという。昔はチベットの鳥葬などを除き、洋の東西を問わず土葬が一般的だった。だが、日本では酸性土壌が多く、長い年月の間に骨も溶けてしまうらしい。だからカタコンベのように大量の人骨が保存されることもないのだという。

髑髏の図像をだまし絵でしのばせた『大使たち』や腐敗寸前の『死せるキリスト』像などで有名なハンス・ホルバインも『死の舞踏』を取り上げた。41枚セットの木版画集はペストの大災厄を体験したヨーロッパで大流行したという。

★ハンス・ホルバイン
「死の舞踏」より（1538）

ピーテル・ブリューゲルの油彩画『死の勝利』には、骸骨とさまざまな階級・社会階層の人々が描き込まれている。そこに描かれた骸骨たちの勝ち誇り、嬉々とした相貌。あきらかにメメント・モリ（死を想え）であり、死の勝利を宣言している。

骸骨姿の「死」や死神が、老若男女の手を取り、楽しげに死の輪舞へ導く。その図像を映画化したのが、『第七の封印』（イングマル・ベルイマン監督）だ。ここでは死神は骸骨ではなく、白塗りの能面のような顔に黒マントの姿で現れる。

十字軍の遠征からペストが蔓延

★ピーテル・ブリューゲル
「死の勝利」部分（1562頃）

する故郷への帰途に就く騎士アントニウス。それを追いかける死神。両者のチェスシーンが有名だが、馬に乗った騎士の姿は、アルブレヒト・デューラーの銅版画『騎士と死と悪魔』を想起させる。甲冑姿の騎士に山羊の頭をした悪魔、砂時計をもつ腐肉の死体がつきまとい、馬の足元には頭蓋骨が描かれている。

『第七の封印』では、騎士は死神とのチェスに負ける。そして大鎌を持つ死神に先導され、数珠つなぎで死の輪舞に加わる。そのシルエットは広く西欧の人の脳裏に刻まれているのだろう。

★アルブレヒト・デューラー「騎士と死と悪魔」（1513）

★『第七の封印』

骸骨剣士からターミネーターへ

ブリューゲルの『死の勝利』をはじめさまざまな「死の舞踏」に描かれた骸骨のなかには、剣や槍をもって戦う剣士の姿もあった。その姿を実写化したようなのが、特撮の巨匠、レイ・ハリーハウゼンが創り出した「骸骨剣士」だ。ハリーハウゼンの数々のクリーチャーのなかでも、ひときわ印象的でカッコいい。

『シンドバッド七回目の航海』（ネーザン・ジュラン監督）では、ガチャガチャと骨を鳴らしながら俊敏に動き回るその姿に驚愕した。今見れば、コマ撮り感いっぱいのギクシャクした動きだが、70年以上前の特撮としては画期的だ。

さらにギリシア神話を題材にした『アルゴ探検隊の冒険』（ドン・チャフィ監督）では、骸骨剣士が7体も登場。人間たちとハラハラドキドキ、鬼気迫る戦いを繰り広げる。この骸骨剣士は、金の羊毛を守っていた7つの頭を持つモンスター、ヒドラの遺骸からとった歯。これを種として地面にばらまくと、土中からムクムクと骸骨剣士

★『シンドバッド七回目の航海』

が立ち現れてくるのだ。

　そして、7体の骸骨は隊列を組み、骨と剣を鳴らしながらザックザックとアルゴ探検隊に迫ってくる。その姿は不気味ながらスタイリッシュ。兇悪で残忍な戦士として見るものを圧する。

　ハリーハウゼンによれば、この7体はそれぞれ違う人相（？）なのだそうだ。個性や表情があるので、彼らを見るとより恐怖心が高まるのだろうか。

　この骸骨剣士の末裔が、『ターミネーター』（ジェームス・キャメロン監督）の無敵のサイボーグではないだろうか。人工皮膚で肉付けされた筋骨隆々のアーノルド・シュワルツネッガー型殺人サイボーグ。

　カーチェイスでクラッシュしたタンクローリーの炎の中から、工場の強大な切断機から、なにをやってもグィンと立ち上がってくる超合金の骸骨（骨格）。絶望的なほどに強い骸骨だ。

　ターミネーターのような不死身の骸骨ではないが、ヒッチコックの『サイコ』も一種の闘う骸骨の映画ではないかと思う。

★『ターミネーター：ニュー・フェイト』

　『サイコ』は、マザコン青年のノーマン・ベイツが、アメリカの片田舎に建つモーテルに泊まった女性客を殺害する話。一糸まとわぬ女性客が襲撃されるシャワーシーンが有名だが、無防備な身体であることは恐怖感が倍増する。

　ノーマン青年は、母に操られて人を殺害していると思い込んでいる。だが、その母を殺したのはノーマン自身。そして趣味の剥製作りの技を生かして、母を剥製（ミイラ）にした。ロッキングチェアに座っているのは母の剥製、古びたワンピースを着た骸骨だった！　生前の母の姿に擬して、彼は次々と人を殺めていく。

　だが悪事が露見し、ノーマンは牢獄に送り込まれる。そのクローズアップに髑髏がオーバーラップするラストは忘れがたい。これぞ「死の勝利」、あるいは「母は強し」の証明か？

★『サイコ』

過激にして愛嬌のある骸骨たち

　『戦艦武蔵』、『破獄』をはじめ重厚な歴史小説で知られる吉村昭の初期作品に『少女架刑』がある。これは、貧しい16歳の少女、水瀬美恵子が亡くなり、わずかな見舞金と引き換えに献体され、お骨になるまでの顛末を描いたもの。

　美恵子は死んではいるが、魂魄はこの世にとどまっている。自分の亡骸が黒塗りの立派な車で大学病院に運ばれ、医学生たちに完膚なきまでに解剖（解体）され、用済

★吉村昭『少女架刑』（中公文庫）

★歌川国芳『相馬の古内裏』（1845頃）

意地悪く哄笑するような西欧の骸骨に対し、日本のは愛嬌がある

みになって火葬され、母の遺骨引き取り拒否という憂き目にあい、挙句の果て共同納骨堂に収められ、ぎゅうぎゅう詰めの骨たちの間で骨粉になるまでを死者の目線で淡々と語っていく。

本作を読んだとき、心をさみしく冷たい風が吹き抜けるような気がした。同時に死（体）をめぐる生者の醜悪なやりとりが死者目線で詳細に描かれ、黒いユーモアを感じた。

吉村昭は若かりし頃、肺結核で闘病生活を送っていた。その体験が死を身近なものに思わせ、『死体』や『青い骨』、『星と祭礼』など、即物的な死と生のあわいの卑俗で猥雑で哀しい人間の営みを書くことに向かわせたのだろうか。

ベルイマンの『第七の封印』のように、神と対峙することも厭わないように思える西欧のキリスト教文化。死の勝利を宣言する「死の舞踏」の図像は、じたばたあがいても無駄、どうせ死ぬんだからとばかりに意地悪く哄笑しているようなものが多い（ように思える）。

それにひきかえ、日本の骸骨たちは、どこか愛嬌がある。落語の『野ざらし』（上方では『骨釣り』）がいい例だ。これは、釣り人が川のほとりで野ざらしになっていた骨を拾い、丁重に回向したところ、夜になって美しい女の幽霊が礼に来た。その話を聞いたおバカな隣人がまねをしたが、武骨な男の骨を釣って痛い目にあってしまう。日本でも昔は、人骨がそのへんにころがっていたのだろうか。

歌川国芳の『相馬の古内裏』の巨大な骸骨の図もいい。3枚続きで今風に言えば3Dのように骸骨が立体的に見えるというが、恐怖心よりは滑稽味のほうが勝っていると思う。

河鍋暁斎の絵にも骸骨が多く登場する。骸骨百態という趣向の『暁斎漫画』の骸骨たちは相撲を取ったり、煙草を吹かしたり、酒を飲んで暴れたり、三味線を弾いたり……。

また、『地獄太夫と一休』では骸骨たちが踊り狂う。どの骸骨も飄々として愛嬌たっぷり。生きていても死んでしまっても、せいぜい楽しくやりましょう感が強い。

『髑髏と蜥蜴』は、髑髏の眼窩をトカゲがひょろりと通り抜ける様子を描いている。不気味ではあるが、色鮮やかな蜥蜴のなまめかしさと髑髏の対比がいい。心なしか髑髏は自虐的にイヒヒと笑っているようだ。

暁斎の骸骨は生者を脅かす存在ではなく、「ご同輩、生きているうちもバカでしたが、死んでもバカやってますから安心してください」とでもいっているようだ。生と死は地続きなのだ。

さて、自分自身が「あと何回の晩飯」を食えるか具体的に算段できる齢になった。あまり気分のよい話ではないが、地球環境に負荷をかけない遺体処理方法として、遺体をそのまま堆肥にしようという計画がアメリカのどこかの州ではじまっているそうだ。こんなご時世に、骨や心臓に執着するのもどうかと思う。

AIがさらに発展してさまざまな思考実験を始めたら、生身の身体をもつ人類は抹殺されてしまうような気がする。そのときは、むだに筋肉隆々の人工皮膚をつけたシュワルツネッガー型ターミネーターも必要がなくなるだろう。

それ以前に、地球温暖化といい、新型コロナの流行といい、核戦争の脅威といい、頻発する地震といい、最後の審判の日は近いのか。人類そのものの絶滅危惧種化が加速しているようだ。

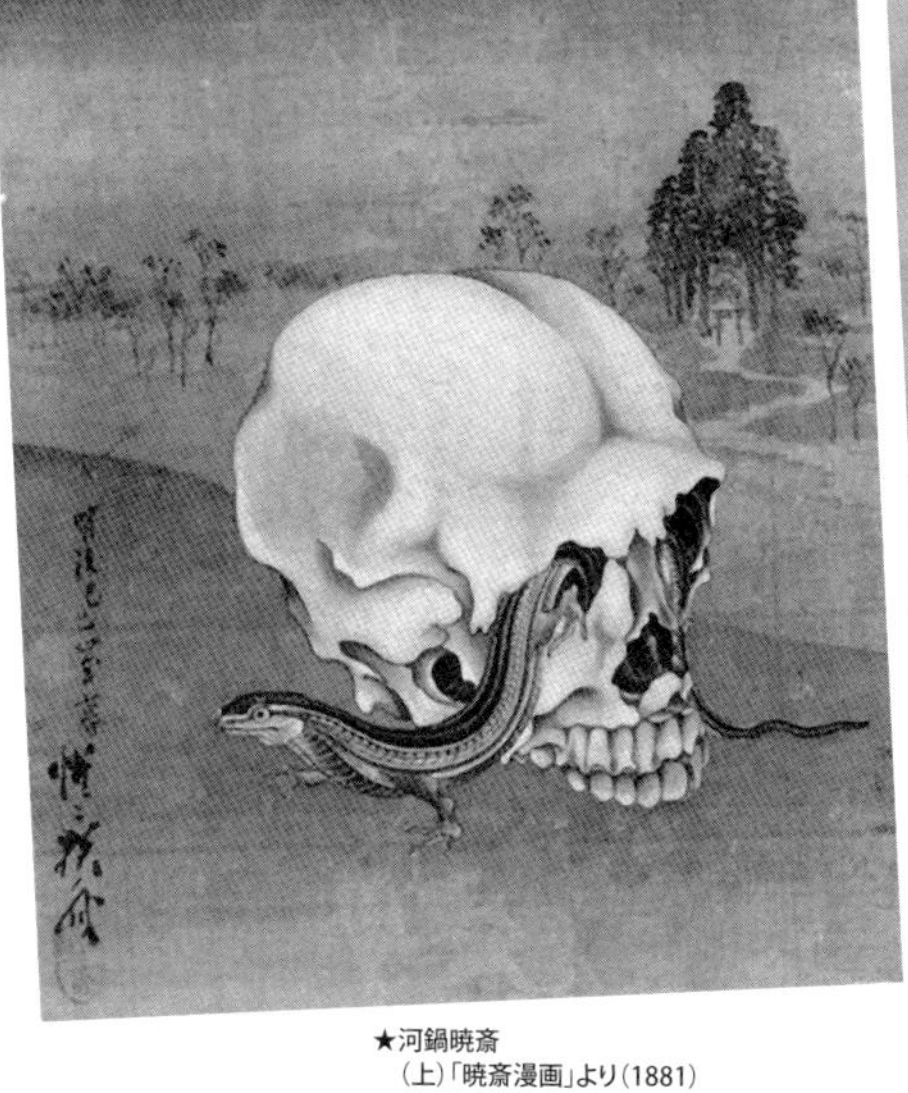

★河鍋暁斎
（上）「暁斎漫画」より（1881）
（右下）「地獄太夫と一休」（1871-89）
（左下）「風俗鳥獣画譜」より「髑髏と蜥蜴」（1869）

骸骨どもと踊り狂おう！

――サン=サーンス「死の舞踏」

◉文と絵=あや野

ジグ、ジグ、ジグ、墓石の上
踵で拍子を取りながら
真夜中に死神が奏でるは舞踏の調べ
ジグ、ジグ、ジグ、ヴァイオリンで

冬の風は吹きすさび、夜は深い
菩提樹から漏れる呻き声
青白い骸骨が闇から舞い出で
屍衣を纏いて跳ね回る

ジグ、ジグ、ジグ、体を捩らせ
踊る者どもの骨がかちゃかちゃと
擦れ合う音が聞こえよう

静かに！ 突然踊りは止み、
押しあいへしあい逃げていく
暁を告げる鶏が鳴いたのだ

――アンリ・カザリス（wikipediaより）

この奇怪で幻想的な詩に霊感を得て作られたのが、カミーユ・サン＝サーンス（1835-1921）の『死の舞踏』（Danse macabre）だ。一八七二年に歌曲として作曲され、世界観をより強く表現するため、一八七四年には管弦楽曲としてまとめられた。

今ではとても人気のある作品だが、骨のかち合う音をシロフォンで表したり、悪魔の音階を使ったりと大変グロテスクであったため、「悪趣味の極み！」と初演は大失敗に。しかし時を経て、彼が生涯残した4つの交響詩の中で最も有名な作品となった。

その背景には、楽曲の素晴らしさもさることながら、〝死の恐怖を前に人々や死神が墓の周囲で踊り狂う！〟そんなブラックユーモアが、いつの時代にも普遍的に刺さるから、ということもひとつかもしれない。常に人類が脅かされてきた疫病や戦争、数えきれない苦痛や混乱……そういった〝死の恐怖〟をコミカルに昇華するエネルギーがこの曲にはあると、聴く度に感じるのだ。

その音楽は、次のようなもの。

秘めやかにハープがDを十二回鳴らし午前0時を告げる。チェロとコントラバスはモゾモゾと墓跡から死神が這い出る様子を表現し、這い出た死神はおもむろにヴァイオリンの調弦を始めるも、三全音の不協和音でギーギー……一気に闇の世界へと引きずり込む。

続いて「ワルツの主題（第一主題）」「冬の風の主題（第二主題）」が奏でられると、続々と骸骨が地底から現れ、不気味に踊り始め、宴は最高潮に!!

しかし、オーボエによる夜明けを告げる雄鶏の鳴声が響き渡ると、死者達は我先に地底へ蠢き帰り、辺りは再び静寂に包まれる――。

本当に情景豊かな音楽だ。

また、作中にグレゴリオ聖歌の『怒りの日』の旋律が用いられたり、ワーグナーの『さまよえるオランダ人』第3幕を想起する音も散りばめられ、サン＝サーンスなりの遊び心も楽しい作品である。

ちょっぴり心が疲れた夜、『死の舞踏』を聴いてみるのはいかが？〝メメント・モリ（死を意識することで今を大切に生きることができる）〟や〝ヴァニタス（生の儚さ…だから1日1日を大事に過ごす！）〟を抱きつつ骸骨どもと踊り狂えば、自然と元気が湧いてくるかも？しれません♪

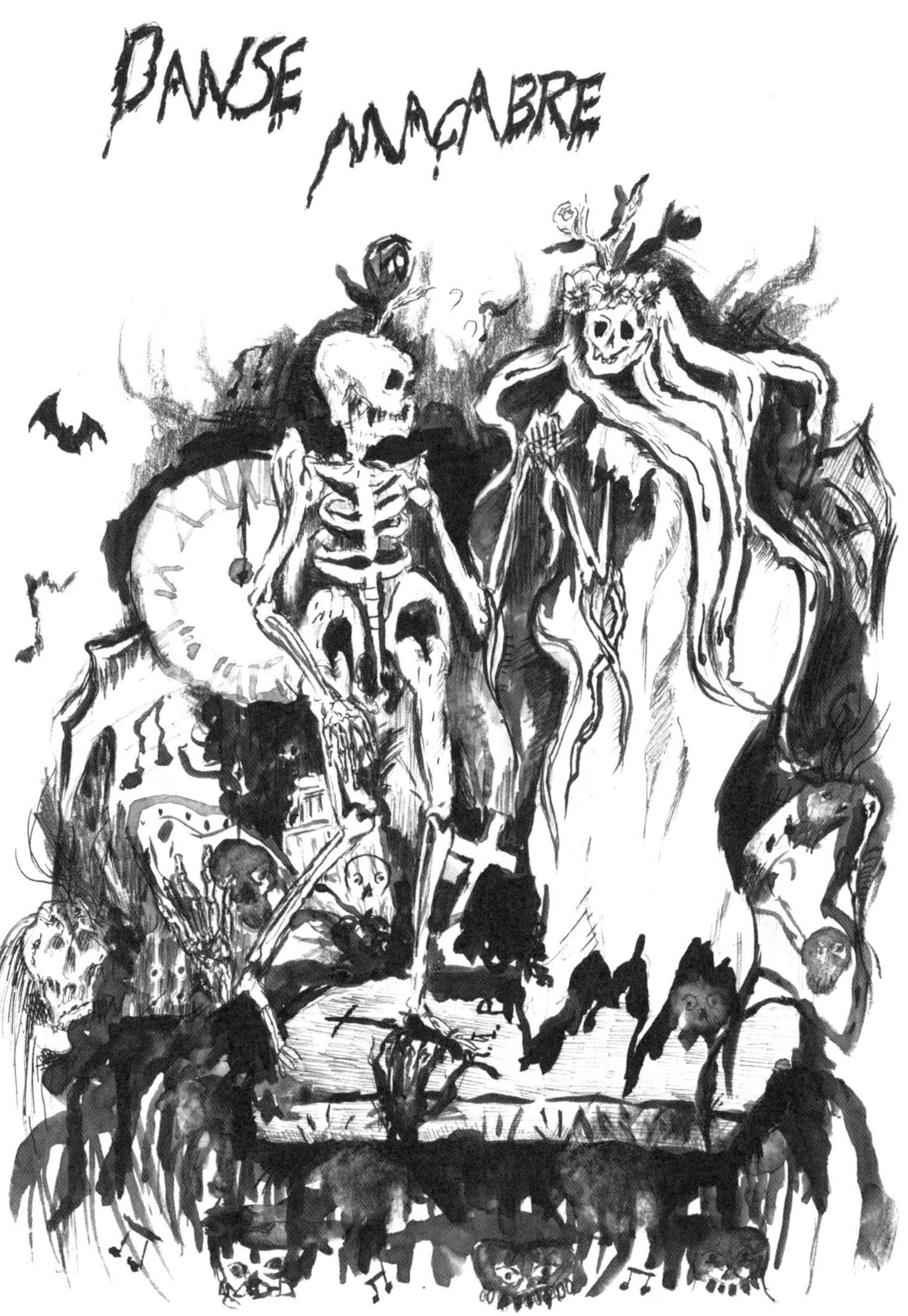
DANSE MAÇABRE

セドレツ、あるいは骨の象徴性
——シュヴァンクマイエル「コストニツェ」

◉文＝梟木（ライター）

ひとはいつか必ず死ぬ。
そして死体となった後も最後まで残り続けるのが骸骨であり、骨だ。古来より骸骨の図像は〝死〟を強く想起させるものとして、多くの文化圏で親しまれてきた。〝メメント・モリ〟（memento mori）といえば「死を忘れるな」という意味で使われる、芸術作品ではお馴染みのモチーフだが、その表現としてもっとも多用されてきたのが骸骨や髑髏のイメージであったことは、想像にかたくない。

それだけではない。人間の骨はまた、それ自体が芸術作品の素材として使われることすらあった。というと、なんだか信長の逸話に出てくる（ただし近年では信憑性は薄いとされる）〝髑髏の杯〟や、フィクションの中に登場する殺人鬼の犯行を想像してしまうかもしれないが、驚くべきことにそれは現実に、私たちの誰もが見学可能な形で存在している。チェコにあるセドレツ納骨堂はおよそ一万人分の人骨を用いた礼拝堂内の驚異的な装飾によって知られ、ヤン・シュヴァンクマイエル『コストニツェ』は、撮影された一九七〇年当時の納骨堂の空気を今に伝える、貴重なドキュメンタリーだ。

シュヴァンクマイエルの作品について見ていく前に、まずはセドレツ納骨堂の歴史について軽くおさらいしておきたい。もと修道院の共同墓地であったセドレツの地に納骨堂を備えたゴシック様式の教会が建てられたのが、一五世紀はじめのこと。キリストが処刑されたゴルゴダの丘に由来するある伝承から、墓地のある一帯は神聖な地とされており、死者の埋葬先として近郊の国々からも人が訪れるほど人気が高かった。教会の完成後は墓地から掘り起こした死体を納骨堂へと移し替える作業が進められたが、その数は四万人分に上ったという。

その後はバロック様式への改築など行いながらも、あくまで普通の教会として存在していたセドレツ納骨堂（教会としての名は〝全聖人教会〟）だったが、一八七〇年、後見人であるシュヴァルツェンベルク家の侯爵によって、納骨堂にある骨で礼拝堂を

右頁左：Eliška Jindřišková　右頁上：Deror avi　右頁右下：Diether　右頁左下：Daniel Wabyick

装飾してしまおうという狂気の計画が立ち上げられる。いったいなぜそんなことを考えたのか、それによって「メメント・モリ」の意識を人々の心に植え付けようとでも思ったのか、その真意は定かではないのだが、ともあれセドレツ納骨堂は世界でも類を見ない〝骸骨教会〟として、その名を歴史に残すことになった。

それではシュヴァンクマイエルの作品について見ていこう。『コストニツェ』は彫刻家のフランティシェク・リントによる装飾の完成より一〇〇年を記念して、チェコの芸術家であり映画監督であるヤン・シュヴァンクマイエルに依頼して制作された、短編のドキュメンタリー映画だ。冒頭、たまたま映り込んだ民家に横たわっていた人形に思わずズームしてしまうあたり、人形アニメーション作家としてのシュヴァンクマイケルの顔が見えて微笑ましかったりもするのだが、いちどカメラが教会の門を抜けてしまえばあとはもう画面をすべて埋め尽くすといっても過言ではない骨ばかりの世界。淡々とした女性のナレーションをバックに、天井や壁面を覆う骸骨の装飾(紋章やシャンデリア)が唐突なアップやコマ撮りの技法を駆使し、恐怖症的な演出で映し出されていく。

骸骨は絶対的な〝死〟の象徴だ。しかしシュヴァンクマイエルの作品においてそれは必ずしも当てはまらないのではないか、と思ってしまうときがある。シュヴァンクマイエルの世界では人間や動物の骨がアニメーションの力を得て当たり前のように動き出す(短編「自然の歴史」や長編第一作『アリス』)し、長編二作目の『ファウスト』(一九九四年)では試験管から生まれたホムンクルスがあっという間に老人となり骸骨となるも生命力を失うことなく動き続ける(その後ファウストによって殺害される)シーンがあった。人間も、人形も、そして骸骨も、シュヴァンクマイエルにとっては等しく(アニメーションの魔術によって動き出す可能性を秘めた)〝オブジェ〟であり、その意味では彼だけがありきたりな骨の象徴性を逃れて別の角度からセドレツ納骨堂のドキュメンタリーを撮ることができていた——のかもしれない。

★写真はいずれもセドレツ納骨堂(wikipediaより)。撮影は右頁右:Pudelek、

四方山幻影話 58

●写真&文＝堀江ケニー
●モデル：紅日毬子

骨から湧くのは、やはり死のイメージ。で、それに関連してひとつのエピソードが思い浮かぶ。

横浜の山手外国人墓地は有名だが、横浜にはもう一つ、外国人墓地がある（イギリス人戦没者墓地も数えると三つあるんだが）。ちなみに山手外国人墓地は宗教によっては土葬が許されていて、いまなお土饅頭を見ることができる。

それで、そのもう一つの外国人墓地は、山手の外国人墓地とは違い観光地でも何でもない。ひっそりと人知れず、横浜の人でも、本当にごく近所の人しか知らないような墓地。しかし実はここは、横浜の黒歴史に刻まれるようなところなのだ。

いつのころだったかハッキリとは覚えていないが、80年代後半ぐらいだったと思う。この墓地に、小さなプラスチックで出来た、名前も入っていない十字架が、ズラーっとかなりの数、所狭しと並んでいるのを見つけた。それを初めて見た時は、何だこれは?!と、かなりの衝撃を受けたのを覚えている。日本風に言えば無縁仏の墓だとすぐに察しが付いた。なんせ、墓地の一番上の原っぱみたいなところにビッシリと並んでいたから。

なんなのか気になり調べてみると、確かにそれは無縁仏には違いなかったが、すべて幼い幼児のものだということが分かった。しかも、それはすべて敗戦後、日本にGHQが入って来た時にアメリカのGI、つまり米軍兵と日本人女性の間に出来た望まれない子供達の墓だったのだ。通称GI BABY。

人目から隠すように埋葬されていたので、普通ではないと察してはいたのだが、これは本当に衝撃的だった。なんせ墓はすごい数で、十字架が立ってないものも無数にあるとのこと。その原っぱに無造作に埋められた幼児の数は、800体を超えるんじゃな

いかという。さらに調べてみると、この墓地はGHQ時代、日本人にはOFF LIMIT、つまり立ち入り禁止となっていたそうだ。

しかし、ある日、その無数にあった十字架がすべて抜かれて跡形もなくなり、その原っぱは再び立ち入り禁止となった。今は何故か立ち入り禁止が解かれ中に入ることができるが、ほんのわずかに小さな十字架の跡が残っていたり、誰かが置いた風車があったりする。しかし、その地面の下には一体どれくらいの骨が埋まっているのか、想像も付かない。まぁ〜、もしかしたら火葬されていて、十字架はあくまでもシンボルに過ぎなかったのかもだが。

骨と死に関して、とても衝撃を受けたお話でした。

鎮魂としての骸骨の話

◉文＝馬場紀衣（文筆家）

色白の白骨美女

高貴な血をひく姫君も涼しい声をもつ少女も床の間の置物のような美人だって、皮を剥いでしまえば通りすがりの誰とも変わらない。匂い立つ色気も玉を転がすような笑い声もすっかり消え失せて、人とはにわかに信じられない、冷たく乾いた魂の入れ物になる。

鎌倉期の仏教説話集『撰集抄』に、官人亭子が出くわした一夜の出来事が記されている。遠くの家路を急いでいた亭子は、その途中で琴を弾く女に出合った。琴の音色は心が澄みわたるように美しく、また女の容姿も美しく、亭子は女がかれこれ3年ほど暮らしているという荒れた家に一宿させてもらうことになる。辺りが明るくなって、鳥が鳴くころ、亭子はすすきのなかで死骨と添い寝しているのに気づく。驚いて馬に飛び乗り、人里に出て経緯を話し、聞いたところによると、女の名は梅頭。生前はいつも琴を弾いていたという。遺骸を野原に棄てられた梅頭は、死してなお野に心を置いたまま、夜になると自分の骨を求めて琴を弾くのだという。

★小野小町が朽ちていくさまを描いたとされる九相図

この話を聞くといつも『袋草紙』が思いだされる。美貌の歌人、小野小町の死骨がすすきのなかに転がっているという話は、『江家次第』や『童蒙抄』にも読むことができるのだけれど、「秋風の吹般ごとに穴目々々」と、目のなかにすすきが生えて痛い、痛いと泣いている姿はあまりにも不憫だ。女の生への執着が世の物書きの想像力をかきたてるのか、落語の『野ざらし』で葦のなかに転がっていたのも、美女の髑髏だった。

官人亭子によく似た話は『今昔物語集』や『雨月物

語』にもみられる。ただ、男たちが夜を過ごすお相手は一夜限りの美女ではなくて、長年連れ添った妻だ。朝になると夢から醒めるようにして愛する妻が亡者となっている、という語りは、白む空と白骨の白さとが重なって、この世の無常と儚さを感じさせる。

白骨美女といってもいろいろで、心と話しの通じる相手ならまだしも、江戸時代の仮名草子『狗張子』のように、おぞましい化物の場合もある。これは、夏の茶店で出合った身目麗しい娘が「良き酒のあり」と運んできたお酒が、大蛇の腹を裂いて滴る血になにかを加えた謎の代物だった、という話。恐ろしくなって逃げた男が翌朝、茶店のあった場所へ戻ると茫々と草が茂り、そのなかに手足の欠けた古い婢子と干乾びた蛇の死骸、雪のように白いひと揃いの死骨があったという。

★「撰集抄」(1687)より、骨から人造人間を作るシーン

人を造った話

もし心臓が人を突き動かす原動なら（身体的、精神的な意味でも）骨は、人の形をかたどる構造そのものといえる。とはいえ、ひと揃いの骨をかき集めてきたとしても、それは必ずしも生前の姿とは一致しないし、それどころかますます奇怪な死者のイメージを強くするばかりだ。

『撰集抄』には死者の骨から人造人間を造ったという奇妙な話があり、そのうえご丁寧に作り方まで書かれている。高野山で修行中の西行は語り合う友人ほしさから人を造ろうと思い立つ。野に出て死人の骨を集め、頭から手足へと骨を連ね、そうしてとりあえずできあがったのは色が悪く、人の姿に似てはいるが心がなく、声はあるが吹き損じた笛のような音をした代物だった。失敗作とはいえ廃棄するわけもいかないので、考えあぐねた末、西行は高野の奥にそれを放置する。その後、京へ出た際に自分に人造りを教えてくれた人物を訪ねて話を詳しく聞いたところ、造りかたを間違えていたことが判明する。西行は正しい方法を教えてもらうが、ふたたび人を造ることはなかった。

この短い話だけでは西行が造った人間もどきの手足が動いたのか、立ちあがって歩くことができたのかは分からない。とはいえ「吹きそんじたる笛」のような声は出るのだ。皮膚の下になにが詰まっているかは分からないけれど、なにかは詰まっていると考えていい。となると気になるのがその人体組織である。

人造りの秘術には段階がある。材料にも細かな指定があり、骨は

骨は意外に喋るし、歌いもする

★竹内栖鳳「観花」(1898)

その名のとおり骨組みでしかない。人を造るための材料は、骨のほかに砒霜、はこべ、むくげの葉などの植物が要るそうだ。これに香焚きなどを行うと、人が造れたり、造れなかったりするらしい。

ちなみに成功した一例が、かの有名な安倍晴明である。平安時代、身体の形が残っている白骨には、凶癘魂（死者の魂）が付着していると信じられていた。そうした白骨に対峙したのが、陰陽師だ。

仮名草紙『安倍晴明物語』には、殺された安倍晴明を師の伯道上人が復活させるという場面があり、これによれば、活命のためには復活させたい人間の肉体を構成する大骨、小骨、皮、肉が必要になるらしい。西行の人造りとのちがいを挙げるなら、新しい人間を造るのではなく、生前とまったく同じ人間を復活させたということ。草を揉むよりも、こちらのほうがよっぽど医学的合理性がありそうな気がするけれど、どちらも骨を素材にして人間を造るのには変わりない。

国外に目を向ければ、東インド諸島では頭蓋骨が病気の治療や予防に用いられていると聞くし、骨で占いをする古い習俗や巫女が骨にものを尋ねる風習がいまなお残されている。

ものいう骨たち

「死人に口なし」という言葉があるけれど、骨は意外によく喋る。喋るだけならまだしも、歌いもするし、告白もする。なにを告白するのかといえば、自分の不幸な身の上だ。『日本霊異記』には自分を殺した者について告発する骨があるし、『日本昔話名彙』の骨は三年かけて敵討を果たした。ほかにも髑髏の舌が腐らずに法華経を唱える話（『日本霊異記』）や、死人の頭を売り歩く男の話（『今昔物語』）など、骨にまつわる逸話はつきない。

これは想像だけれど、話す骨たちは、生命をひきずっているのではないだろうか。あるいは骨にまで染みこむほどの強い執念が、口をもたないはずの髑髏の口を動かしたのかもしれない。それは忘れがたい一生を生き抜いた証でもある。

古来、日本には完全なる死と不完全な死という二つの死があるとされてきた。「骨は死穢だが、白骨は清浄である」との言葉もある。ともすれば骨の状態では、生命を完全に消滅させるには不十分なのかもしれない。そう言う意味では、火葬は骨の純化を早めるもっとも有効な手段といえる。

生者が死者へと向ける気持ちはとても複雑だ。死という不可知な現象への恐怖。腐敗していく屍体への嫌悪感。知人であれば別れを名残惜しく思うし、強い愛着といつまでも引きずる悲しみがある。骨片を箸でつまみ、骨壷へ入れるとき、いつも夢のようだと思う。かさかさと乾いた音、ほろほろと崩れる白骨。生と死がくっきり見えるその瞬間、私はいつも自分がどちらに立っているのか分からなくなる。

◉文＝相良つつじ（画家）

驚異の個人コレクション、シャレコーベ ミュージアムで生を知る

兵庫県尼崎市にある私設博物館「シャレコーベ・ミュージアム」。国道2号沿いから見える白い建物の側面には、大きな頭蓋骨のオブジェが生えている。その下には、「ヒトの起源700万年前のサヘラントロプス」と説明のプレートが。サヘラントロプスとは、アフリカで誕生した最古のヒトらしい。奥へ進み入口側からミュージアムを見上げると、なんと建物自体が巨大な髑髏になっていてド肝を抜かれる。

中に入ると、すぐに1階の生活展エリアが目に入る。そこには、膨大な量の髑髏モチーフの日用品が勢ぞろい。衣類・ろうそく台、ライター、ヘルメット、チェス盤、CD、喫煙具、時計、スマホケース、爪切り、家具……全て挙げるのは不可能なほどの圧倒的物量。視界いっぱいの髑髏に驚愕である。

2階は文化展エリア。ハロウィンのドクロの飾りやメキシコの死者の日にまつわるカラフルな髑髏カラベラ、メキシコの民俗カトリック主義における死の聖母サンタ・ムエルテ

★建物入口から見たミュージアム

★文化展エリア

★科学展エリア
右にあるのが、髑髏蒐集のきっかけとなったチベタンスカル

像、画家フリーダ・カーロのスカル像などがある。その他、ドクロに関する映画のグッズやフィギュア、空想世界の髑髏などが並ぶ。

さらに奥へ進むと、2階と3階が吹き抜けになった空間がある。そこは、ネパール、ペルー、パプア＝ニューギニア、インドネシア、チベット、ブータンなどの宗教的、民俗的な品々が並び、かなり荘厳な雰囲気。チベット仏教から生まれた骸骨の仮面踊り、チティパティの仮面・仏画や仏像、ネパールのラダック祭礼で使われるマハーカーラ（ヤマーンタカ）の巨大な仮面。そのマハーカーラの絵など、仏教、ヒンドゥー教の神々しく偉大な髑髏を介した死生観、宗教美術の迫力に言葉を失う。

3階は科学展のエリア。ここはより学術的に価値の高い蒐集品が並ぶ。世界各地の本物の頭蓋骨など医学的に貴重なものが多く、法律的に一般人が扱えるものではないが、これらの蒐集が可能だったのは、創設者である故河本圭司氏が関西医科大学名誉教授かつ脳外科医だったからである。河本氏は、頭蓋骨学という新しい学問体系の提唱者だったのだ。

河本氏の髑髏蒐集のきっかけとなったのは、「チベタンスカル」。1986年、国際会議で出かけたサンフランシスコの骨ショップで出会い、メタルで装飾され目にガラス玉が入れられたさまに電気が走るような衝撃を受けたという。これを購入し日本に持ち帰ったところ、家庭に不幸をもたらしたため御払いをした、と解説されている。

このチベタンスカルの近くに置かれたチベット地方の頭蓋杯は、高僧が本物の頭蓋骨に彫刻し装飾したものだ。その他にヤギ、猿、亀のチベタンスカル、2つの頭蓋骨の頭頂部を切断、上下逆に合わせ接着し断面部分に革を張ってでんでん太鼓にしたダマル、銀やターコイズで煌びやかに装飾した巨大カパーラ、ボルネオの装飾頭蓋骨、パプアニューギニアの「乾かし首」、ネパールのクリスタルスカルなど稀有な髑髏が並ぶ。

医学コーナーには、河本氏が自ら

★考古学・医学コーナー

★世界各地の髑髏

をCTスキャンして3Dプリンターで再現した実物大の頭蓋骨がある。周囲には貴重な医学的資料がズラリ。中でも凄いのが、本来ならスミソニアン博物館に収められるほどの歴史的価値のある定位脳手術の頭蓋骨標本。世界的に有名な定位脳手術創始者で米国テンプル大学名誉教授のワイシス教授が所有する大変貴重なものらしい。それから、水頭症で膨らんだ頭蓋骨、胎児から成人になるまでを段階別に並べた頭蓋骨模型の標本。河本氏の専門だった脳腫瘍、動脈瘤、頭蓋骨腫瘍の3Dプリントモデルなど、一般人はなかなか目にできない医学的な髑髏が並んでいる。

そしてその隣は、考古学コーナー。建物の側面にあった最古の人類サヘラントロプスを始めとする類人猿、縄文人、弥生人、アウストラロピテクス、ホモ・エレクトス、北京原人、そして日本人の祖先とされる白保人、港川人が並ぶ。その展示棚で目を引くのが推定15歳の皇族らしきペルーの頭蓋変形頭蓋骨。頭蓋変形とは、幼児期に頭蓋骨を板で挟んだり縄で縛ったりして頭の形を変えるもので、紀元前から日本を含む世界各地に見られた風習だが、ここにはその実物がある。

その傍らには、マンガなどにも描かれることがある穿頭頭蓋骨（トレパネーション）が。悪魔を取り除く呪術として頭蓋骨に穴を開けたり、戦闘での頭蓋骨骨折に伴う硬膜下血腫を除去するためなど、古代ギリシアより行われているもので、穴をふさぐ処置を行わずに頭皮を縫合する。2000年前ペルーで使われた穴開けの穿頭器ツミとその皿まであり、常人では成し得ない蒐集への幅広さや拘りの深さに圧倒される。

河本氏の著書『カラーで見るシャレコーベの謎紀行』には次のように記されている。「シャレコーベは、私たちが避けて通ることのできない最後の姿であるからこそ、今、私たちが生きていることを知ることができるのです。シャレコーベを通して、生きていることの喜び、悲しさ、むなしさ、ヒトというものは、残虐な生き物であることを考えさせられます。そして、生きることの大切さを、すばらしさを感じてほしいのです」。

髑髏の数は7800点越えという、驚異の個人コレクション。現在は故河本氏の長女・山本佳代さんが二代目館長となって世界唯一の頭蓋骨博物館「シャレコーベ ミュージアム」を引き継ぎ、死を通じて、いのちの大切さを発信し続けている。

◉参考文献
河本圭司『カラーで見るシャレコーベの謎紀行』メディカ出版、2010年
河本圭司『人類の遺産 スカルを探ねて―世界のミュージアムめぐり』リブロ社、2015年
河本圭司、山本佳代『SKULL MUSEUM COLLECTION』リブロ社、2022年

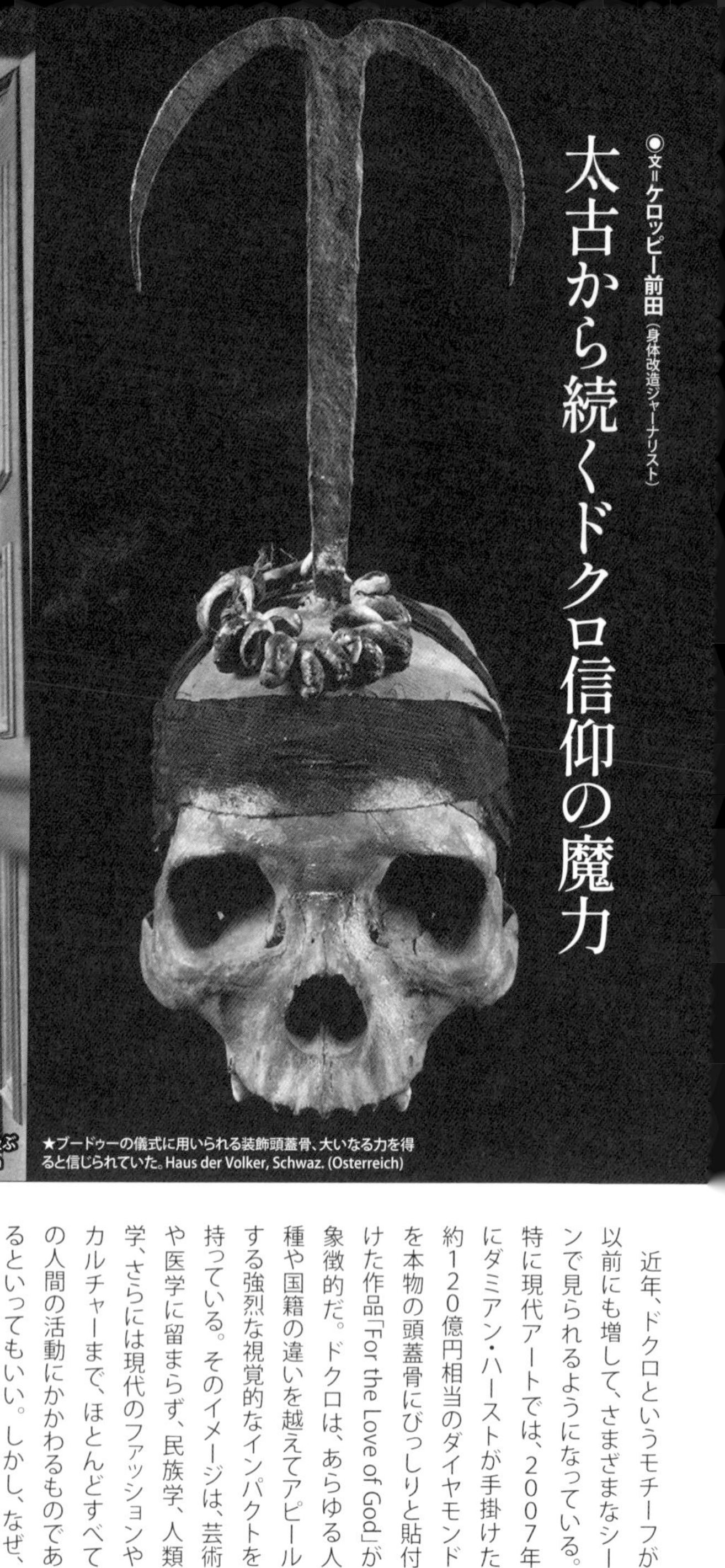

★ガブリエル・フォン・マックスが収集した約500点に及ぶ頭蓋骨コレクション。Gabriel von Max, 1892, Albumin

★ブードゥーの儀式に用いられる装飾頭蓋骨、大いなる力を得ると信じられていた。Haus der Volker, Schwaz. (Osterreich)

太古から続くドクロ信仰の魔力

◉文＝ケロッピー前田（身体改造ジャーナリスト）

近年、ドクロというモチーフが以前にも増して、さまざまなシーンで見られるようになっている。特に現代アートでは、2007年にダミアン・ハーストが手掛けた約120億円相当のダイヤモンドを本物の頭蓋骨にびっしりと貼付けた作品「For the Love of God」が象徴的だ。ドクロは、あらゆる人種や国籍の違いを越えてアピールする強烈な視覚的なインパクトを持っている。そのイメージは、芸術や医学に留まらず、民族学、人類学、さらには現代のファッションやカルチャーまで、ほとんどすべての人間の活動にかかわるものであるといってもいい。しかし、なぜ、いま人がドクロに惹かれるのか？

そんな疑問に答えるがごとく、2012年から13年にかけてドイツ・マンハイムにて行われたのが『スカル・カルト』展だ。これは写実画家でダーウィン信奉者であったガブリエル・フォン・マックス(1840-1915)の約500点に及ぶ頭蓋骨のコレクションを中心とし

たもので、当時の医学資料、民族学資料、芸術作品を広く網羅。さらに、現代のポップカルチャーやメキシコ死者の日の祭り、いまも残るカタコンベ（骸骨寺院）の資料などを加え、頭蓋骨に特化した画期的な展示となった。

　そんな中でも大変興味を惹かれるのは部族社会における装飾頭蓋骨だ。もととなる頭蓋骨は、戦いに勝利した証として、敵の首を狩って手に入れたものがほとんどだが、死んだ親族のものが使われる場合もある。さらには、その首を狩ったあとに食人した可能性もあることを忘れてはならない。自然環境は厳しく、狩猟による食糧供給が不安定で、過酷な状態で生きているからこそ、彼らは自分たちが生き残るため犠牲となった人間に対して敬意を払う。その首は綺麗に装飾され、呪術的な意味を担って、ドクロ信仰とでもいうべき宝物として保管され、そのことで、彼らが食人というタブーを冒してしまった恐怖を封じ込めようとしたのだ。

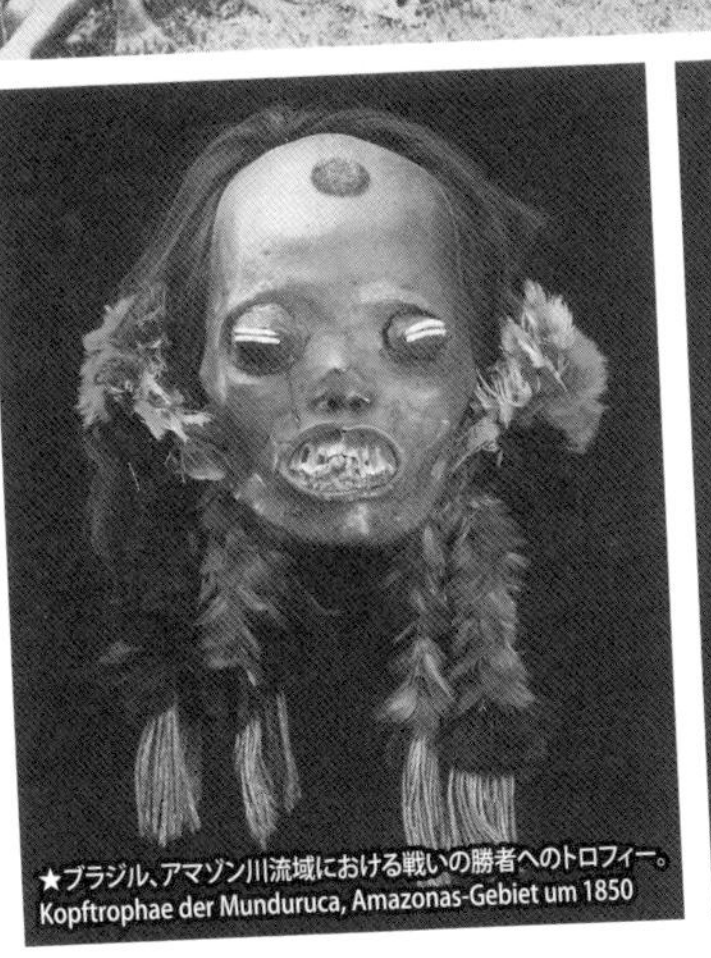

★ボルネオの首狩り族ダヤク族、正面中央に彼らの宝物であるドクロ化した首がある。Dayak, 1920

　例えば、ボルネオは、ヘッドハンターズ（首狩り族）と呼ばれるほど、首狩りが日常化していた。彼らにとって、首狩りは、少年が大人になるための通過儀礼であり、首を狩ってこなければ、嫁をもらうことはできなかった。それぞれの村と村の間は、広大なジャングルとなっていて、そこに分け入っていいのでは、男だけで、女子供は決してジャングルに入ることは許されない。なぜなら、ジャングルは、首狩りを課せられた男たちのバトルフィールドとなっていたからである。もちろん、首を狩った同士が遭遇して戦えば、勝者が敗者の戦利品をすべて総取りすることができる。7つの首を狩ってくれば、村一番の娘をめとることができるともいわれた。それらの首から作られた装飾頭蓋骨は、魔除けも兼ねて家の軒先に吊るされ、働けなくなった老後には、貨幣の替わりとなる財産でもあった。多くの装飾頭蓋骨がヨーロッパに流出したの

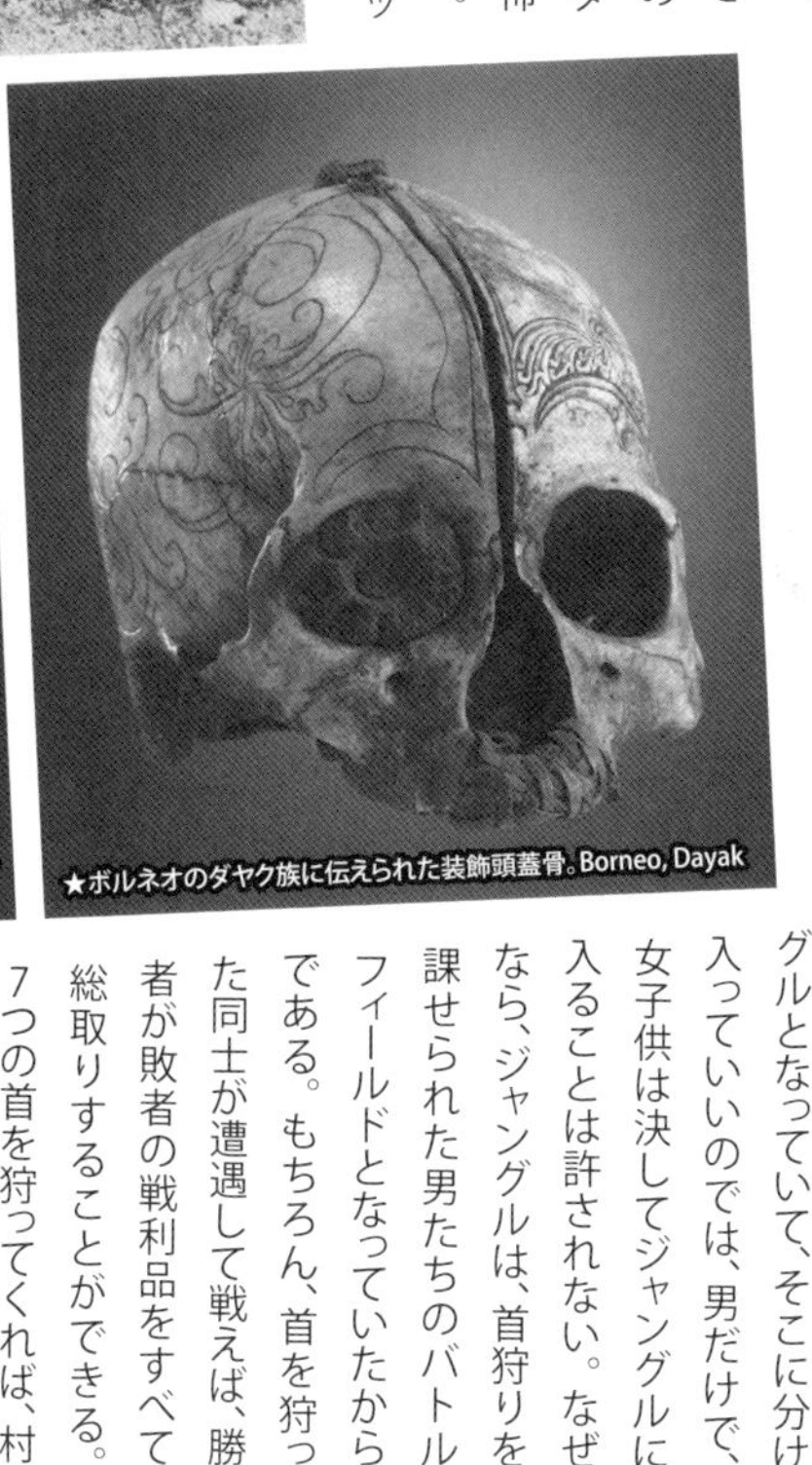

★ボルネオのダヤク族に伝えられた装飾頭蓋骨。Borneo, Dayak

★ブラジル、アマゾン川流域における戦いの勝者へのトロフィー。Kopftrophae der Munduruca, Amazonas-Gebiet um 1850

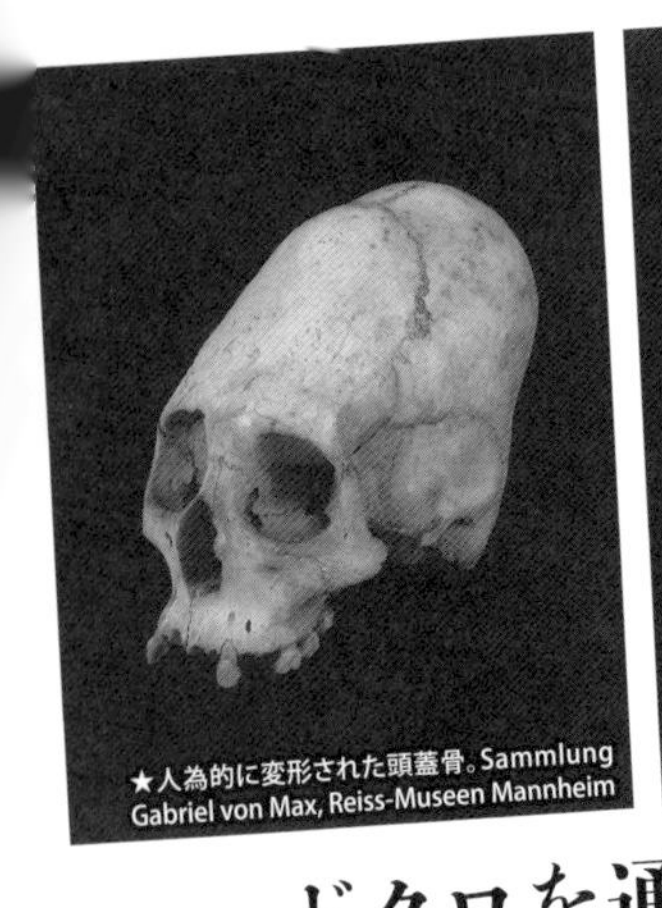
★人為的に変形された頭蓋骨。Sammlung Gabriel von Max, Reiss-Museen Mannheim

★トルコ石（ターコイズ）と義眼で飾られたメキシコの装飾頭蓋骨。Anthropologisches Institut, Athen

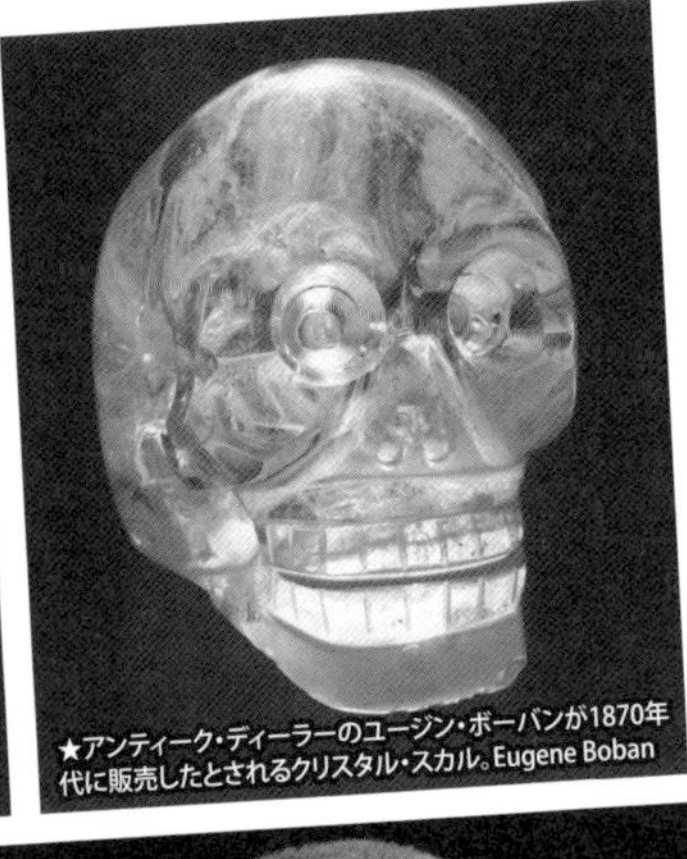
★アンティーク・ディーラーのユージン・ボーバンが1870年代に販売したとされるクリスタル・スカル。Eugene Boban

ドクロを通じて、人間の文化や歴史が総覧できる

も、部族社会において、信仰の対象でもあるドクロのみが、彼らの物質的財産だったからである。ニューギニアのアスマット族に至っては、唯一の財産である装飾頭蓋骨を常に持ち歩き、枕として使用するほどであった。

また、メキシコの古代文明、マヤ、アステカなどでは、複雑な暦を用いて、日食を予想し、太陽の神に捧げるために多くの生贄が捧げられた。死は、儀式的な意味で身近なものであり、ターコイズで彩られた素晴らしい装飾頭蓋骨ばかりでなく、ドクロをモチーフとした彫刻や絵画、装飾品などがあふれ、オパーツの象徴でもあるクリスタル・スカルも生み出されたといわれてきた。その背景には、死をあの世に行くための通過点としか考えない、独自に構築された死生観がある。そのようなドクロへの強い関心は、インカ帝国があったペルーでも根強く、成長期の子供の頭部に負荷をかけて、人工的に変形頭蓋骨を作る行為や、頭蓋骨に穴を開ける頭蓋穿孔（トレパネーション）なども、歴史的に長く実践されてきた。

一方、ヨーロッパにおいては、キリスト教ではドクロそのものを崇拝するような教えはなかったが、中世末期、戦乱と伝染病の蔓延に

★頭蓋骨に穴を開ける行為は、およそ8000年前、石器時代から行われていた。『ア・ホール・イン・ザ・ヘッド』（UPLINK、ケヴィン・ソリング監督／ケロッピー前田字幕監修）より。

★ピーテル・クラースゾーン『ヴァニタス』（1630年）。16-17世紀頃、メメント・モリをテーマにした静物画、ヴァニタスが流行する。死の隠喩として頭蓋骨が描かれた。

よって、ヨーロッパ人口の何割かが死に絶えると、ローマ時代の「メメント・モリ（死を想え）」という言葉が、死は金持ちにも貧乏人にも等しく訪れるという意味で蘇ることになった。ヨーロッパ人が直面した現実は非常に過酷なもので、死者の埋葬が間に合わず、あふれた死体は教会に運ばれて、多くの骸骨寺院が作られた。まさにその時代、文化芸術の世界で、ドクロのモチーフが頻繁に用いられるようになり、同時に中世キリスト教世界が崩壊していく。さらに、15〜16世紀から人体解剖が頻繁に行われるようになると、医学標本として頭蓋骨がコレクションされるようになる。そして、頭蓋骨の形状から人間の能力を研究しようという骨相学も登場した。

　駆け足に、ドクロに特化した大規模な展覧会「スカル・カルト」をみてきたが、改めて、およそ100年前にドクロの魅力にハマり、約500点ものコレクションを後世に残した芸術家ガブリエル・フォン・マックスの先見性に驚かされる。ドクロは、人類創世にまで遡って、人間の存在の証として残るものであり、あらゆる民族文化や宗教において、さまざまな象徴的な意味を持って受け継がれてきた。逆にドクロを通じて、人間の文化や歴史を総覧することできるところが面白い。

★ハーゲンス博士の研究所「プラスティナリウム」では、人間の骨格標本も量産されている。手に心臓の標本を持たされた人骨標本もあった!! www.plastinarium.de

　「スカル・カルト」が開催されたドイツを発祥とする、驚くべき人体標本技術プラスティネーションもまた、人間が持つ人体への飽くなき興味から発展してきたものといえる。その発明者その発明者グンター・フォン・ハーゲンスが、人体標本にいろいろなポーズをつけたり、演出を施すことで、単なる医学的な興味を超えてアピールしているのは、部族社会において、頭蓋骨を装飾することで宝物にしていた行為と似ていないだろうか。ドクロが持つ独特の霊力やパワーは、ネット時代であればなおさらのこと、現代人に失われた生命エネルギーを取り戻すきっかけとして、ますます強く求められるようになるだろう。

★イタリアのクルゾーネにあるサンタ・アスンタ聖堂付属ディシプリーニ礼拝堂の壁画（1485年頃）。上段に死の勝利、下段に死の舞踏が描かれている／写真：Mattana

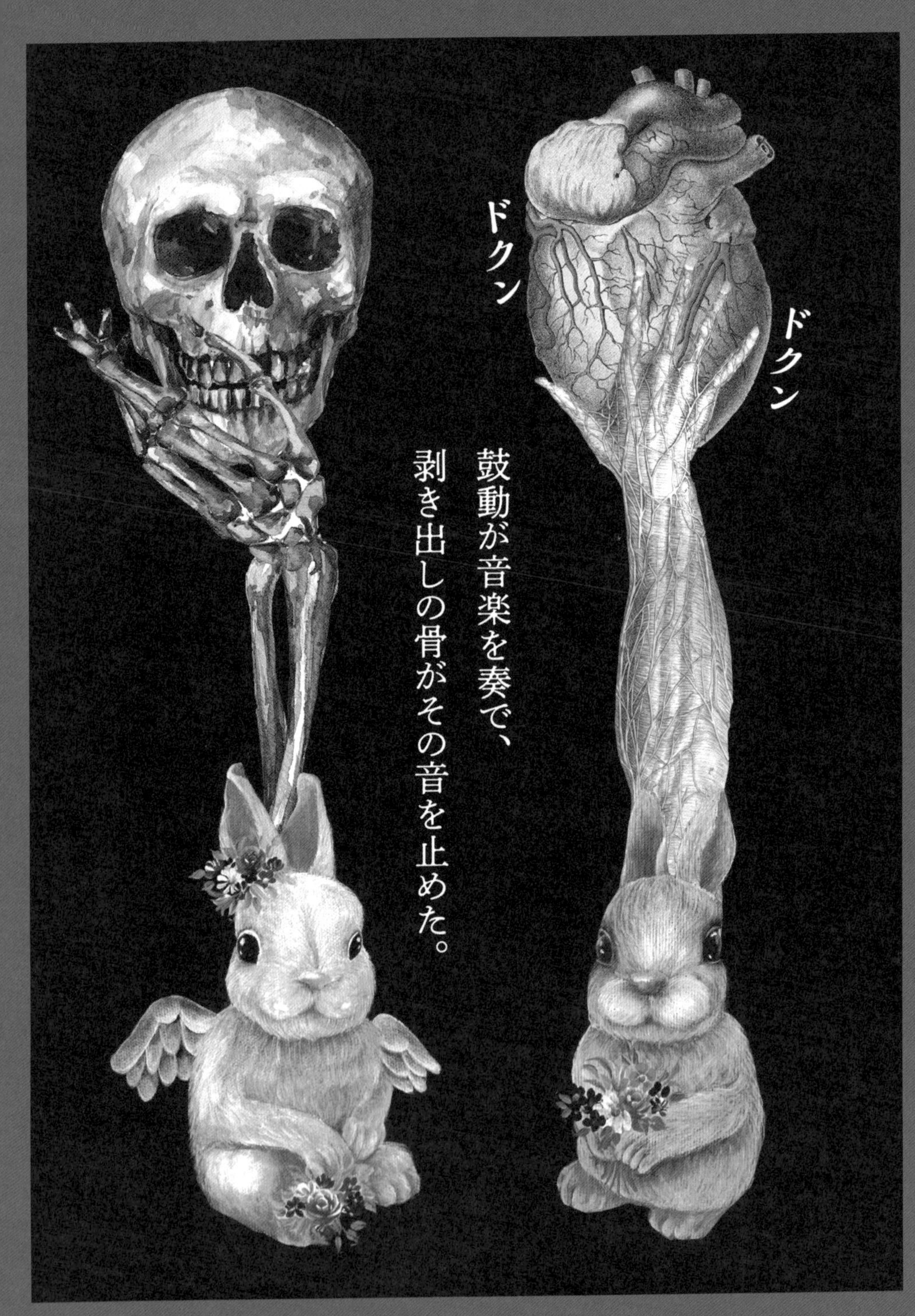

岸田尚一コマ漫画 ◉コラージュ&文＝岸田尚

「骨片の瓔珞」を身につけた少女
——光瀬龍『百億の昼と千億の夜』と『夜ノ虹』

◎文=宮野由梨香（評論家・人類史研究家）

BONE & HEART

瓔珞とは、古代インドの貴族が用いたネックレスのことである。宝石や真珠を貴金属で連ねて胸を飾る。仏像などで目にすることが多い。

光瀬龍のSF小説『百億の昼と千億の夜』の主人公・阿修羅王は、興福寺の阿修羅像をイメージ・モデルにしている[1]が、身につけているのは「骨片の瓔珞」である。阿修羅像の瓔珞は、もちろん骨片ではない[2]。ヒンドゥー教の女神カーリーは生首あるいは髑髏を連ねた首飾りをしているが、カーリーと阿修羅はむしろ敵対する関係にある。インド哲学に造詣の深かった光瀬龍[3]が、そのあたりを知らないわけがない。

そもそも、動物の歯や角を加工したアクセサリーなら見たことがあるが、骨となると寡聞にして知らない。そんなものがあるのだろうか?

百億の昼と千億の夜
光瀬龍

★光瀬龍『百億の昼と千億の夜』（ハヤカワ文庫JA）／新版の表紙は萩尾望都の描いた阿修羅王。なお、萩尾によるマンガ版の阿修羅王は勾玉のネックレスをしている。

「骨・アクセサリー」で検索してみた。ヒットしたのは「遺骨ペンダント」の宣伝ページだった。一瞬、ぎょっとしたが「いや、むしろ、これしかない!」と考え直した。

阿修羅王の瓔珞の「骨片」は、遺骨なのだ。いったい誰の遺骨なのだろう?

宿業の起点としての「骨」

『百億の昼と千億の夜』は、はるか過去から未来までを描いたSF小説である。プラトンや釈迦やイエス・キリストなどの歴史上の人物が活躍する。

主人公の阿修羅王は、出家したばかりの青年、悉達多太子（後の釈迦[4]）の前に、「美しい少女」の姿で登場する。「阿修羅王は宿業によって、この兜率天浄土に攻め入り、帝釈天の軍勢とすでに四億年の永きにわたって戦っていると聞いた」と太子は告げる。阿修羅王は「そのとおりだ」と唄うように応じ、次のような動作をする。

> 少女はだまって首にかけた瓔珞をもてあそんだ。それは何かの骨片を銀の糸でつなぎ結んだものだった。小さな乾いた音が、木鈴の鳴るように太子の耳にとどいた。[5]

ここで骨片の瓔珞に手をやるのは「宿業によって攻め入り、戦い続けている」と言われたことに対する反応なのだろう。それは、「骨片の瓔珞」こそが「宿業」の起点を示すものだからではないだろうか。

続いて、戦う理由と棲む世界の在処を問われた阿修羅王は、困ったような微笑を浮かべる。棲む世界は既に無く、その喪失こそが戦う理由だからなのだろう。それに伴う体験のすさまじさは伝達不可能だし、語ること自体に苦痛が伴う。だから苦笑を浮かべ、次の瞬間に激情を爆発させる。声は天地の声となり、髪はほのおのようになびき、怒りと悲しみは目のくらむようなすさまじい火花となって散る。

かつてあった「棲む世界」は奪われ、そこに生きていた者は、今や骨となっている。

骨は、その持ち主が確実に存在した証拠である。そして、二度と帰って来ないことを示すものでもある。

声が天地の声になるのは、阿修羅王が本来は太陽神であり大地母神であるような存在だからなのだろう。土地を奪われた地霊と言い換えてもいい。

その声で、「弥勒に会え!」と阿修羅王は叫ぶ。そして、未来に幸福をもたらすと信じられている弥勒という存在がいかに疑わしく、むしを現在のこの世の荒廃の元凶であり、破滅への使者とも言える存在であるかを訴える。単なる死は「生々流転するひとときの相に過ぎない」が、「今、この世界が直面している破滅の形態こそ、真の意味での破壊であり、もはやその後にはいかなる種類の変化も起り得ない」と、阿修羅王は言うのだ。

「第三章 弥勒」の中のこのシーンで骨片の瓔珞のたてる「木鈴の鳴るような、小さな乾いた音」は、変に耳に残る。次の「第四章 エレサレムより」は「帆立貝の殻が、まるで枯れた骨でもふれ合うような音をたてた」という文から始まっている。その音をピラトゥスは「まるでおれの背骨がうずくよう」と感じる。これは、「骨片の瓔珞」のたてる音のイメージとつながるものだろう。『百億の昼と千億の夜』という作品のBGMのひとつとして、この音があるのだ。

さて、この骨片はいったい誰のものなのだろう?

被征服民のこころ

光瀬龍の作品には、「骨片の瓔珞」を重要なモチーフとするものがもうひとつある。「たそがれの楼蘭」(『宇宙叙事詩』所収)である。

匈奴の王から王女を妃にと求められた楼蘭国は、それを拒む。そのために楼蘭国は亡びる。

自害しようとする王女を、ミメサという星から来た若者が止める。若者と王女は一緒に逃げようとするが果たせず、若者は「ここで待っていてくれ。かならず、つれにもどる」と言う。その言葉を信じて王女は待ち続ける。

探検家スウェン・ヘディンは一九三四年に楼蘭の遺跡で若く美しい女性のミイラを発掘して、世界を驚かせた。それは実はこの王女だった。彼女は今なお待ち続けている……そんな物語だ。

王女と若者の別れの場面は、次のように描かれている。

「ほんとうにもどってくるわね」

「ほんとうだ。かならず、もどってくる」

若者は、自分の首にかけている、玉と石と何かの小さな骨片を繋いだ瓔珞をはずして、少女の首にかけた。それは、ミメサの人々が死者を悼んで贈るものだった。

氷のようなくちびるが、少女のほほに捺された。【6】

このシーンは、この若者が既に死者であることを示すものだろう。かつ、王女ももちろん生き残ってなどいない。「瓔」という名を持つこの王女は、最初から「骨片の瓔珞」なのだ。だからこそ、楼蘭国は彼女を敵の手に渡すことを拒んだ。

「たそがれの楼蘭」は、不実な男を待つ女の話ではない。死してなお征服民に与することができない被征服民のこころのあり方を描いた物語なのである。

婚約者を殺されたベトナムの少女

阿修羅王というキャラクターについて、光瀬龍は「リーミンが原形になっているのかもしれない」「リーミンの持っている性格をより鮮明にさせ、明確にさせるとあしゅらおうになるのか」と、書いている【7】。リーミンとは『宇宙塵版 派遣軍還る』のヒロインだが、さらにその原形をたどると、一九五五年に書かれた未発表の戯曲『夜ノ虹』の主人公、麗明に到達する。

『夜ノ虹』は、一九五四年五月のデイエンビエンフー陥落を背景にしている。この戦いでベトナムに敗れたフランスは和平に向けて動き出し、同年七月にジュネーブで、インドシナ半島における軍事作戦の停止を規定する協定が調印された。しかし、アメリカは調印を拒否し、それが後のベトナム戦争へと発展していく。

舞台は、デイエンビエンフー陥落の翌日のハノイだ。フランス人の婚約者を殺されたベトナム娘・麗明は、「自分と結婚してアメリカに行こう」というアメリカ人の誘いを拒絶し、凶弾によって果てる。

誘いに乗れば生き延びられたであろうに、彼女はそれを選ばなかった。

『百億…』が書き始められた一九六五年は、キューバ危機の三年後だ。世界は冷戦下にあり、核兵器の開発競争が行われていた。この年に米国大統領ジョンソンが共産主義を一掃すべく、南ベトナム民族解放戦線とベトナム民主共和国に直接対決を挑んだ。戦乱で多くの人々が死んだ。人間だけではない。枯葉剤が撒かれ、森林が焼き払われ、そこに棲むものたちによって営まれてきた生態系が、未来にわたって破壊された。

麗明が阿修羅王の原形だとしたら、首にかけている瓔珞の骨は婚約者のものであると同時に、「棲む世界」に生息したすべての生命の象徴でもあるのだろう。同時に、『夜ノ虹』の中で死んでしまった麗明その人のものでもあろう。

阿修羅王が「弥勒に会え!」と叫んだのは、弥勒の約束する「未来における幸福」を信じる者たちによって「棲む世界」が破壊されたからだ。その破壊とは「真の意味での破壊」であるようなものだった。

我々が生きる時代に関する問題提起が、そこにはある。この作品が書かれてから約六〇年が経過した。いまだ我々はその問題を解決できていない。

○

遺骨ペンダントは、遺骨を小さな容器に入れるものと、人造宝石に仕立てるものとの二種類があるそうだ。ブレスレットやキーホルダーにも出来るようだが、やはりペンダントが選ばれるのだろう。服の下に遺骨ペンダントをしている人は、案外、身近にいるのかもしれない【8】。

心臓の近くに遺骨を置く。

こころは常に遺骨の主のもとにある。

★光瀬龍『宇宙叙事詩』(ハヤカワ文庫JA)/イラストは萩尾望都

★光瀬龍『宇宙塵版 派遣軍還る』(ハヤカワ文庫JA)/表紙は山田ミネコの描いたリーミン

◉注

【1】ハヤカワ文庫(旧版)『百億の昼と千億の夜』巻末の「あとがきにかえて」に記述がある。

【2】鶴岡真弓『阿修羅のジュエリー』(理論社)参照

【3】東京教育大学文学部哲学科に学んだ光瀬龍は「大乗に於ける般若波羅蜜多」という題名の卒論を作成している。

【4】この人物の遺骨が「仏舎利」である。

【5】光瀬龍『百億の昼と千億の夜』(ハヤカワ文庫 JA1000)一六三頁。以下、この作品からの引用は同書に拠る。

【6】光瀬龍『宇宙叙事詩上』(ハヤカワ文庫版)一〇一頁

【7】光瀬龍『「派遣軍還る」あれこれ』『光瀬龍 SF作家の曳航』二一三頁

【8】安易な結びつけは禁物だが、気になることがある。光瀬龍は小学校教師だった母親について、勤務先の校長とスキャンダラスな大恋愛で結ばれたものの、夫とも子供とも死別して「半馬鹿みたいになって実家へ戻っ」た後、再婚して自分を産んだと語っている(「文学の蔵」設立委員会編『十人の作家 ふるさとを語る』(北上書房)一九五頁)。また、『ロン先生の虫眼鏡 part Ⅲ』(徳間文庫)二二七頁に、戦時中、自分の非常持ち出しの雑のうに親が「先祖さまの位牌から取りはずした戒名を記した板片」を入れていたことが書かれているが、両親ともにいわゆる跡継ぎではない筈である。もしかしたら、それは母親の前夫と子供たちのものではなかったか。

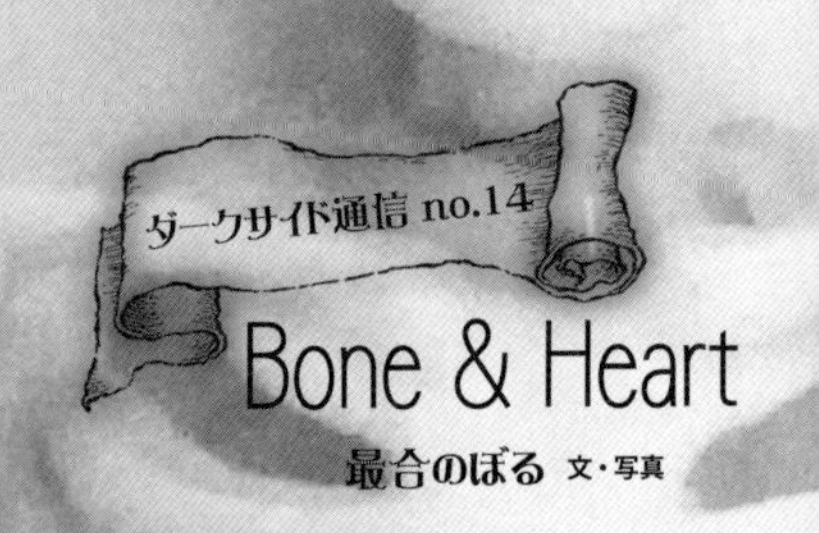

Bone & Heart

最合のぼる 文・写真

ボーンちゃんは いつも元気
なぜなら身軽で風通しが良いから

ハートちゃんは とても心配性
なぜならいつもドキドキしているから

ボーンちゃんは動くのが大好き
だからハートちゃんは一生懸命に働く

ハートちゃんはすぐにびっくり跳ねる
だからボーンちゃんはしっかり守っている

ボーンちゃんとハートちゃんはいつも一緒

遊ぶ時も 勉強する時も
出かける時も 留守番の時も
ごはんやお菓子を食べる時も
ふかふかベッドで眠る時も

「眠っているのにドキドキしている」
「うるさかったら ごめんなさい」
「いいのよ この音大好きだから」
「ありがと 私も嬉しいわ」

ボーンちゃんは すやすや眠る
ハートちゃんは 眠ったふりをする

ボーンちゃんは夢を見る
二人で遊んだあの日のこと

小鳥よ小鳥　籠から出したら逃げてった
遠いお空へ飛んでった
消えたお空をながめても　どうしているかはわからない

ねえ なんで小鳥の話なんかするの？

「籠の小鳥は幸せかしら？」
「守られてるから幸せよ」
「お空を飛びたくないかしら？」
「籠の外は危険がいっぱいよ」
「もしも籠が壊れてしまったら？」
「壊れないから大丈夫よ」

困り顔のハートちゃん
なんでそんなに心配するの？
ハートちゃんは悪いことばかり考えて
いつもオロオロ右往左往
ボーンちゃんはあっけらかんと笑いとばす
白くて元気なボーンちゃん
なんでそんなに無茶するの？

ハートちゃんが変なことを言いだした

「わたしはね いつかドキドキしなくなるの」
「ドキドキしなくなったら どうなるの？」
「すっかり消えていなくなるのよ」
「すっかり消えていなくなったら どうなるの？」
「ボーンちゃんだけになるのよ」
「わたしも折れたら すっかり消えていなくなる？」
「ボーンちゃんは いなくならないわ」 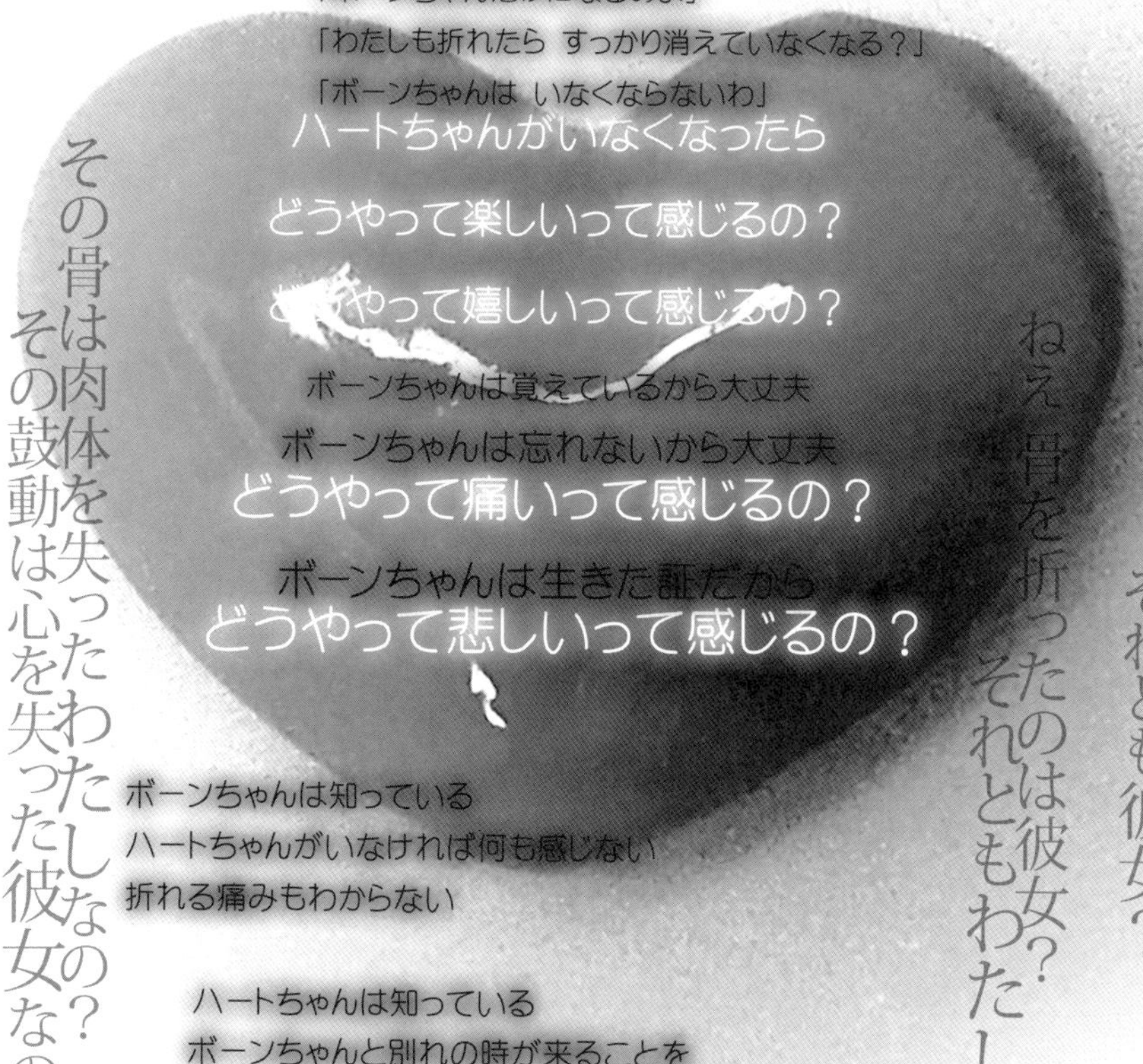
ハートちゃんがいなくなったら
どうやって楽しいって感じるの？
どうやって嬉しいって感じるの？
ボーンちゃんは覚えているから大丈夫
ボーンちゃんは忘れないから大丈夫
どうやって痛いって感じるの？
ボーンちゃんは生きた証だから
どうやって悲しいって感じるの？

ねえ 心配性だったのはわたし？ それとも彼女？

ねえ 骨を折ったのは彼女？ それともわたし？

ボーンちゃんは知っている
ハートちゃんがいなければ何も感じない
折れる痛みもわからない

ハートちゃんは知っている
ボーンちゃんと別れの時が来ることを
止まった鼓動は戻らない

その骨は肉体を失ったわたしなの？
その鼓動は心を失った彼女なの？

そろそろ 気づかなきゃ

私たちはいつも一緒でした。揃いのお洋服を着て、揃いのシューズを履いて、誰もが私と彼女の区別がつかないくらいに良く似ていたのです。でも性格は随分と違ったようです。私は周囲がハラハラするほどお転婆で、彼女はそんな私をいつも心配していました。人一倍元気だった私はお転婆が過ぎたのかもしれません。身動きができなくなって、暗い場所に一人取り残されてしまったのです。痛くて苦しくて心細くて。次第に全ての感覚がなくなって、旅立ちの時が近づいていることがわかりました。死ぬのはそんなに怖いと思いませんでした。まだ死というものを良く理解していなかったのかもしれません。ただ彼女とお別れしなければならないことがとても悲しかったのを覚えています。

気がついた時、私は小さな骨壺に収まっていました。辛かった時間から解放されてすっかり元気になっていることに驚きました。私は変わり果てた姿になっていましたが、不思議なことに記憶は残っていました。そして空洞なはずの私の胸の中に、なんと鼓動

ボーンちゃんの元気がない
なにをしても楽しくない
なにを見ても面白くない
なぜならハートちゃんの姿が見えないから

ボーンちゃんはハートちゃんを探す
ハートちゃんはどこ？
どこにいるの？

見えない

感じない

聞こえない

鳥籠の中　ハートちゃんを　みーつけた

それは　ボーンちゃんの胸の中
「こんなところにいたの？」
ハートちゃんは答えない
歩こうとしたボーンちゃん　ペタンとその場に座り込む
見れば　足がポッキリ折れている
腕もポッキリ　頭もグラグラ　背骨もガタガタ
いつからこうなったのか　ボーンちゃんにはわからない

なんで？

なんで？

なんで喋らないの？

「どうなったか　知ってるでしょ」

ハートちゃんは喋らない
何を聞いても答えない
どんどん紫色になってきて
ついには　トロトロ溶け出した
歪んで崩れて　笑っているみたい
ハートちゃんは　ボーンちゃんをすり抜けて
ボトンと落ちたら　ウジ虫わいた

なんでドキドキしないの？

「とっくに　いないのよ」

「ただの思い出なのよ」

を刻む彼女がいたのです。私はすっかり嬉しくなりました。彼女は少し緊張した様子でおずおずと話しかけてきました。それは以前の彼女とまったく同じです。私は彼女と別れずにすんだのです。私たちはまた一緒に遊びました。思い出せる限りの記憶を辿って、何度も同じ日々を繰り返しました。でも月日が流れるにつれ、私の記憶は薄れていきました。たぶん本当の意味で無に還る時が近づいていたのでしょう。あんなに仲良しだった彼女を感じることができなくなりました。私は小鳥のいない鳥籠、壊れた伽藍堂だったのです。ここで再会したと思った彼女は、私が作り出した偽者、幻……あるいは希望だったのかもしれません。

私は夜の病院にいました。目の前に一人の老婆が眠っています。老婆の顔には死相が現れ、命の灯火は今にも燃え尽きそうです。私はなぜこんな老婆のそばにいるのでしょう。すると老婆の干からびた胸の中から私を呼ぶ声が聞こえたのです。すぐに私は、それが本物の彼女だとわかりました。

ひとり残されたボーンちゃん
体はすっかり茶色に薄汚れた

やがて誰かに引っ張り出され
明るい場所でいじられて
燃える炎に踊らされ
カラカラになって壷に入れられ

考えるのはハートちゃんのこと
ただただ、最後の顔を思い出す

ねえ　何度でも救ってあげるから大丈夫よ

大変！　大変！

彼女の姿が透けて見える
彼女はとても困ってる
大変！　救い出さなくっちゃ！

大変！

（ずぶりと両手を突っ込むのよ）

引っこ抜かれたハートちゃん
血みどろ困り顔が懐かしい
引っこ抜いたボーンちゃん
血染めのお手々が可愛らしい

ボーンちゃんとハートちゃん
二人仲良く闇に消えた

END

暗黒メルヘン絵本シリーズ参加画家が結集したファイナル本＊アトリエサードより大好評発売中!!
『暗黒メルヘン絵本シリーズ ZERO 王女様とメルヘン泥棒』
最合のぼる（文・写真・構成）　黒木こずゑ、たま、鳥居椿、須川まきこ、深瀬優子（絵）

ラテンホラーに託された「痛み」——マリアーナ・エンリケス『寝煙草の危険』

◉文＝高槻真樹（SF評論・映画研究者）

★マリアーナ・エンリケス『寝煙草の危険』（国書刊行会）

昨年上梓された、アルゼンチンの女性ホラー作家マリアーナ・エンリケスによる短編集『寝煙草の危険』（国書刊行会）との出会いは、大きな驚きだった。内臓と血と骨にあふれた正統派の恐怖小説でありながら、マジックリアリズムの系譜も受け継ぎ、陰謀と暴力が荒れ狂う南米の混沌とした社会情勢を鮮やかに描き出してもいる。ホルヘ・ルイス・ボルヘスやフリオ・コルタサルの亡き後、彼の地の「空気」を濃厚に感じさせるリアルタイムの作家に出会ったのは初めてだ。

骨で繋がる霊世界

エンリケスの興味深い点は、先人たちの仕事に敬意を払いつつも、よりはっきりとジャンルホラーを意識した作品づくりを試みたことだろう。アメリカの出版社ティン・ハウスの公式サイトに掲載された、デビッド・ナイモンによるポッドキャスト番組でのインタビューによれば、ボルヘスら先輩作家たちを「とても好きだがエリート主義的」だと舌鋒鋭く批判している。彼らは欧米文学に憧れ、自分たちをヨーロッパ人だと思っており、恵まれない人々の生活を題材にしなかった。

そこで自らは、自身が幼少期を送ったアルゼンチン北東部を舞台に、「土地の神話に注意を払った」作品を生み出していく。そこは自然が攻撃的で、様々な文化が混ざり合う混沌とした世界だった。

冒頭に収録された「ちっちゃな天使を掘り返す」でも、主人公の少女は、裏庭で見つけた骨をきっかけに、幼くして死んだ祖母の妹の霊が見えるようになってしまう。死者の世界への扉を開ける鍵としての骨。恐怖譚にふさわしい小道具だ。

ベッドで寝物語をしていた恋人が、突然水死体に変貌するフリオ・コルタサルの「河」と見比べてみれば、違いは明白だ。叙述の曖昧さを逆手に取って、生と死を反転させる。何が起きたのか説明できない不可解な現象を描かせたら、コルタサルの右に出る者はいない。

これに対してエンリケスの場合、原因が幽霊であることははっきりと説明されている。何者であるかは祖母の口からきちんと来歴が語られるし、得体の知れない存在ではない。主人公もそれなりに幽霊のいる状況に適応してしまうが、逆にどうやっても消すことができず、精神的に追い詰められていく。

その一方で、表現的技巧の中に怪異を織り込んだマジックリアリズムの伝統もきちんと踏まえている。そもそも裏庭から親族の遺骨が見つかるのは不自然で、祖母の発言を迷信扱いする父親は、露骨に不快そうな顔をする。主人公も最初は鶏の骨だと思っていたぐらいで、祖母の言葉が本当である保証はどこにもない。妄想かもしれない。だが主人公は霊が見えるようになってしまうし、霊は祖母の妹であるかのようにふるまう。

　語り手の言葉は矛盾だらけだし、故意に伏せられているらしき事柄も多い。典型的な「信頼できない語り手」ものとして読むことも可能だ。祖母をバカにしていた父親も、実は見えているのに無視していただけなのかもしれない。

南米怪談の系譜

　エンリケス作品の多くは、恐怖を描くにあたって執拗なまでに骨のイメージを登場させる。「左腕には骨まで届く切り傷。胸は胸骨が見えていた」（「肉」）、「その年ごろは、頭の中でずっと音楽が響いている。うなじのあたりの頭蓋骨の内側に、ラジオの放送局でもあるかのように」（「わたしたちが死者と話していたとき」）。他にも頬骨や恥骨、カタコンベまでもが現れる。

　そもそも、エンリケスが目指したという、南米世界ならではのホラー表現とはどのようなものなのだろう。そこで骨はどのように描かれるのか。地球の裏側の怪異について入手できる資料は少ないが、ホセ＆サーセル・サナルディ『南米妖怪図鑑』（ロクリン社）を見つけた。アルゼンチン生まれの著者二人は兄弟で、文章を書いた兄ホセは日本在住。イラストと説明文から成る2ページ見開き形式で、各地の伝承に取材し四〇種類を紹介している。

★ホセ＆サーセル・サナルディ
『南米妖怪図鑑』（ロクリン社）

　ここに、ベネズエラとコロンビアにまたがる草原地帯に伝わる身長6メートルのやせた怪人シルボーンが紹介されている。酒癖や女癖など「悪い癖」を持つ人間から骨を抜き取って袋に入れ、ガラガラと音をたてながら、口笛を吹きつつ持ち歩くのだという。

　ブラジルに伝わるコルボ・セーコも興味深い。天国からも地獄からも拒否された悪人がボロボロに腐った姿でさまよい、枯れ木に寄りかかって擬態しながら襲い掛かってくるとされている。ゾンビの原形のひとつだろうか。グアテマラなどで知られるセグアは、腐って骨の見える馬の頭を持つ妖怪で、美女に化けて男たちを誘惑し魂を抜き取る。

　エンリケスが、こうした妖怪伝説の空気を現代に甦らせようとしたのは間違いない。「井戸」という作品では、『図鑑』にも紹介されている呪われたロバの妖怪アルマ・ムーラが登場する。「口や鼻から炎を噴きながら猛烈な勢いで町中を駆けずりまわる」のだという。幽霊や妖怪の登場により、疑似欧米的な植民地世界は引きはがされ、隠蔽されていた先住民伝承などの土俗的な空間がよみがえる。

エロティックな心臓

　陰々滅滅とした日本の怪談と違い、南米の妖怪たちはあっけらかんと明るく、そしてなぜか、かなりあけすけにエロティックでもある。『図鑑』に登場する面々をみるに、異様に長い性器を投げ縄のように使って女性を襲うクルピー、全裸に麦藁帽だけを被り子供や女性を誘惑する美少年ジャシー・ジャテレー、巨乳を揺らして裸で農村を歩き回り子供の世話をしてくれるサッパン・スックーンなど、いずれもインパクトは強烈だ。最後のひとつは、ただの痴女じゃないのかと思わないでもないが。

　エンリケスのもうひとつの特徴として、「誕生会でも洗礼式でもなく」「寝煙草の危険」などの、女性の視点で描かれたフェティッシュな性描写がある。これもまた南米怪談の伝統に沿った展開ということなのだろう。「乳首は見当たらず（切り取られている）、心臓の鼓動でかすかに震えている」（「誕生会でも洗礼式でもなく」）というように、心臓もまた頻繁に登場する。

中でも強烈なのが「どこにあるの、心臓」で、なんと心臓音に性的興奮を覚えてしまう女性が主人公だ。確かに心臓は骨の対極にあり、生命の象徴である。だがこの女性は様々な疾病を抱えた心臓音を聞きながら自慰をするという、なかなかハイレベルな性癖の持ち主である。やがては同行の士たる男と、お互いの心臓音を聞きながら次第に行動をエスカレートさせていく。死の影に取りつかれた生命が持つ独特の性の香り。超自然的な描写はまったくないが、ほとんどSFといってもよい展開で、別世界へと導かれる。

★マリアーナ・エンリケス
（2022年、写真：Kaloian/ Ministerio de Cultura de la Nación）

恐怖に託したリアル

エンリケス作品の多くは、濃度の差こそあれ、常にどこかで骨と心臓が見え隠れする恐怖譚である。マジックリアリズムの作法を踏まえつつも、より直接的ホラー描写に踏み込んでいくのはなぜなのか。

たとえば鼓直編『ラテンアメリカ怪談集』（河出文庫）では、ボルヘスやコルタサルら巨匠の秀作がズラリと並ぶ。実にマジックリアリズムらしい恐怖譚ではあるが、それは現実の南米を反映した本当の恐怖なのだろうか。フジヤマ・ゲイシャのような誇張されたエキゾチシズムにすぎず、外側から眺める分には楽しいが、そこに暮らす人々にとっては絵空事となる一面がないだろうか。

エンリケスがリアルな恐怖にこだわるのは、ジャーナリストという肩書のためでもあるだろう。「ロンドン・マガジン」誌のインタビューによれば、「ジャーナリストとしてはそうしたこと（高槻注・猟奇的な事件）は書かない」とのことだが、それでも取材の現場で様々な人に会い、いろいろな話を聞く以上、現実の過酷な一面を常に目にすることになる。

グロテスクな表現は耳目を集めるが、賛辞ばかりではない。「どうしてこんなひどいことを書くのか？」と読者の苦情を受けることも珍しくない。その物語は、現実に起きた事件をモデルに、誇張なく書かれたものなのだが。

自らの作品を読む人には、傷つけられる痛み、殺される恐怖を自分事として感じ取ってほしい。だからこそ強い感情を引き出すフックとして、骨と心臓を積極的に用いるのではないか。

ある意味、北野武監督の映画にしばしば登場する暴力描写に似ている。初期の代表作「ソナチネ」では、「どこから弾が飛んでくるか分からない恐怖」が賞賛された。こうした説明のない「突然の暴力」は、ある意味でホラーに近いものだ。北野は時に「あんたの映画の暴力は痛い」と批判を受けるそうだが、実は暴力を爽快に描いてしまうハリウッド映画の方が欺瞞といえる。エンリケスも北野も、鑑賞者が感じる痛みを通じて考えることを求めている。

エンリケス作品を「残酷だ」「不快だ」と批判する人は、実際に起きた同様に残酷な事件の存在を忘れてしまっている。読後に訪れる「痛み」を引き受けることが出来たとき、私たちはようやく、厳しい現実と向き合うための覚悟を固められるのかもしれない。

REVIEW
絵／村祖俊一

骸骨となり侵入者と戦いながら生前を思い出していく

スケルトンズ

ジェイソン・モーニングスター

塚越冬弥訳、ハロウ・ヒル、紙版1500-2200円、電子版926円

★暗闇のなかで微動だにせず、侵入者を何年、何十年と待ち続ける骸骨、それが君だ。きめ細やかな細工で彩られた石棺の前に立ち尽くしていた君だったが、いざ動く者が現れたとたん、眼窩の奥にかすかな光が宿り、傍らの槍を構えて迎撃にかかる。戦いの狂熱に覆われるなか、一瞬、生きていたときの記憶が蘇る……。

これは会話型RPG『スケルトンズ』の典型的なシチュエーションである。ファンタジー・ゲームではおなじみの死にぞこないスケルトンを、プレイヤー(たち)は演じるのである。単に敵味方の立場を逆転させるだけではない。骸骨なのだから、当然もとは人間だったわけで、死因もさまざまなら、生前どういう人物だったのかも、まちまちである。そのあたりの細部を、プレイヤーは物語を進めながら、少しずつ肉付けしていくのだ。

スケルトンには九種類のアーキタイプが設定されている。錆びた経帷子をまとったラスティッド・シャツ、頭蓋骨を失ったヘッドレス、見るもおぞましい異形の形状をしたホラーなど。プレイヤーはそのどれかを選んだ後、キャラクター用紙に骸骨の絵を描き(!)、舞台となる墓所のどこにいるのかを具体的に決める。はじめは、ごく簡単な設定を埋めるだけでよいが、侵入してきた盗賊なり動物なりを迎え撃つうちに、名前は何だったか、愛していた存在は誰か、どうして骸骨になったのか……ということを、徐々に思い出していくのである(ゲーム的には、質問事項が増えていき、その回答を埋める形になる)。

デザイナーのジェイソン・モーニングスターは、ワルシャワ蜂起の子ども兵を演じる『青灰のスカウト』(2007)やコーエン兄弟ばりのジェットコースター・ムービーを再現する『フィアスコ』(2009)をデザイン、中世の異端カタリ派の最後の日々を演じる『モンセギュール1244』(2009)にも関わっている鬼才で、近年これらの意欲作が、次々と日本語化されている。

語り口の自由さがゲーム性と直結しているという意味で、本作は「ナラティヴ系」のRPGと呼ばれる。能動的かつ主体的なプレイが求められるが、シチュエーションや情念の方向性は慎重にコントロールされているため、コンセプトに共感できるなら、プレイのためのハードルは低い。いつゲームをやめるか、どの程度の段階まで物語を紡ぐかは、すべて参加者に委ねられているため、重々しく見えても、遊び方そのものは自由で、気軽に進められる。

骸骨の任務に終わりはなく、永劫とも思える時を過ごすうちに、遅かれ早かれ、滅びを迎えることになる。たとえ記憶を取り戻しても、かつての日々に戻ることはかなわない。そんなままならなさを実感できるのも、殺すか破壊されるかの二択を迫られる戦いの渦中においてだけなのだ。生と死の狭間において、君は何を垣間見るのか。(岡和田晃)

骸骨が踊るように襲う異様さが、鮮烈な印象を残す

アルゴ探検隊の大冒険

ドン・チャフィ監督

★「動く骸骨」というモチーフはいつ頃からファンタジーで使われ出したのか。その起源を遡る事は意外に難しい。伝承や神話の怪物のように明確な出典はなく『幻想世界の住人たち』（健部伸明著、新紀元社）によれば一四世紀頃の西洋美術『死の舞踏』などが源流としてあげられている。動く骸骨が登場するフィクション作品は多数あるが、今回はその節目と言われる一つの映画を紹介しよう。

ファンタジー世界を舞台とする創作物で、魔術師が竜の牙を撒いて怪しげな呪文を唱えると、大地から完全武装した骸骨戦士が出現する……というシーンを目にしたことはないだろうか。骸骨というイメージから不死の怪物＝アンデッドと認識されがちだが、実は竜の牙から生まれるのは「スパルトイ」と呼ばれる魔法生物で、アンデッドである「スケルトン」とはまったく別の存在だ。では「スパルトイ」とは何なのか。『ギリシア・ローマ神話』（ブルフィンチ著、岩波文庫）によると、建国王カドモスが泉を守る竜を退治し、女神アテナの助言でその牙を大地に撒いたところ、武装した男たちが現れ殺し合いの末に五人が残った。彼らはカドモスに仕えテーバイ人の祖先となり、古代ギリシア語で〈撒かれたものたち〉を意味するスパルトイと呼ばれた。ここでポイントとなるのは、このスパルトイは骸骨などではなく、生身の人間だという事だ。ではいつからスパルトイは骸骨戦士という表現になったのだろうか？

それが1963年に特撮界の大御所、レイ・ハリーハウゼンによって製作された『アルゴ探検隊の大冒険』だ。本作はギリシア神話で「アルゴナウタイ」と称される、アルゴー号に乗り込んだ五十余人の英雄たちによる冒険譚からいくつかを抜粋したスペクタクル映画である。船旅で立ち寄る島々で、クレタ島を守る青銅巨人や怪鳥ハルピュイアと死闘を繰り広げるなどアクションシーン豊富で、CGなど無い時代に可動式骨格のパペットを1コマ1コマポーズを変えて撮影し俳優の演技と合わせる『ダイナメーション』という手法によって手間暇をかけて製作されている。

そのクライマックスに登場するのが、七体の骸骨戦士だ。イアソンが倒した七つ首の竜ハイドラの歯から、コルキス王が闇の女王ヘカテに祈り、大地より召喚される。『シンバッド七回目の航海』（1958）にも登場した骸骨が本作では七体となり、三人の俳優と共に剣・盾や槍を駆使して繰り広げる当代屈指の剣戟アクションはまさに大活劇で、この強敵を前に主人公たちは為す術もなく、最後は海に飛び込んで命からがら逃げだしている。

『死の舞踏』でも表現されるとおり、骸骨とは擬人化された死の象徴である。七体の無表情な骸骨がまさに踊るような動きで襲ってくる異様さ、死そのものに襲われる恐怖。それこそが忘れられない鮮烈な印象を見たものに残した。だからこそ、このシーンは映画史に残る圧巻の名場面となり、「動く骸骨」は以降のファンタジー創作物ではお馴染みのモチーフとして定着する事となったのだ。これぞまさに特撮の魔術師ハリーハウゼンによる現代まで残る召喚魔術と言えるだろう。（水波流）

骨を食べ身体の一部にしたいという衝動

宮川サトシ

母を亡くした時、僕は遺骨を食べたいと思った。

新潮社、1000円

★いつまでもあると思うな親と金、という。あまり実感がわかなくて。お金ならいつもそんなにないし、親はとりあえず生きてて、こっちが先に死にそうだ。

先日、同い年の友人が、父を亡くしたという。七十八歳。ならうちのはまだまだだろう、六十五くらいだし。とおもったが、そのくらいでもうちの叔母は亡くなっている。父の姉だ。子供がふたり、私にとっては年上の従姉がいて、孫も何人もいる。お孫さんは幼稚園くらい。優しい叔母さんだったから、孫の成長をもうちょっと見たかっただろうとおもうがしかたがない。

宮川サトシは三十三で母を亡くしたという。今の私よりひとつ下。だから私も親を亡くしててもおかしくないわけだ。とりあえず、まだ死なないでおいてくれとおもう。病院の当直やら忙しくて、今の私には肉親の死と向き合う余裕ないのですよ。

けれどもそれでも人は死ぬ。私のが先に死ぬとおもってるけど、宮川サトシもそうだった。「自分の母親だけは絶対に死なないものだとその時が来るまで根拠もなく思い込んでいたんだけど……」、「母はちゃんと死にました」。死に顔は安らかで、口元が閉まらなくて、「まあ笑ってるみたいだしこれでいいか……」と、「僕には 生まれたての赤ん坊と同じくらいに愛おしく感じられた」そうだ。

日本では火葬が義務づけられているから、どんな死に顔をしていても燃やされて、骨になる。

その骨を、宮川サトシは食べたいと思ったという。焼かれて「こちらが腰 頭 足の大きな遺骨となります」、「こちらを骨壺の方に入れさせていただきまして…… これで以上となります」となって、残った骨のワゴンは持っていかれてしまう。「えっ」、「まだ残ってるじゃないか」、「それなら欲しいよ……っていうか」、「むしろ食べたい」。「その瞬間 僕は母親を身体の一部にしたいと強く願いました」と。

わかる、と思ってしまった。優しかった祖母が死んだとき、自分もおなじようなことを思った。骨はそのひとの、それこそ骨格をなすものであるし、カルシウムである。カルシウムならドラッグストアのサプリでいくらも売ってて体にいいだろう。

その残りの骨を「持って帰っちゃいけませんか?」と焼き場の人に頼むと、著者の兄がとめる。「そういうのを『分骨』って言ってな」、「分骨することで故人が成仏できないとする考え方もあるんだよ」。「いやでも……」と食い下がるところ、「いいからやめとけってちょっと落ち着けよ」といさめられ、宮川サトシは「なんなんだよ……」、「こんな時だけ急に兄貴ぶってさ……」とやりきれない思いになる。

そしてすぐ、宮川サトシは漫画家デビューが決まり、その後、本作も映画化される。そして、徐々に母親の遺影に挨拶する回数も減り、「いつか俺は死んでこの世から急にいなくなる」、「もろくてまっ白な骨だけになるんだ」と娘に出すあてもない手紙も書く。私は、両親が骨だけになる姿は見たくない。(日原雄一)

天草四郎の亡霊が吸血鬼と化し、髑髏を操る

横溝正史

髑髏検校

角川文庫、800円

★横溝正史が金田一耕助ものを書いたのは終戦後のことだが、それ以前にも探偵小説や捕物帳などで興味深い作品を残している。ここに紹介する『髑髏検校』はその一つで、ストーカーの『ドラキュラ』を時代物へと見事に翻案したものである。舞台は江戸時代となり、天草四郎の亡霊が吸血鬼と化して、不知火島から江戸にやってきて人々を襲い、自らの眷属を増やそうとする。髑髏検校として恐れられる四郎の幽鬼を倒すべく、若者や蘭学者が一団となって死闘を繰り広げる。

髑髏検校の姿は麗しく耽美的で、その綽名は本人が髑髏であるからではなく、髑髏を操る姿に由来する。検校が呪文を唱えると墓から骸骨が踊りだし、彼に仕える妖女の松虫と鈴虫が登場する。また、検校のこの妖術が歌舞伎の仕掛けものである「骨寄せ」に重ねられ、舞台で骨寄せが演じられているかと思うと、実は検校が本物の骸骨を躍らせていたりする。

原作『ドラキュラ』が持つ特色を一つ一つ巧みに江戸時代に置き換えているのも面白いが、髑髏や骸骨にちなんだ恐怖の見せ場は横溝独自のものである。（市川純）

いくつもの収録作で、心臓が重要なキーワードに

オスカー・ワイルド

幸福な王子

西村孝次訳、新潮文庫、630円

★ワイルドが出した二冊の童話集、『幸福な王子そのほか』と『ざくろの家』が本書に収録されている。その中の「幸福な王子」はとりわけよく知られ、あまりに切なく感動的である。金箔と宝石に覆われた王子の像は、それらを剥がして貧しい人々に与え、最後に残った鉛の心臓が天上で祝福される。鉛の心臓に派手な貴金属の価値はなくとも、利他的な精神の価値を象徴しているようだ。

心臓に注目すると、他の収録作でも重要な役割が与えられている。

例えば、「ナイチンゲールとばらの花」。幼い子に読ませるにはあまりにも悲し過ぎる話だが、印象的なのはナイチンゲールの心臓から流れる血である。悩める若い男の恋を支えるため、その身を刺に押し付けて真っ赤なバラを咲かせるのだが、結末はさらに悲惨だ。

「王女の誕生日」は、王女に恋する侏儒が読者の憐れみを誘い、その心臓に関する記述が最後にあるのだが、これもまた残酷。

うわべだけの軽薄な虚飾ではなく、優しく、純粋に人を思う精神性を讃えつつも、それが報われない現実の非情に、我々の胸も張り裂ける。（市川純）

心臓は監獄を意味。強い信仰の根源こそが心臓

ウォルター・スコット
ミドロジアンの心臓

玉木次郎訳、岩波文庫

★『湖上の麗人』で有名なスコットが匿名で1817年に発表した小説、舞台は1730年代。80年前というと今でいえば戦時中、くらいの時代の差で、キリスト教を見ているって思ってもらえばいい。

ミドロジアンというのは、スコットランドのエディンバラ州の別名で、心臓は監獄を意味している。実際に監獄にはハート型の記号が刻んであったとか。訳者によると、悪人が善人になって出てくるという意味があったのではないかとのこと。

主人公はジイニーとエフィーの年の離れた母親違いの姉妹。父親とは性格的に合わなかった10代のエフィーは家を出てサドルトリー夫人の店で住み込みで働くようになる。ところが、健康状態が悪化したエフィーは家に戻るなり、逮捕されてしまう。嬰児殺しの容疑である。エフィーは家に戻る前に出産しており、その子供がどうなったのかわからないが、おそらく死んだのであろうということだ。当時、スコットランドでは生まれた子どもを殺してしまうことがあり、嬰児殺しは死罪となっていた。疑わしきは罪である。姉のジイニーは妹を救うために偽証するように持ち掛けられるが、信仰上それはできないとする。その結果、エフィーの死刑が確定する。

とはいえ、ジイニーもエフィーを救いたいと考えており、王室に嘆願するための旅に出る。エフィーはそもそも無罪であり、法律が不合理であることを訴えるということだ。

主人公の姉妹が登場するまでにけっこうページは費やされるのだけれど、はりめぐらせた伏線はしっかり回収してくれるし、岩波文庫版上中下けっこう楽しませてくれる。スコットの最高傑作という人もいるらしい。それと、エフィーの方が美しい娘なのだけれども、どちらかというとぽっちゃりタイプのジイニーの方が活躍する。

ジイニーが活躍することからわかるのは、この作品の背景にあるキリスト教の倫理。スコットにはジイニーの頑なさに対して距離があるようだけれども、結果からいえば、因果応報の世界。エフィーの恋人は貴族だったけれども親に反抗して盗賊みたいなことをしていたので、その報いは実の息子に殺される形で受ける。美しいエフィーは社交界で注目はされるけれど、どこか空虚。その点、ジイニーは平凡ながら子どもにも恵まれて幸せな生涯。

この作品世界においては、信仰と心臓がつながっている。現実の監獄ではなく、宗教上の監獄からは、人は罪から逃れることはできない。つぐなうことはできるけど、それなりに。そして、罪を犯さない強い信仰が、人を救う。その根源こそが、心臓である、というように。

そのように描かれているけれど、実は最も印象的なのは、狂言回しの悲劇のヒロイン、マッジ・ファイアストーンだ。母親に疎んじられて、好きな人とは結婚できず、産んだ子どもは亡くなり、精神に異常をきたし、重要なところでジイニーを導くも、最後は非業の死、あまりの報われなさに、かわいそうになる。罪人が報いを受けるのはいいとして、救いがない人間がそのまま救われないのは、ちょっとなあ。マッジ推しになる。（本橋牛乳）

アステカ文化と現代の川崎を取り結ぶ「心臓」とは

佐藤究

テスカトリポカ

KADOKAWA、2100円

★この作品は二つの重要な主題を描いている。アステカ文化と、多民族が共生する川崎の外国人社会である。テスカトリポカはアステカ神話の主神の一つの名であり、ナワトル語で「煙を吐く鏡」つまり黒曜石の鏡を意味するが、主人公のバルミロが生涯崇拝し続けた神の名でもある。川崎は日本の近代化を支えた代表的な重工業都市だが、国内外から移住者を受け入れて発展した結果、部外者からは「治安が悪い街」として認識されることが多く、日本の排外主義者たちがヘイトスピーチの対象としてきた街の一つでもある。

異文化を作品に反映させるときに、その文化を類型的に描くことによってその民族や土地のイメージを毀損してしまうことは少なくない。この作品もまた、その危険性をはらんでいると最初は感じた。アステカ文化の獰猛な部分を強調したこの作品を、メキシコ先住民が読んだらどう感じるだろうか。川崎を犯罪者が跋扈する街として描くのも、類型的であることは否めない。

だが、過去作品や著者のインタビュー、さらに参考文献に挙げられている勝部諒の『ルポ・川崎』を読んで、この作品はステレオタイプがもたらす危険性を敢えて引き受けた上で、暴力や貧困に苦しむ人々が立ち直ろうとする姿を描いたのだと考えるようになった。

バルミロはメキシコ先住民出身の麻薬カルテルの首領で、組織にアステカの心臓供犠や皮剥ぎの風習を取り入れ、敵対組織に恐れられる。抗争に敗北し日本へ流れ着いたバルミロは川崎の外国人社会に根を張り、暴力団にネグレクト児童を集めさせ、世界の富裕層に子どもたちの心臓を売りつけるという邪悪なビジネスを始める。バルミロは日本で自分と同じルーツを持つ若者コシモに出会い、自分が知るアステカ文化のすべてを伝えようとするが、蜜月は長く続かない。コシモは教えられたアステカの掟に従い、名誉ある決闘「花の戦争」(シャチアオヨトル)でバルミロに戦いを挑むこととなる。

佐藤究は『QJKJQ』と『Ank: a mirroring ape』で、鏡をモチーフに「人はなぜ殺しあうのか」という人間の本質を描いた。鏡三部作の三作目に当たる『テスカトリポカ』では、資本主義社会の中で生きる我々が臓器売買という「資本主義の到達点」から離脱する道筋を示した。短編集『爆発物処理班が遭遇したスピン』中の作品「くぎ」は川崎で暮らす少年院帰りの若者が一人の少女を救う話で、『テスカトリポカ』の最終場面とも重なる。

ありきたりな表現だが、暗黒の中の一条の光にこそ人類の希望がある。周りを巻き込んで破滅していく人間が誰かに希望を残すこともある。バルミロはそのような人間として描かれたが、最新作の『幽玄F』のモチーフとなった三島由紀夫も、きっとそんな人間の一人だったのだろう。(穂積宇理)

解剖する遺体の臓器が生み出す幻想

塚本晋也監督
ヴィタール

★私たちは普段、脳を使って物事を考え、記憶している。脳があるからこそ、私たちは外界から得られる膨大な量の情報を処理できているのであり、脳以外に記憶を司る器官は人体には存在しない。「いや、私は腸で思考し、心臓で記憶している」などという人がいたら、変人扱いされてしまうだろう。

だが歴史的に見れば、それも決して突飛な考えではなかった。伝統的な中国医学では知覚や記憶、思考を司るのは脳ではなく心臓だと考えられていた（五臓六腑説）し、臓器移植を受けた患者が、臓器を提供した人間の記憶を引き継いだという現象も報告されている（記憶転移）。塚本晋也監督の映画『ヴィタール』（二〇〇四年）では、事故で記憶をなくした医大生の青年が、死体解剖の実習を通して遺体に残された「臓器の記憶」というべきものを引き出していく。

主人公は博史（浅野忠信）という、交通事故ですべての記憶を失ってしまった青年。彼の症状は見舞いに来た両親の顔さえ思い出せないほど重いものだったが、なぜか医学書だけには興味を示し、医大に入学する。やがて彼は二年の必修科目である死体解剖の実習に、深くのめり込んでいくことになるのだが……。

博史のいる解剖実習の班に割り当てられた、若い女性の遺体。作中でも早めの段階で発覚するので「ネタバレ」してしまうのだが、それは博史の恋人であった涼子（塚本奈美）という女性のものだ。博史はその死体にメスを入れ、内臓を取り出している間だけ、失われた思い出の中の彼女が蘇って「こちら側」の世界へ呼びかけてくれることに気付く。そのようにして死体の解剖を続けるうち、いつしか博史は涼子のいる幻想の世界こそが自分にとっての現実だと考えるようになり……。

監督の塚本晋也はその鋭い観察眼で人間の内面を見つめようとするうち、本作においてついに〝内面〟を通り越して内臓へと到達してしまったようだ。だが死体解剖という行為を通して見つめられるのは、死人である涼子の内面なのか、それとも博史自身の内面なのか。その区別すら判然としないまま、物語は博史と同期であり死に惹かれる少女・郁美（ただし劇中では博史のことを現世に留め置く役割を担う）も巻き込んで混迷の度合いを深めていく。

解剖実習の講師（岸部一徳）が心臓について学生たちに話すシーンは印象的だ。「この心臓が何回動いたと思う？ 一分に七〇回として、一時間で四二〇〇回。八〇（歳）だとしてどのぐらいだ。うちのテレビなんて六年で壊れたよ」。言われてみればこれほど長く正確に働き続ける精密機器など、現代においてもなかなか存在しない。

作品のタイトルとなった『ヴィタール』とは、英語のヴァイタル（VITAL）のフランス語読みで、生気や活力に満ち溢れたさま、の意。死者を中心として紡がれるこの物語において臓器や、臓器が生み出す幻想（生命力に満ちた涼子のダンス）が何を象徴していたかは、もはや明らかだろう。（梟木）

身体に発生する未知の臓器に、進化の可能性を見る

デヴィッド・クローネンバーグ監督
クライムズ・オブ・ザ・フューチャー

★デヴィッド・クローネンバーグは人体の変容による人間の進化の可能性を、常に信じようとし続けてきた作家だ。

クローネンバーグにとって初の劇場作品である『シーバース／人喰い生物の島』（一九七五年）では、人体に侵入し宿主を操る寄生生物の恐怖が描かれるが、彼らを生み出した科学者の目的はあくまで「人間と共生し臓器の機能を引き継ぐことのできる寄生虫を作る」というものだった。さらにその次作『ラビッド』（一九七七年）では、治療の副作用で脇の下に吸血器官ができてしまった女性が人々を襲い始めるが、これもある意味では新たな器官の獲得によって進化した人類を描いたものだ。さらに「患者の肉体を生理学的に変容させることで抑圧された感情の解放を促す」治療の被験者となった女性が人間にはない生物学的機能を獲得していく『ブルード／怒りのメタファー』（一九八五年）から、天才科学者がハエと融合し超人的な力を発揮する『ザ・フライ』（一九八六年）まで、この時期のクローネンバーグ作品としては枚挙に暇がないのだが、二〇〇五年の『ヒストリー・オブ・バイオレンス』で批評的成功を収めて以降はそうした傾向も徐々に鳴りを潜めていった。そんなクローネンバーグ監督が久々に真正面から人体変容をモチーフとし、その変態性な作家性を爆発させたのが二〇二二年の最新作『クライムズ・オブ・ザ・フューチャー』だ。

そう遠くない未来。人工的な環境に適応するよう進化し続けた人類は、生物学的構造の変容を遂げ、新しい未知の臓器が体内に発生するようになっていた。

物語の主人公であるソール（ヴィゴ・モーテンセン）は〝加速進化症候群〟と呼ばれるその病気によって発生した自らの臓器をショーの中で摘出し、名声を得ているアーティストだ。しかし病気のせいで常に体調が悪く、食事も睡眠も機械に頼らざるを得ないソールは、自らの体質を憎んでもいた。いっぽう未知の臓器の遺伝による進化の暴走を危惧した政府は、新臓器を管理するための機関を設立し……。

未来の人々は進化によって〝痛み〟の感覚を失っている。そのためか一部の人々は愛し合うための行為として互いに身体を傷つけ合うことに喜びを覚えるようになっており（とはいえそこまで『マッドマックス』な世界観ではない）、ソールもまた公開手術で臓器を摘出される際、苦悶と恍惚の表情を浮かべる。劇中でも指摘される通り、ソールと助手（パートナー）のカプリース（レア・セドゥ）にとって、手術は「新しいセックス」なのだ。

人々の身体に発生する未知の臓器は、基本的に循環器系の機能も消化器系の機能ももたない。だが稀に人間の身体にはない「ある機能」を備えた臓器が生まれることがあり、作中の〝進化推奨派〟（とクローネンバーグ自身）はそこに、人類の進化の可能性を読み取る。そのキャリアの初期から肉体の変容を常に進化と結びつけてきたクローネンバーグ監督の、面目躍如というべき作品だ。（梟木）

無数の血球あふれる体内にダイブし、異物を追う

町井登志夫
血液魚雷
ハヤカワSFシリーズJコレクション、1500円

★マクロコスモスである宇宙と、ミクロコスモスである人体を結びつける御業を古来、ひとは魔術と呼ぶ。近未来の医療技術を駆使して展開される本作なのに、呪術めいた匂いが漂うのは、そのせいであろう。

作者は、映画『ミクロの決死圏』の強い影響を公表しているが、そもそもその映画の原題は『Fantastic Voyage』であり「縮小された潜航艇で人体内部を探検する」というプロットは、理論的な実現方法が見出せないという点において、確かにSFというよりは幻想譚であった。

本作ではその難点をヴァーチャル技術によって乗り越える。潜航艇に該当するのは動脈に挿入されるカテーテルであり、先端（以下カテ先）搭載のカメラその他のセンサー類から集積された情報はコンピュータ処理され、手術室の2Dの大画面や、執刀医の3Dゴーグルに転送される。医師はカテ先を、装着する専用のグローブによって、FPSの自機のごとく自在に操る。

このシステムの名はアシモフ。かの映画をノベライズした、ロボット三原則でも知られるSFの大家にあやかっている。

このシステムに接続されてダイブする人体内部は、脈動しつつ数多に分岐する海底洞窟のようだが、無数の血球にあふれ、よりダイナミックかつエキゾチック。振動し、ときに跳ね飛ばされるその様は、最新式のテーマパークのライドのよう。違うのは、このミッションが人命にかかわるものであるということ。

放射線科医・石原祥子は、血栓治療のためにダイブした患者・羽根田緑の体内で、超速で疾駆する白き彗星のごとき異物を発見し、血液魚雷と命名する。その正体を探り、捕獲／除去すべく奮戦する最先端医療チームの知的な冒険が、全編を通して描かれる。

実は緑の夫・耕治は大学病院の医師で、祥子の元交際相手でもあった。非人間的なまでにデリカシーのない耕治の頭には、研究のことしか詰まっていないかのごとくであり、パートナーと関わることでも全て独断で決めてしまう。それがイヤで逃げ出した祥子と、それを受け容れて妻の座として収まる緑。現実世界では、その三角関係の葛藤が重低音のように響き渡る。

だが一旦アシモフで潜航してしまえば、そこに広がるのは、しがらみから解放された人類未踏の異世界。SFとは絵であり、新地平を見せてくれるものだとするなら、その真骨頂である。血液の、細胞の、生命そのもの息遣いを感じる描写が冴える。

だがアシモフの走査範囲はカテ先から60センチ半径の血管内のみ。射程外や臓器内部に隠れられたら見つからない。あの手この手で絞りこみ、追い詰める祥子らだが、そいつは魚雷という名にふさわしくアシモフに物理的な攻撃をしかけ、破壊しにかかる。縄張りに侵入してきた異物を排除する獣のように。意志さえ感じられる極微存在との攻防戦はやがて、進化の妙や人類の存在意義までをも問いかけ始め、永劫回帰を匂わす結末に唸らされる。（健部伸明）

恋すればゾンビも心臓が高鳴る

ジョナサン・レビン監督「ウォーム・ボディーズ」

◉絵と文=さえ

理由は分からないが世界にはゾンビが蔓延り、人間は街の周りに巨大な壁を築きゾンビから身を守っていた。ゾンビ青年・Rは空腹を満たすために仲間のゾンビと人間を襲撃するが、その時、人間のジュリーに一目惚れしてしまう。ジュリーは自分を守ろうとするRに対して最初は拒絶していたものの、レコードを掛けたり本当に自分を襲おうとしない彼に対して徐々に心を開いていく。

恋というときめきで心臓が動き、少しずつ体に変化が起こっていくR。それは周囲のゾンビも巻き込んでいく事態となるが、ゾンビのさらに手遅れになった存在・ガイコツたちに目を付けられてしまう。

人間の脳を食べるとその人の記憶を覗くことができ、生きていた時の楽しい気持ちなどを一瞬とはいえ体験できる。なぜか自我の残っているRもしっかりと脳は食べるし(それもジュリーの彼氏の脳)、なんならおやつのようにポケットに入れて持ち帰っている。ゾンビ同士の友情には胸が熱くなると同時に「ゾンビってなんだっけ?!」と何度も思ってしまった。

生けるものと死したものの恋は結ばれるのか。グロもあるけどそれ以上にこちらまで心がきゅんとする一途な純愛ストーリー、ぜひとも好きな人と一緒に観て欲しい作品だ。

心臓のいたむ話あれこれ

◎文＝日原雄一（精神科医）

BONE & HEART

さいきんとくに調子が悪い。気温差、気圧差のせいだとおもうが、それだけではないかもしれない。以前は調子がわるい日は、「今日はふだんの力の七、八割でいこう」とおもっていた。医者になって気づいたら幾年もたち。七、八割が六、七割になり、どんどん下がってちかごろは一、二割だ。死にたさにつつまれながら、二割もない気力で職場へ向かう。

一、二割でもどうにか病院の外来診療をやってても、とうぜん頭はまわらない。集中力もない。これまたとうぜん、ミスが増える。ミスが増えると「ミスを直す」という業務が増えるから、ますます気力が失せてくる。

小さなミスならまだ修正可能だが、大きなミスはやっかいだ。このあいだはそれで、患者さんの家族からめちゃめちゃ怒られました。怒られてしかるべきことだから、申し訳なさと死にたさで、胸がどきどき動悸がした。まわらない頭でけんめいに言い訳しながら、心臓がくるしくてたまらなかった。

本来ならこんな状態で、患者さんの命にかかわる仕事をすべきではないのかもしれないけれど。それでも外来予約があって、入院している患者さんもいるからしょうがない。一回ガチでむりだとおもって、今日は体調がわるくていけないかも、遅れるかもと連絡したら、ガチのガチでまわりからきつい対応をせまられた。以来、どんなに体調がわるくても休めない日々がつづいている。

藤子・F・不二雄の『メフィスト惨歌』は、もともと心臓に持病がある悪魔の話だ。つよいショック、ストレスがあるといたむ。ボンクラとしたような男・高木氏と、望みをかなえるかわり死んだら魂をもらう契約がようやくできるとおもったら、「ただし契約書はキチンと書式をととのえてほしい」ってきっちりしてる。甲、乙がでてくるのはもちろん、『甲の死亡の時点をもって魂の所有権は乙に移るものとする……』と、これでいいでしょ」と悪魔氏がサインをせまるが、「だめだねそんなアイマイな書き方じゃ」、「『死亡の時点』をどうやって確認するの？」と高木氏はつめより、「高木健の身体を構成するあらゆる細胞の最後の一個の死亡が確認された時点をもって……」ってややこしい文面にする。

実は高木氏はアイバンクに登録していて、「彼が死んでも角膜は他人に移植される」、「その細胞は生き続け……やがて代謝によって入れかわるのだが 彼の細胞の最後の一個の死を確認することは不可能だ」、「事実上魂は永久に入手

できない……」。それを上司からつげられたとき、悪魔氏の心臓の動悸は頂点に達して、「ウ……ク……」、「アフ……」、「人でなし!!」、「悪魔ーっ!!」と怒りくるう。

貴様と俺とは動悸の桜

評判がどんどん悪い岸田総理の当選同期が、国葬になった安倍ちゃんだそうだ。潰瘍性大腸炎があるとはいえ、麻生さんよりトランプさんより、「ノミの心臓、サメの脳味噌」といわれた森さんよりさきに死ぬとは思わなかった。安倍晋三が、心臓を撃たれて銃殺されるとは、何の因果だろう。お父さんの安倍晋太郎と、くしくも亡くなったのは同じ年齢、六十七。父君は膵臓癌で、親子ともむなしくガンで散ったというわけだ。安倍ちゃんは昼前に撃たれて病院に搬送されて夕方まで、妻の昭恵さんが来るまでは肉体は生かされたそうだが、フツーに考えれば心臓を撃たれたら、さすがの安倍さんもすぐ死んだろうと、そんなブラックな駄洒落ばっかりでいいのか今日は。下ネタオンリーなときもあるからそれよりかマシか。

しかし、あの死にかたはいいなあと、いつも死にかたを考えている私は、つねづねあこがれているのです。総理大臣を歴代いちばん長くやって悪事もてきとうにごまかして、安倍派会長でキングメーカーのポジションになり、街頭演説で自分のファンに囲まれて、ここちよく話をしているところに、バンと撃たれて当人も気づかぬうちに死ぬ。痛みを感じる間もほぼなく。死ぬときはあれが理想だと、ことあるごとに周囲に話すのだが、周囲のひとはべつに死にたがってるわけではないので賛同はあんまり得られてない。

広津和郎は狭心症で、二・二六事件の報道があった際には「私のその当時の心臓には相当強く響いたものである」と回想しているが、おなじ国士なひとびと、安倍ちゃんと二・二六の将校さんたちを同列に並べていいのかしらん。二・二六事件には、末端の兵士として人間国宝・五代目柳家小さんもくわわっていて、小さんの死因も心不全だ。

筒井康隆も文化勲章を貰って、いまや芸術院会員である。最近の『ジャックポット』、『カーテンコール』もスゴイ短篇集だが、もちろんSF黄金期の短篇『心臓に悪い』もおもしろい。心臓血管神経症の男が、薬がないと苦しくなってしまうと、つねにハラハラしているのに、島根県の離島・柘榴島にとばされてしまう。日本海のまっただ中のこの島まで、心臓の薬がつくまでに一週間以上かかって。それも、輸送船が目の前まで来ているのに、嵐が起きて動けずにいるのを、「おれの忍耐力はもはや限度まできている。よし。ここへつけられんというなら、俺があの船まで泳いでいく」。「やめなされ。溺れてしまう。いや、溺れる前に岸に叩きつけられるか心臓麻痺を起すかして死んでしまう」と村長たちがとめるのを、「かまうものか。心臓なんかどうなってもいい。おれにはあの薬が必要なのだ」と荒れる波の中に身を飛ばす。

★筒井康隆『おれに関する噂』(新潮文庫)／「心臓に悪い」を収録

「そしてそれ以来、おれの気ちがいじみた冒険がはじまったのだ」、「家庭を捨て、仕事をなげうち、おれはひと包みの薬を追って七つの海を渡り六つの大陸を超えた。時にはドーヴァー海峡を泳いで渡り、時にはサハラ砂漠を裸足で走破し、ある時は密林の中で土人の毒矢に追われ、ある時は氷原でシロクマと格闘し、またある時はシベリヤ横断鉄道の中でおれの薬を狙う各国スパイと銃撃戦を演じたりもした。俺の生きる道はそれしかなかったからだ」。それでも「薬はまだ、手に入らない」。私も、いまのんでる薬がなくなったら手に入れるのに東奔西走するとおもう。

おなじ「心臓神経症」の赤瀬川原平は、『困った人体』でこう書いている。人間がものごとを考えるのは脳だが、「体の中心が心だと思う。その心の臓器が心臓である」。内臓全体、からだ全体の中核を担っているのが心臓だという。

　たしかにそんなかんじがする。この雲気でからだの調子のよくないときには、胸ごこちもとうぜんわるい。

「そういう心臓が毎日毎時どきどきしている」。それをふだんは忘れていて、「心臓は心臓にまかせて、勝手にやらせておいたほうがうまくいくのである」。けれど、「心臓が動くので生きているというけど、その心臓を維持するのが納豆とかホーレン草とか味噌汁のようなもので本当にいいのか、ちゃんと金属製で作り直さなくていいのだろうか」とも疑念をいだいている。

ユーズド心臓の長所短所

　小酒井不木の『人工心臓』が実用化されていたら、そんな心配はいらなかったのか。ペースメーカー、一時的な人工心肺はいまもあるけれど、小酒井のは胸に移植できる、まさに人工の心臓だ。ああでも、とりつけられた女性はけっきょく、「わたし今、うれしいといったわねえ。然し、うれしいという気持になれない」、「あなた！ 駄目！ 早く人工心臓を取り去って頂戴。死ぬことも、生きかえることも、何の感じもない！」となってしまうのだけれど。「人工心臓が快楽やその他の感情をも除く」ことになってしまう仕様なのだ。まえは国書刊行会からでていた本だけれど、いまや青空文庫で読める、ありがたいことである。

　高田文夫も、一回倒れてからペースメーカーを入れて、以降の検診で、現在、心臓の調律はぜんぶペースメーカーがやっているそうだ。当人いわく、「私のハートはストップモーション」だと。倒れる前より元気になってしまったみたいで、いまも週二回のラジオの『ビバリー昼ズ』や、一之輔や志らくを呼んで『おっと天下の日大事』なんてイベントをやっている。

　中島たい子『心臓異色』も、人工心臓の移植手術を受けて、以前と性格が変わってしまった男性の話だ。その人工心臓も、中古のものである。「ユーズド心臓をネットで見つけて買って」手術におよんだらしい。なんか中古のスマホみたいなノリだ。

　当該の林日出雄氏は、妻の絵梨花いわく、「心臓移植の手術してから、この人、おかしいんです！ 前はカレーに入ってる小さな肉だって私にくれたぐらいだったのに、手術後から肉、肉って欧米人みたいに、毎日ステーキを食べるんです。食べ物だけでなく、性格まで変わってしまったみたいで、いつも家でゴロゴロしてる人だったのが、最近は驚くほど行動的で、熱い目をしてやたら出かけて行きたがるんです。何かを探しているみたいに。心ここにあらずで、大好きだったマンガも読まず、新聞の三面記事を読んでるんですよ？ とにかく、手術してから、おかしい！」という。そして林氏はその後、建物の爆破から大勢の人を救い、強盗事件の犯人をその宝石店の店員だとつきとめた。

　もとの心臓の持ち主は結局、ジョンというもの。「皆に愛されたヒーロー」の警察犬だったと明かされる。

　この林氏が奈良のあの場所にいたら、安倍ちゃんも死なずに済んだのかもしれない。そういえば安倍さんの、選挙区地元でのライバルは林官房長官だった。中国の犬の林芳正氏と、アメリカの犬の安倍ちゃん、どっちもいい勝負だ。こう書いてるいまは令和六年の二月二十五日。いつ政権が変わるかわからないし、私の心臓もいつとまるかわからないから、日時を書けるうちに書いておきます。うちも心臓で死ぬ家系なのです。

eatによる、夢や不思議体験のお話
病院に来た
とらおむの樹02 by eat
お薬をもらいに来ました
はい
では診察室へどうぞ
こんなに待っている人がいるのに
イートさんどうぞー
先に通してくれるんだ…
ぺちゃくちゃぺちゃくちゃ
失礼します
ガラ
すっ
え？
どうされました？
胸が苦しくて…
ほうどれどれ
……

う〜ん
異状なし
さっぱり分からん
イートさん何か分からんかね
わ わたし!?
いや
分かる気がします!!
キュピーン
は
は!!!
ビビビ
しく
しく

肺で誰かが泣いてますね
なんと！
最近長年交際していたパートナーと別れまして
それが原因かも…
なるほど
ではお薬をどうぞ
お！薬が効いていますね！
たしかに痛くなくなりました！
ありがとうございました！
ペこり

eat「DARK ALICE-Heart Disease-」好評発売中!

神話や神秘思想にみる人体と宇宙とのつながり

◎文＝鈴木一也（ゲームクリエイター）

BONE & HEART

巨人の屍から世界が生まれる

巨大な肉塊の集団を思わせる巨人ども。その瞳に知性の光はなく、全裸で醜悪だ。奴らは城壁を破り、押し寄せ、人々をむさぼり喰う。

その尽きせぬ食欲の前に、人類は滅亡の危機に瀕していた。『進撃の巨人』は、初回から見事なまでの外連味によって、世界中の人々を震撼させた。

こうした巨大なモノで客を驚かすという技法、もちろんルーツは怪獣映画にあるのだが、さまざまな発展を見せながら今日に至る。

『スターウォーズ』ではスクリーンを埋め尽くす巨大戦艦が、縦スクロール状に延々と続く登場シーンがあった。これを冒頭に持ってくることで、より強い衝撃を与えることに成功している。

本邦では『風の谷のナウシカ』の王蟲が森を抜けて登場するシーンを挙げよう。これは多くの作品に影響を与え、そのエコーが未だに続いているのではないだろうか。

『進撃の巨人』ではユミルという名の少女が登場するが、北欧神話を知っている者は、ああ、この娘の正体は巨人に違いない、と分かってしまう。ユミルは原初の巨人、死して世界を形成するリソースとなった存在として知られるからだ。作者の諫山創氏はあえてこの名を使い、物知り読者に先読みの満足感を与えている。若いのに何と老獪なことよ。

北欧の創世神話では、ユミルはオーディンら神々に殺害され、解体されてその身体からこの世界が作られたのだ。肉から大地が、骨から山々が、血からは川と海が作られる。このときその他の巨人はその流れる血によって溺死する。

聖書でも、天使と人間の女との間にできた巨人ネフィリムどもは、神のもたらした洪水によって滅ぼされた。

★ローランス・フレーリク「オーディンらに殺されるユミル」

北欧神話は、キリスト教の影響で形作られたという説があるが、この巨人が世界になる神話に関していえば聖書にはなく、そして多くの民族で共通ともいえる。

インドでもプルシャという巨人が神々に殺され、太陽や月や新たな神々や、カーストに分けられた人々が、その死体から生まれる。中国では盤古という巨人が死んで、その肉体から世界が作られるが、ユミルのものと共通点が多い。

ついでにいうと、日本にもその影響は及んでいる。死せる盤古の左目からは太陽が、右目からは月が生まれるが、日本の国生み神話では、伊弉諾尊（イザナギノミコト）が黄泉から戻ったとき、その穢を落とすために川で禊をすると、左目からは天照大御神（アマテラスオオミカミ）、すなわち太陽が、右目からは月読尊（ツクヨミノミコト）である月が生まれた、というのに継承されている。さらに盤古の吐息からは風や雲が生じるが、伊弉諾尊の鼻の禊からは、素戔嗚尊（スサノオノミコト）、暴風の神が生まれるのだ。

また、月読尊が大宜都比売神（オオゲツヒメノカミ）を殺害したその体から、さまざまな作物が生じるのは、同じ類型の神話である。

こうした概念は、人体と宇宙との共鳴を、古代人が感じていたことを想像させてくれる。西洋魔術にも人体と宇宙を結びつける概念があり、それとルーツを同じくするインドのタントリック・ヨーガでも同様である。

古代ギリシアでは、大地は生きた女神ガイアである。男の巨人だと死して世界を作るが、女神だと生きたままというのが、女性と生命力の直結した力を感じはしないだろうか?（大宜都比売神は生きているときも作物を産んだ）

腸と蛇と竜

死せる巨人の腸にわいたワームがドワーフとなったとされるが、中国では人間が生じたことになっている。ということは、ゲルマン人にとって、漢人はドワーフだったのか! という驚くべき発見はさておき……このワーム、古語ではオルムといい、同時に竜のことも意味したという。

日本でも同様に長虫というと、蛇とかミミズとか、とにかく細長くてニョロニョロしたものを指した。そして蛇が次第に竜という上位種に進化していくのも、人類共通なのだ。

歌劇『ニーベルングの指環』は、北欧の英雄ジグルス（ジークフリート）伝説を下敷きにしている。ドワーフのアルベリヒが黄金を守るためにドラゴンに化身するというエピソードで「なぜ小人が竜に?」と、違和感を覚えるのだが、ドワーフの元の姿がオルムだとすれば、腑に落ちるのである。

伊邪那美命（イザナミノミコト）は国生みの最後に、炎の神である火之迦具土神（ヒノカグツチカミ）を産んだとき、ホトを火傷してしまう。女神はそのせいで亡くなり、黄泉へ逝ってしまう。残された伊弉諾尊は、火之迦具土神の首を切り落とすと、失った妻を求めて旅立つ。伊弉諾尊は黄泉へとたどり着くが、そこで見た伊邪那美命の身体は腐り果て、身体には八体の蛇体の雷神が巣食っていたという。

このエピソードも、ユミルに生じたオルムを連想させるものだ。

腸（はらわた）は英語ではgutsであり、根性や気合という意味にもなる。ユミルの骨が山になったように、連想されるものが生じるものに結び付けられる。腸はオルムを連想させるものであり、腸自体が蛇と見做されていたのが想像できる。その蛇が、気合の元になるのだ。

クンダリーニ・ヨーガでは、人体に七つのチャクラがあるとされ、ヨーガの修行によって、人体の会陰部に眠るクンダリーニの蛇を目覚めさせ、脊髄にそって上昇し、チャクラに力を付与する。この蛇はシャクティ、すなわち性的なパワーを体現したものだ。

古代の神秘家は、肉体の中の蛇を力と感じ、それを性的なものと結びつけた。神話的に蛇は川と不可分であり、その流れは大地を潤す力の源である。これが地下に潜ると地下水脈となり、東洋ではこれを龍脈と呼んだ。力の通る道なのである。

古代ローマやギリシアでは、この龍脈にそって街道を作った。街道の三叉路は大地の力の集結点であり、この力＝生命力を求めて悪霊が集まると考えられた。霊は肉体を失うと、自ら生命力を生み出せない。ゆえに他者から奪うか、こうしたパワースポットに集まるのである。

この悪霊を鎮めるため、冥府の女神たるヘカテ像が三叉路に祀られた。その像は三面を持ち、それぞれの道に睨みを効かせるのである。彼女に従う番犬ケルベロスもまた三つの頭で、三方の道を見張るのだ。

太陽と心臓

インドの七つのチャクラと同じルーツを持つのが、ユダヤの生命の樹、十のセフィロトである。チャクラもセフィロトも輪や円という同じ意味の言葉である（セフィロトは複数形で、単数形はセフィラ）。セフィロトは途中から女性原理と男性原理に分かれる部分があるが、その部分を合体させると、七つにまとまる。どちらの神秘体系も、一番下から始めて、一番上を目指す。最上部に至れば、神に近い力を手にすることができるというものだ。

チャクラにも、セフィラにも、心臓を表すものがある。アナハータ・チャクラとティファレトである。ティファレトは美を意味し、太陽を表す。生命の樹の中心にあり、太陽が世界を照らし力を付与するように、一番基底にあるマルクト以外のすべてのセフィロトにパスで直接結びついている。人体において、心臓がすべての力の循環の起点であるのと同じなのだ。

ティファレトの下にあるのが、基礎という名のイェソドで、これは月を表し、肉体では腸から胃に位置する。このイェソドから王国という名のマルクトにつながる。マルクトはチャクラでいえば、ムーラーダーラであり、ここにクンダリーニの蛇が眠るのだ。マルクトもムーラーダーラも始まりの場所であり、力の源泉なのだ。

神秘主義的には、心臓がより低次な力によって支えられているように、空の太陽も、その背後の見えざる力によって支えられている。マヤ、アステカ、インカ文明で、生贄の心臓を捧げたのは、太陽の運行を支援するために、こうした人体と宇宙とがつながっているという、秘儀（カルト）が背景にあるのだ。

★瞑想中のヨガ行者。
腹部にクンダリーニの蛇が描かれている。

杭で打ちつけられた心臓
——ドラキュラと血みどろ伯爵の邂逅

◉文＝馬場紀衣（文筆家）

BONE & HEART

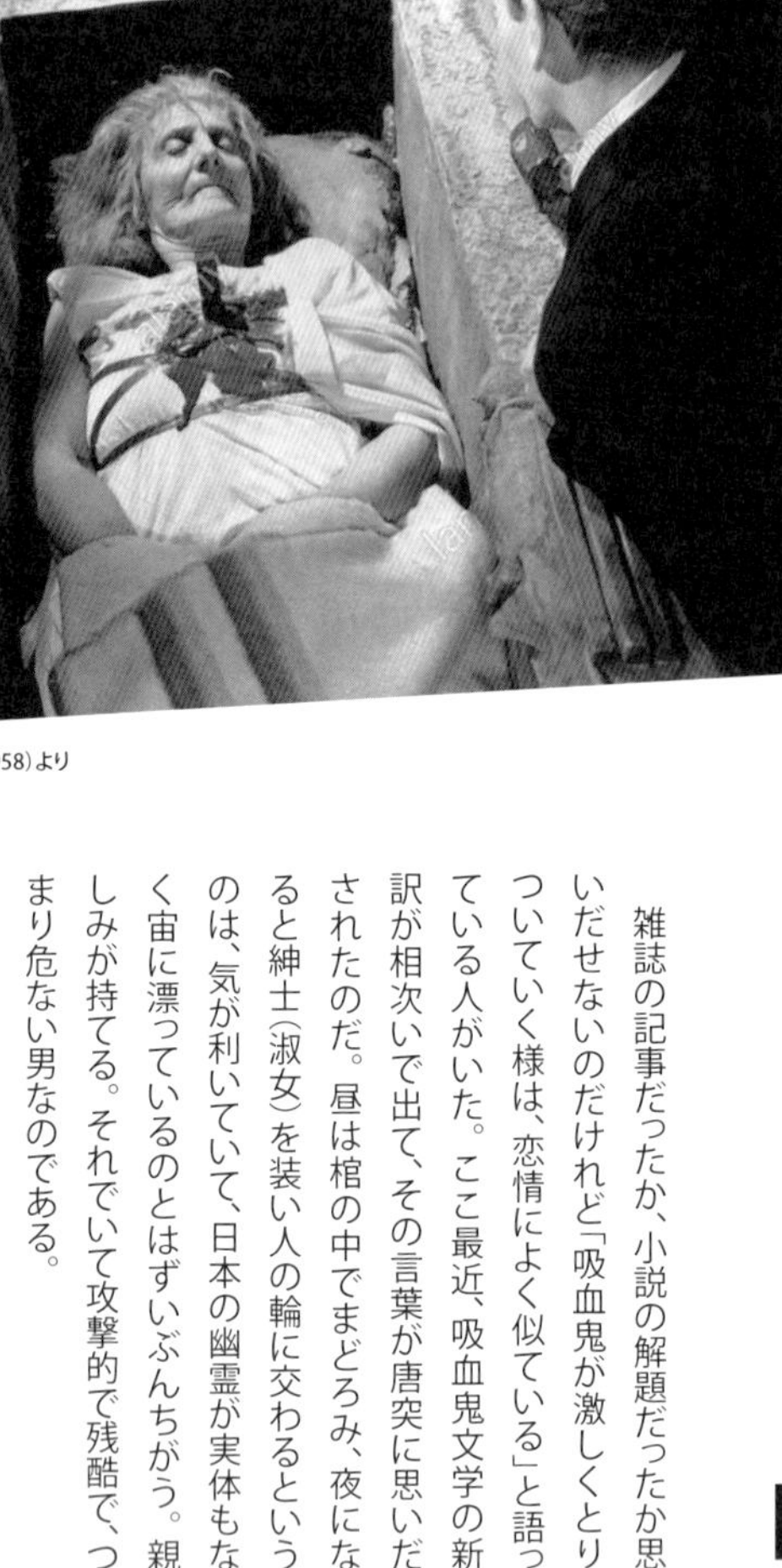
★映画「吸血鬼ドラキュラ」（1958）より

雑誌の記事だったか、小説の解題だったか思いだせないのだけれど「吸血鬼が激しくとりついていく様は、恋情によく似ている」と語っている人がいた。ここ最近、吸血鬼文学の新訳が相次いで出て、その言葉が唐突に思いだされたのだ。昼は棺の中でまどろみ、夜になると紳士（淑女）を装い人の輪に交わるというのは、気が利いていて、日本の幽霊が実体もなく宙に漂っているのとはずいぶんちがう。親しみが持てる。それでいて攻撃的で残酷で、つまり危ない男なのである。

ブラム・ストーカーの『ドラキュラ』

Dracula（ドラキュラ）とVampire（吸血鬼）はよく混合されるけれど、そもそもドラキュラは吸血鬼の名前であって、一般名詞ではない。Vampireの概念はDraculaの概念よりもずっと広く、ずっと古いのだ。Vampireはスラヴ系の語源を持つとか、もとは東洋にあったとか、ハンガリーの民族マジャールのVampirからきているとも言われる。意味するところはblood-sucker、鮮血を吸うのだからまさしく名前のとおりだ。ただ吸血鬼のイメージに関していえば、ブラム・ストーカーの『ドラキュラ』の右にでるものはあるまい。そう断言してしまえるほど、この小説はドラキュラ伯爵を有名にした。

ヴォイエヴォーデ・ヴラッド伯爵

ストーカーの小説が出版される４００年前、ちょうど作中のドラキュラのように冷徹な知性と獣性のままに生きた人物がいた。その名は、ヴォイエヴォーデ・ヴラッド伯爵。類まれな名君であった彼を有名にしたのは血みどろの才能で、農民たちのあいだでは「杭うつ人」とか「悪魔（ドラクール）」として知られていた。伯爵の犯した罪はそれだけで一冊の本ができてしまうほどで、言語に絶した地獄図さながらの拷問で殺害された員数は10万人ともいわれる。悪行はやがて民間説話と結びつき、恐ろしい吸血鬼と同一人物にされるに至る。

伯爵はどうやら串刺しの処刑がお気に入り

★ヴラッド伯爵による大量虐殺を描いた木版画挿絵（1500年）

だったらしい。串刺しの刑は、力の強い馬を犠牲者の両脚にそれぞれ繋ぎ、慎重に杭を打ちこむというもので、犠牲者の苦悶のさまを存分に楽しむために伯爵は杭の先を尖らせすぎないようにと拷問執行人に指示したほどだ。拷問は数時間、あるいは数日間つづいた。杭の高さは身分によって変えられ、上から突き刺して足が上になるようにしたり、下から刺して頭が上にくるようにしたり、臍や、ときには心臓を貫通させることもあった。

二つの心臓

伯爵の所業の凄惨さに比べればストーカーのドラキュラなんて大人しいほうだろう。伯爵は人間の心臓を突き刺すことを楽しみ、皮肉にもドラキュラは常に心臓を狙われていた。

吸血鬼を殺すには、まず杭を打ちこむこと。そして土中に突き落とし、墓の中で動けないようにする。地方によっては木杭ではなく、焼いた鉄串のところもある。死骸は焼くか、四つ辻（つまり十字架）に埋めなくてはいけない。吸血鬼をほうっておくと、身内の者を殺し、やがて村人や動物を殺すようになるからだ。

ただ、ここまでしても吸血鬼を完全に殺すことはできないという。なぜなら吸血鬼の心臓は2つあるから。片方の心臓（あるいは魂）は死なないので、吸血鬼は不死者なのである。

ディケンズの『クリスマス・キャロル』

ストーカーの小説には実在する土地が登場するため、伯爵とドラキュラの恐怖物語をどこまで信じたらよいのかと私は首をかしげてしまう。一つ確かなのは、この物語が当時のイギリス社会が抱えていた闇をくるんでいることである。

「メリー・クリスマスなどと触れまくる大馬鹿野郎は、どいつもこいつもプディングと一緒に茹であげ、心臓に柊の杭を突き刺して埋めてやる」と『クリスマス・キャロル』のなかで声を荒げたのはスクルージである。同作家による『骨董屋』にはこんな台詞がある。「心臓に杭を突き刺して、寂しい四つ辻の中央に埋められることになった」。

キリスト教の影響下にあるヴィクトリア朝の人びとは、自殺を不道徳で悪であり大罪と考えていたから、イギリスの民法では10世紀から自殺者は心臓に杭を打ちつけられて四つ辻に葬られる運命にあった。おそらく宗教的な見せしめの意味もあったのだろう。

イギリスは1823年に自殺者の心臓に杭を打ちこむ風習を法律で禁じている。つまりそれまでは自殺者の心臓は無慈悲にも吸血鬼のように杭で打たれ、死体は吸血鬼のごとく四つ辻に埋葬されていたわけだ（ちなみに人を生きたまま熱湯で茹でるのも伯爵の十八番だった）。

杭で打ちつけられた心臓

自殺者でなくても、ギリシア正教会では埋葬した死体は3年から7年ほどで掘り出され、腐敗していなければ杭を打たれたという。

心臓は命の要だ。人にとっても、吸血鬼にとっても。人は血液なくして生きられないから、血液は命そのものといえる。命を吸って生きている吸血鬼、血に飢えたる野蛮な伯爵、永遠に死者であれと願って心臓めがけてふるわれた金槌が、私にはすこし悲しく見える。

心不在焉、視而不見

——古今東西心臓奇譚

◉文＝阿澄森羅（小説家・シナリオライター）

寮生活している学生Aは、同室の友人が夜な夜な部屋を抜け出すのが気になり、何をしているのかを確かめようと後をつけた結果、墓を掘り返して死体を貪り食っている光景を目撃することに。驚いて逃げ出したAだが、物音で気付いた友人は刃物を手に追いかけてくる。どうにか振り切って寮まで戻り、自分の寝床に潜り込んで頭から布団をかぶったAは、寝たふりでやり過ごそうとするのだが
——

「こいつじゃない」

数分遅れて部屋に戻ってきた友人は、小声でそんなことを呟く。どうやって確かめているのか戸惑うAだが、顔は見られていないから大丈夫だろう、と寝たふりを続ける。

「こいつじゃない」

四人部屋だから、次は自分の番だ。バレないよう祈りながら、Aはギュッと目を瞑る。恐怖と全力疾走のせいで、心臓はうるさく鳴っている。そして、布団の中に入ってきた冷たい手が、胸に触れた瞬間——

「おまえだ！」

心臓というテーマで、まず浮かんだのがこの怪談だ。大声で驚かせるオチが有名なので、実際に語られている場に居合わせた方もいるかもしれない。これは常光徹『学校の怪談3』（講談社文庫ＫＫ、92年）の収録作を私が簡略化したものだが、類話は松谷みよ子『怪談レストラン9 墓場レストラン』（童心社、98年）などでも読める。

★常光徹『学校の怪談3』（講談社KK文庫）

心臓の反応を利用して真偽を探る手法は、警察でも採用されている。俗に言う「嘘発見器」を使ったポリグラフ検査がそれだ。しかし太幡直也・他編著『「隠す」心理を科学する 人の嘘から動物のあざむきまで』（北大路書房、21年）によると、アレは嘘を見破るのではなく、特定の知識や記憶の有無を確認する装置なのだそうだ。

日本の警察が採用するポリグラフ検査は隠匿情報検査（Concealed Information Test: CIT）という方法で、犯人や事件の関係者なら「正解」だとわかる情報と、それに似ているが「不正解」な情報を用意し、対象に質問した結果をポリグラフ装置と呼ばれる機械で測定する、というものだ。たとえば、刺殺事件の容疑者に凶器について質問する際に「ナイフ」「包丁」「アイスピック」「日本刀」などの具体名を提示し、それぞれにどう反応したかを確認し

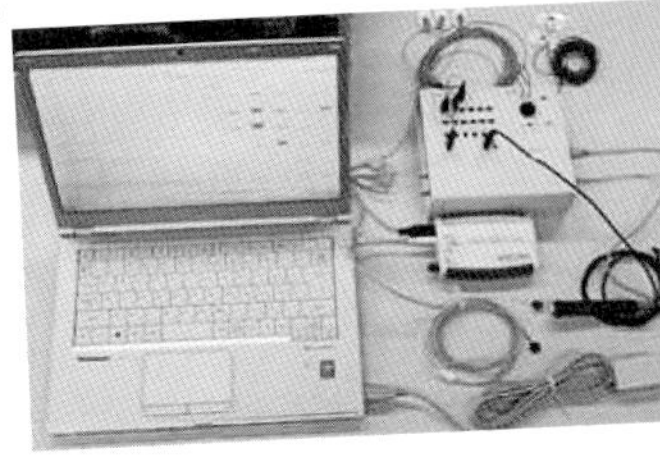
★改良型ポリグラフ装置の試作機（出典：科学警察研究所ウェブサイト https://www.npa.go.jp/nrips/jp/fourth/section1.html）

ていく。

装置で測定されるのは四つのポイントで、第一は「皮膚電気活動」。これは指先などに微弱な電流を流し、精神性発汗（緊張で手汗が滲む、とか）の様子を調べる。第二は「基準化脈波容積」で、交感神経の活動亢進による指先の血管の状態変化を測る。第三の「呼吸運動」は、文字通り呼吸の速度や深度を観察する。犯人に「正解」を提示すると、浅く長く遅い呼吸になるのがセオリーらしい。そして第四が「心拍数」なのだが、イメージ的には「正解」を提示された犯人の鼓動は激しくなりそうなのに、心拍数は明らかに低下するのが殆どで、場合によっては数十秒も続くという。驚いて心臓が止まる、止まりかけるといった表現は、この反応から来ているのかもしれない。

かつては止まりかけた心臓の有効な治療法は存在しなかったが、現在では様々な薬品や手術が開発されている。しかし、今に至るも機械に頼らず致命的な障害や損傷を克服する手段は一つしかない。心臓移植だ。

二十世紀の中頃から検討され始めた移植手術だが、技術的にも倫理的にも問題が山積みなので、動物実験を繰り返して慎重に研究が進められていた。そんな中、心臓医療の専門家でも何でもない南アフリカの外科医クリスチャン・バーナードが、自身が世界初の人間の心臓移植の成功者となるべく、手術に必要な環境を整え始める。あとは脳死状態の提供者を待つだけとなった1967年12月、25歳の女性デニス・ダーヴァルが瀕死の重傷を負って病院に搬送される。報せを受けたバーナードは脳死状態のデニスから心臓を摘出し、55歳の男性への移植手術を敢行。男性は18日後に肺炎で死亡するが、移植手術は成功したと見做され、バーナードは莫大な富と名声を得て歴史に名を残す。

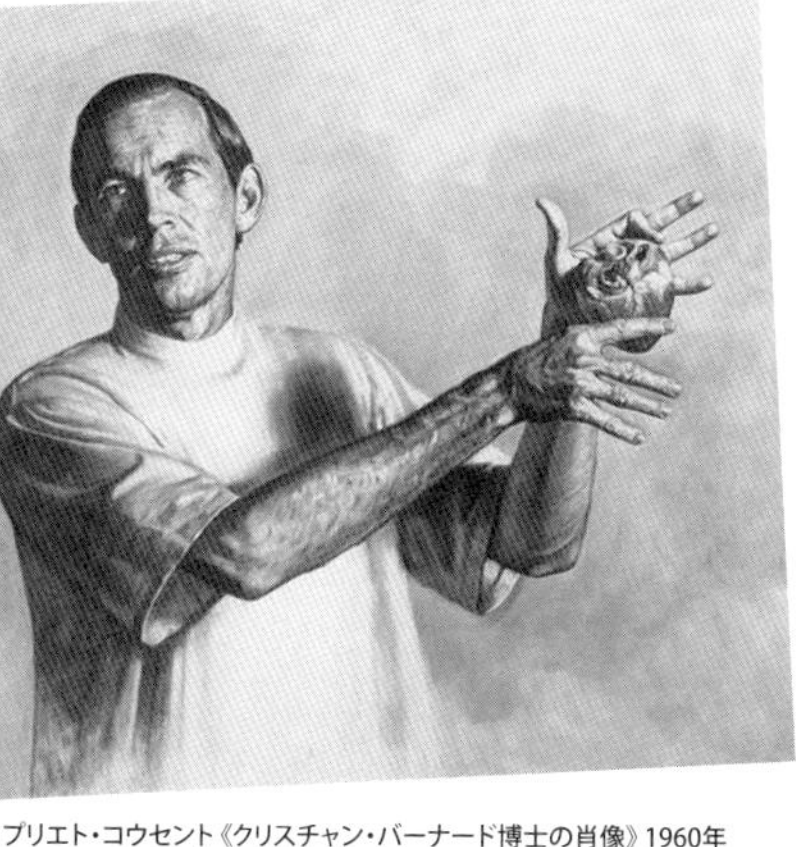
★ベニト・プリエト・コウセント《クリスチャン・バーナード博士の肖像》1960年

ついでに、有名女優との不倫を自伝でバラしたり、効果が疑わしい若返り化粧品の広告塔になったりと、悪名も残したバーナードは01年に逝去する。その死後、デニスから心臓を摘出する際、カリウムを注射してまだ生存していた彼女を絶命させた、との情報も出てくるが、本人がこの件をどう考えていたのかは死人に口なしで藪の中だ。

死者の心臓が再び動き出す物語では、ポーの『告げ口心臓』が有名だろう。不可解な理由で老人を殺害した犯人が、自分の犯行が狂気の産物ではなく、確固たる動機があると一方的に説明する内容で、犯人の性別や年齢、老人との関係、説明している相手などが全て曖昧になっている奇妙な短編だ。

老人のハゲワシのような、邪眼のような視線への嫌悪を日々募らせていた犯人は、遂に老人の殺害を決意する。侵入者に気付き、死の恐怖に囚われた老人の激しい心臓の鼓動は、犯人の感情を搔き乱す。この心音が近隣

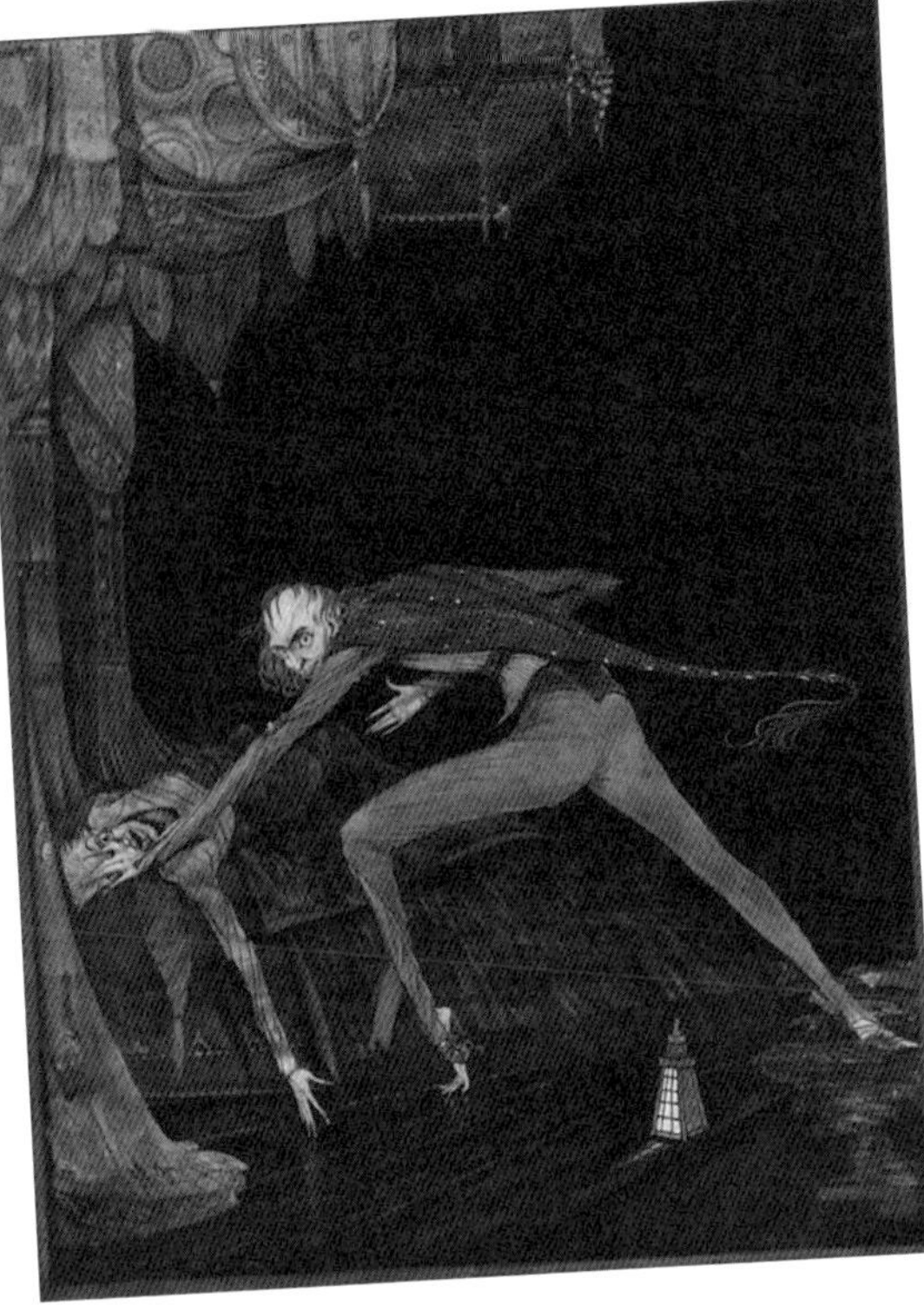

★ハリー・クラークによる『告げ口心臓』の挿画（1919年）

に響き、犯行が露見するのではないか――そんな不安が犯人の背中を押し、老人は悲鳴を一つ残して命を奪われる。

やるべきことをやった、と晴れやかな気分で死体をバラして床下へと隠した直後、警官隊が犯人の家を訪れる。近所から夜中に叫び声がしたとの通報があって調査に来た、と告げる警官たちを犯人は招き入れ、好きなように家宅捜索を行わせる。隠蔽工作は完璧で、断末魔の悲鳴も誤魔化せる。そう自信たっぷりに警官の相手をしていた犯人の耳に、奇妙な音が聞こえ始める。それは徐々に大きくなり、やがて我慢できない程の大音量に。聞こえているのは心臓の鼓動。恐怖で張り裂けんばかりに高鳴る動悸。聞こえるはずのない、死んだ老人の発する心音に、犯人は冷静さを失って――

一応はオチを伏せておくが、犯人の耳にした音には様々な解釈が存在する。殺人の罪悪感が生み出した幻聴。過敏な神経が壁の中にいるシバンムシの音（頭をぶつけて音を出す習性がある）を拡大した。緊張のあまり自分の心音を老人のものと錯覚してしまった、等々。実際の理由はどうあれ、犯人にとっての真実は「老人の心臓が意志を持って自分を告発した」となっているはずだ。近代以降では「馬鹿馬鹿しい」と切り捨てられる考えだが、心臓には独自の意志があると大真面目に主張する現代の研究者もいる。

カナダの心臓病医ジョン・アンドリュー・アーマーは、90年代に「心臓脳（heart brain）」についての研究を発表する。アーマーの主張によれば、心臓には脳と同じく数種のニューロン・支持細胞・神経伝達物質・蛋白質で構成された複雑な固有神経系があり、これが脳と相互作用しつつ独自に情報処理を行っている、とのこと。

医学会からの反応は不明だが、心臓脳を研究している「心臓神経学」で検索すると、スピリチュアル系のサイトばかりヒットする辺りで、色々と察するものはある。ちなみに、心臓脳に肯定的な人々は「心臓の神経系にはニューロンが4万ある」というのを途轍もない数のように表現しているが、成人の脳のニューロンは概ね1000億、カピバラは16億、タコは5億、コバエは25万と言われている。

古来、心臓には特別視されたり神聖視されたりの歴史があるので、こうした珍説が出てくるのも不思議ではない。脳や内臓を除去されるエジプトのミイラが心臓だけは遺体に残すことや、アステカ文明で神に捧げられた供物が人間の心臓であるのは有名だが、中世

★古代エジプトのフネフェルのパピルス(紀元前1275年頃)より、フネフェルの死後、その心臓が計量される場面。こうした審査のためにミイラに心臓が残された。

ヨーロッパでも貴族の埋葬は心臓と遺体を分けて行うのが習慣化されており、カペー朝フランスでは、複数回の埋葬と葬儀を行うのは王族の特権だった——のだが。

19世紀のイギリスで活躍した、神学者で地質学者で古生物学者でもあったウィリアム・バックランドという人物がいる。メガロサウルスの研究やコプロライト(ウンコの化石)の発見で科学の進歩に貢献する一方、そうした古生物の存在と聖書の記述を矛盾させない、アクロバティックな解釈でも知られている。そんなバックランドにはゲテモノ食いの趣味があり、およそ食材扱いされない動物や昆虫を片端から試食し、ワニ・ダチョウ・ピューマ・ハリネズミなどの料理を客にも振る舞っていたという。

中でも最大のゲテモノ食いは、とある貴族家のパーティに招待された際に披露された、ルイ14世の心臓(※16世説、逸話自体が捏造説アリ)だろう。正体を知って口にしたのか、知らずに口にしたのか諸説あるようだが、得体の知れないものを食う時点でかなりどうかしている。あらゆる生き物の中で最悪に不味かったのはアオバエ、次点がモグラとの証言は残しているバックランドだが、王の心臓がどんな味だったかは語っていない。味を知りたい奇特な方はそういないだろうが、豚の心臓を人間に移植する研究が進んでいることから想像すると——

★バックランドの家族(ウィリアム・バックランドの妻・メアリー画、1820年代)

乙女たちの心臓争奪戦
——楳図かずお「うばわれた心臓」をめぐって

◎文＝八本正幸（小説家・怪獣映画研究家）

恐怖マンガの巨匠・楳図かずおの数多い作品群の中で、最も怖い作品は何か？　と問われたならば、僕はほぼ条件反射のように「うばわれた心臓」を挙げるだろう。

「うばわれた心臓」は、一九六六年から七〇年にかけて若者向けのアイドル雑誌『月刊平凡』（平凡社）に連載された、短篇オムニバス・シリーズの一篇であり、のちに『恐怖』という総タイトルで単行本化された時には、第一巻の冒頭を飾った作品でもあるので、多くの楳図ファンにとっても特に印象深い作品に違いあるまい。

★楳図かずお『恐怖』第1巻（秋田書店）

物語は、みやこ高校の新聞部員エミ子と夏彦を狂言回しにして、彼等が取材したり直接体験した恐怖のエピソードが短篇連作のかたちで綴られて行く。

「うばわれた心臓」は、エミ子が校内のミステリークラブが開催する「百物語」の取材に出向くところからはじまる。女子ばかりが集まったその会で、次々と怖い話が披露されて行き、夜も更けて、九十九話目の語り手となった瞳という少女が、自らの体験談を語りはじめる。

彼女には、御山多加子という親友がいた。周囲の者にSではないかと疑われるほどの仲良しだった。現代の読者諸氏はSと聞いてもピンと来ないかと思われるが、Sとは「シスター」の頭文字で、主に血のつながりのない少女同士の親密な関係を示す隠語であり、今風に言えば百合ということになる。

そんな二人が、ある新聞記事に眼を止めた。それは心臓移植のニュースだった。

この作品が掲載されたのは一九六八年の六月号・七月号で、この年の八月八日、わが国初の心臓移植が行われた。つまりこれは、現実を追い越していたことになる。そのことを知ったときは、鳥肌が立った（ただし、世界初の人間同士による心臓移植手術は、前年に行われている）。

ニュースに触発された二人の少女は、ある約束を交わす。それは、どちらか片方が心臓の病気になった時、もう片方が死ねば、その心臓をあげるというもので、それを書面に記し、捺印をした。

それから間もなく、瞳が心臓の病であることが発覚する。それを知った多加子は青ざめ、瞳を避けるようになる。彼女は、自分が死んで瞳に心臓を提供することになるのではないかと怖れたのだ。

疑心暗鬼に陥った多加子は、死を怖れるあまり自宅に籠もるようになる。だが、そのことが禍して、自宅に飛び込んで来たダンプカーによって瓦解した建物の下敷きになり、即死してしまう。そして、それが運命であったかのように、その心臓は瞳に移植され、親友の命を救うのである。

親友の心臓とともに生きる。それは、互いを想う者同士としたら、究極の一心同体ということになるかも知れない。

だが、そんな美談は、オブザーバーとして参加したエミ子によって覆される。事故に遭った多加子は、実は死んでいなかったと言うのだ。そして、生きたまま心臓移植手術が行われたのだ、と。

僕はこの作品を、掲載誌で読んでいる。床屋の待ち時間に読んだので、発売日よりいくばくかの時間が経っていたと思うが、心臓移植のニュースは小学生でも知っていたので、インパクトは絶大だった。二回分載の前篇ラストは、意識のあるまま胸を切り開かれる多加子が「**あああ**」と、あの楳図作品特有の太い描き文字で声なき絶叫を上げる大駒で終わっていた。これはもう、トラウマとしか言い様がない。あまりの衝撃に、その場でその後篇を読んだのかどうか、記憶が定かでないほどだ。そして、自分もいつかこういう目に遭うのではないかという疑心暗鬼に陥ってしまった。

物語はこの後さらに衝撃的な展開になるのだが、未読の方もいると思うので、これ以上は語らないことにしよう。今までのストーリーだけでも、その戦慄の凄さが伝わると思う。

心臓移植を通して、生命の問題に深く切り込む

★早川光監督『うばわれた心臓』(VHS)

一方、現実の心臓移植は、手術そのものは成功し、患者も一時は回復したものの、術後八三日後に帰らぬ人となった。そしてその後、ドナーの脳死判定等に疑義が指摘され、執刀した医師が告発される事態となった。

「うばわれた心臓」は、まさに心臓のやりとりというかたちで、生命とは何か？という問題に、深く切り込んで行く作品である。だからこそ、根源的な恐怖が呼び醒まされ、心の奥底に響き、いつまでも記憶に残るのだ。それと同時に、生の儚さ、友情の脆さなどが浮き彫りにされて行く。楳図作品の怖さとは、つまりこういうところにあるのだと思う。

この作品はのちに、早川光監督によって映像化され、オリジナル・ビデオ作品としてリリース（一九八五年）された。原作にわりと忠実につくられていて、心臓を取り出すシーンが特殊メイクによって描かれているところがハイライトになっているが、正直言って、楳図かずおのコントラストの利いた克明な描線には遠く及ばない。ただし、手術前の二人の乙女の百合的関係を描くシーンが、BGMに使用されたエリック・サティの音楽と相俟って、ちょっと甘酸っぱい雰囲気を醸し出していて、忘れられない作品になっている。DVD、ブルーレイは今のところ発売されていない。

心臓移植の是非については、それが直接生存の要となる臓器だけに、非常にデリケートな問題を含んでいる。「うばわれた心臓」は、そうした問題の数々を、短いページ数の中に凝縮した傑作である。

ヘルマン・ニッチュの血と臓物に塗れた悪魔の見世物

◉文＝並木誠（アートライター）

動物の血と臓物などの汚物に塗れたサバト的な饗宴――ヘルマン・ニッチュの《秘儀祭と神秘の劇場》は、現代美術史上、比類なき衝撃をもたらした。

　ヘルマン・ニッチュが暮らしたオーストリアのウィーンの郊外、ニーダーエステライヒ州にあるプリンツェンドルフ城。その中庭で同城が購入された1971年から続けられたパフォーマンスシリーズが『OMシアター　秘儀祭と神秘の劇場』である。それは本物の動物の血液や死骸を用いた黒ミサ的な狂宴ともいうべき儀式だ。豚の死骸をパフォーマーが実際に解体し、奥深く手を突っ込んで血塗れになりながら臓器を掻き回し、十字架に磔刑された、キリストのような受難者を模した白装束の男女に、血責めと称して動物の血や臓物を擦り付け、咥えさせ、投げつける。舞台の周囲では、大編成のオーケストラがニッチュの自作曲を演奏し、この狂宴を音楽的に高揚させる。映像で見ても、単なるアナーキーであるだけでなく、厳かで崇高ですらあった。

　1998年には、ニッチュ自ら頂点と語る6日6晩続くアクション『the 6-Day Play』を催した。大量のキリストの血を擬するワインやブドウ、トマト、動物の死骸を用い、100名の美術学校の生徒が参加したもので、「悪魔の見世物」と評された。

　それらのパフォーマンスは、ギリシアのディオニュソス祭やキリスト教の受難劇、バロック演劇などをベースに、フロイトの精神分析を拠り所にし、集団的なヒステリーの発露やそのカタルシスによって現代文明に対するクリティカルなアンチテーゼを投げかけるものである。そのたびに、動物愛

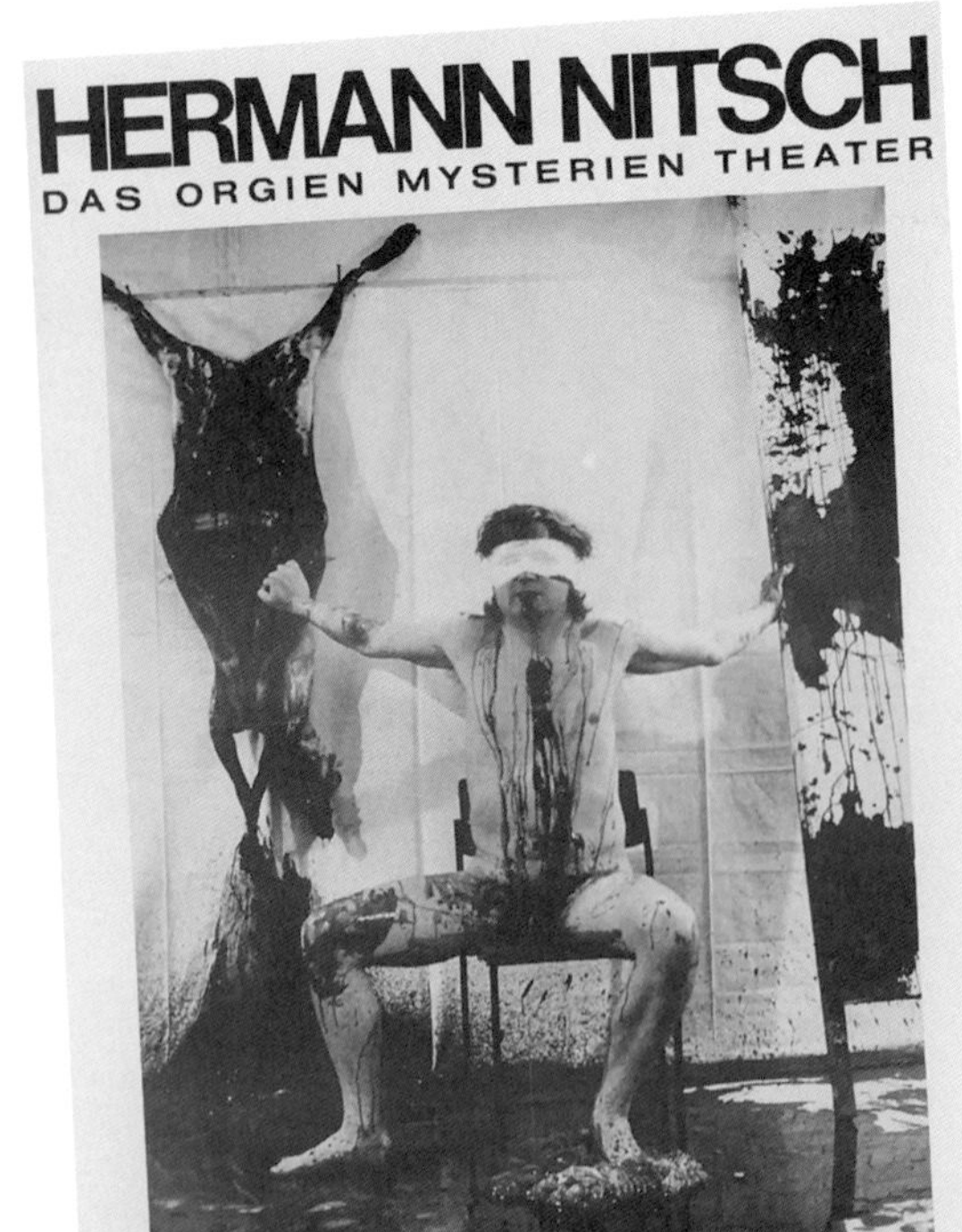

★『OMシアター』のポスター（1975年）

★2022年にプリンツェンドルフ城で再演された『the 6-Day Play』のパンフ

★ニッチュ財団設立に際しておこなわれたニッチュのパフォーマンス（2009年）／写真：Nitsch Foundation

臓物を用いて血腥い欲望の混沌を演出

護に反するなどと物議を醸し、たびたび逮捕されて裁判沙汰にもなっている。

ヘルマン・ニッチュ（1938-2022）はウィーン連邦美術教育研究高等学校でグラフィックアートを学び、1960年代には過激なパフォーマンスで知られるウィーン・アクショニズムに、オットー・ミュール、ギュンター・ブルス、ルドルフ・シュワルツコグラー等と参画した。ニッチュは、ミュール、ブルスと共に「ウィーンの三羽烏」と呼ばれる。

そして、米国の画家ジャクソン・ポロックのアクションペインティングやアラン・カプローのハプニングなどに影響を受け、身体をマテリアルとして捉えてパフォーマンスの概念を独自に拡張。人間の個の徹底的破壊やホロコーストなどの暴力と虐殺への批判的視座、フロイトやユングらの精神分析など、オーストリアの歴史的土壌を踏まえたパフォーマンスやインスタレーション、絵画作品等の制作を展開した。それは実際の身体加虐を含んだ過激なもので、第二次世界大戦中の空襲や、従軍した父親のロシアでの戦死などの体験が影を落としている。

そのようにニッチュのパフォーマンスの加虐・自虐には、原罪への意識を集団的ヒステリーとリビドー的衝動でもって昇華させる力業ともいうべき意図が見える。その芸術はファシズム的な時代精神に対する批判であり、臓物を用いて血腥い欲望の混沌を演出し、その真理を探究するものなのだ。

食べたり掴んだり移植したり……驚異の発想満載の心臓映画たち

◎文＝浅尾典彦（作家・プロデューサー・夢人塔代表・治療家）

心臓とは？

ＩＣＵ（集中管理室）の中、患者に取り着けられた心電図の波形がなだらかになり、医者は「御臨終です」と遺族に頭を下げて、聴診器を耳から外す――何度となくドラマで観て来たシーンだ。昔から「心臓が動いている」ことが生きている証拠として認識されてきた。もっとも最近では心停止（心室細動や無脈性心室頻拍）でも、ＡＥＤ（自動体外式除細動器）である程度の電圧を掛けると再び心臓が動きだすことがあるので、心停止＝すぐに「死」とは考えない。それでも長時間心臓が止まると酸素や栄養の供給が止まり脳など各細胞が壊死し、結果死に至る事が多い。その脳死を「死」と考える傾向だ。

とはいえ、相手を確実に死に至らしめるために心臓を狙ってナイフを突き立てたり、鉛の弾を打ち込んだりするのが定石だ。その中で、心臓の面白い使い方をしているのが、エドガー・アラン・ポーの短編小説『告げ口心臓』（1843）であろう。主人公が同居する老人を殺してバラバラにし床下に埋めるのだが、床下から老人の心臓の音が聞こえるようになり、遂には警官に自らの犯行を自白してしまうというスリラーだ。心臓の鼓動に苦しめられるのは主人公の精神錯乱か、良心の呵責からなのか、警官には全く聞こえない。レオン・シャムロイとチャールズ・クライン共同監督による１９２８年のサイレント映画化を皮切りに、アーネスト・モリス監督のイギリス映画版（1960・日本未公開）など、『告げ口心臓』の映画化は数百にも及ぶ。人間ドラマ中心のストーリーで出演者も限られており、造作ものも心臓のみで場面転換も少なめなので、映画化しやすいものだったのだろう。モリス監督版は当時評判になったハマーフィルムの影響を大いに受け、脈打つ心臓を抉り出したり、人間が転落して串刺しになるなど、過激な表現があるものだった。

供物としての心臓

マヤ、テオティワカン、アステカなどの古代メソアメリカの文明では、太陽神に生きた人間の心臓を摘出して捧げる儀式があった。これをモチーフにした映画で一番有名なのは『インディ・ジョーンズ／魔宮の伝説』（1984）。インディたちが脅かされる司祭モラ・ラムが、生け贄の人間の心臓を抉り出して邪神カーリーに供える場面がある。より史実に近いのは『アポカリプト』（2006）。マヤ文明からの若者の決死の逃避行なのだが、マヤ帝国の旱魃を鎮める儀式のためピラミッド神殿の頂上で心臓を掴み取られる。『パッション』（2004）で世界を震わせたメル・ギブソン監督の残酷史劇の第二弾だった。

２０１３年に公開された『妖魔伝 レザレクション』は、中国の怪奇小説『聊斎志異』の映画化。人の心臓を命の糧とする狐の妖魔シャオウェイと、弓の名手フォ・シンとの愛を結実させるために自ら心臓を捧げようとする人間ジン公主たちの織りなすファンタジーだった。

不死者の心臓

ファンタジーの世界では、心臓または命がどこかに隠されていて殺せないという話がある。例えば『からだに心臓のない巨人』(『世界むかし話15 北欧 ソリア・モリア城』ほるぷ出版所収)もそのひとつ。映画では、バイロン・ハスキン監督『キャプテン・シンドバッド』(1963)が、シンドバッドが魔術師カリムを剣で刺そうが火で焼こうが殺せない、という話だった。彼の心臓は遠くの白塔の上に保管されていたのだ。本誌No.86で紹介した旧ソ連のアレクサンドル・ロウ監督『不死身の魔王』(1946)も、その魔王は心臓となるリンゴを遠くの洞穴に隠していた。

機械の心臓

またファンタジーでは、機械仕掛けの心臓を持つキャラクターもいる。一番有名なのは、ジュディ・ガーランド主演の『オズの魔法使』(1939)に出てくる"心を持たない"ブリキマン(ブリキ男のヒッコリー)。『シンドバッド虎の目大冒険』(1977)には、頭がウシの金色ロボット・ミナトンが出てくる。シンドバッドたちの行方を阻む魔女ゼノビアが、機械の心臓を組み込んで作り上げた人造半獣人だ。犯罪アクション『アドレナリン：ハイ・ボルテージ(アドレナリン2)』(2009)では、殺し屋が中国マフィアに拉致されて心臓を奪われ、代わりに人工心臓を埋め込まれてしまう。心臓奪還に燃える殺し屋の針の振り切れたアクションもさることながら、粗悪品の人工心臓なので1時間ごとに充電しないと死ぬという設定も面白かった。

心臓を食べる

ファンタジーやホラー映画の中には、心臓を食べる異様なシーンもあったりする。たとえば『ローレライ伝説の謎』(1974)では、満月の夜、結婚直前の花嫁がライン川沿いで心臓を抉られて死に、伝説の魔女ローレライの仕業と言われるが……心臓を狙う爬虫類顔の怪人が登場する。また『モンスターズハンター』(2007)は、大学教授が地下で見つけた黒い心臓を食べて怪物になるというB級ホラー・コ

メディ。心臓は「呪いの心臓」と呼ばれ日本伝来だという設定も笑える。

シャーリーズ・セロンが邪悪な女王ラヴェンナを演じた『スノーホワイト』(2012)は、スノーホワイトの心臓を狙う直球のファンタジー。ラヴェンナが血のしたたる鶏の心臓を食べる迫力あるシーンは、ブドウジュースに浸してあった赤カブなのだそう。

他にも、低予算映画で知られるアサイラム制作の『ヘンゼルとグレーテル おそろし森の魔女』(2013)には、人間の心臓を食べて永遠の生命を手に入れた魔女リリスが出てくるし、『五日物語 3つの王国と3人の女』(2015)では、子宝に恵まれない王妃が子を宿す方法を呪術師に教えられ、王の命と引き換えに手に入れたドラゴンの心臓を食べる。そしてポーランドのミュージカル『ゆれる人魚』(2015)は、人の心臓を食べるために人間に化けた肉食人魚姉妹の異類婚姻譚を描いたものだった。

恐怖の心臓

一方、心臓だけが生き続けるものとしては、アンディ・ウォーホルが監修した『悪魔のはらわた』(1973)が挙げられる。狂った科学者の生体実験ものだが、フランケンシュタイン男爵は異常な臓器愛好者で、手伝いの老婆は内臓を出されて絶命、男爵も串刺しで内臓が飛び出してしまうという、内臓オンパレードの悪趣味な映画だ。出演者全員が壮絶な死を迎え、それを静観している二人の無垢な子供たち。その奥の部屋で機械に繋がれた心臓と肺だけが元気に動き続けているという皮肉でシュールなラストである。

日本では円谷英二が特撮を担当した『フランケンシュタイン対地底怪獣』(1965)において、培養液に浸けられたフランケンシュタインの心臓が原爆の放射線を浴び、増殖して巨大な怪物になってしまう。今話題のiPS細胞の元のような話だ。

心臓を掴み出す

ホラー映画には、心臓を直接掴み出す残酷シーンがあったりする。実際には大動脈3本、上大静脈1本、肺動脈2本、肺静脈4本など大小含め血管を10本位は切断しないと取り出せないので簡単にはいかないのだが……。

かつて子供に対して悪影響がある「悪書」としてやり玉に挙げ

られたECコミックス「Tales from the Crypt」を原案としたホラー映画『魔界からの招待状』(1972)は、全5話からなるオムニバス。その第3話「Poetic Justice」は、子供に優しい清掃員の老人が実業家の隣人に嫌がらせをされ続けて自殺する話。そしてゾンビとなって復活し、隣人の心臓を掴み出す。日頃ヒーロー側を演じている名優ピーター・カッシングが、迫力あるゾンビを演じている珍しい作品だ。『エル・ゾンビⅣ 呪われた死霊海岸』(1975)にも、ゾンビ軍団が生贄の心臓を血まみれで掴み出す残酷描写がある。『デビルスピーク』(1981)ではいじめを受けていた少年が悪魔を呼び出し、悪魔の化身となって最後にはいじめっ子の心臓を掴み出す。

『死霊のしたたり２』(1989)は、ハーバート・ウェストが薬を使って死体を蘇生させる『ZOMBIO／死霊のしたたり』(1985)の続編。ウェストがダン・ケイの恋人メグの心臓を遺体保存庫で発見し、ダンを説得して心臓に遺体を組み合わせてメグを人造人間として甦らせ、花嫁にしようと試みる。だが、他の遺体もどんどん甦り地獄絵図に。人造花嫁は自分の状況を憂いて自ら心臓を掴み出して自殺をする。

また『サタニックパニック』(2019)では、ピザ配達員の女性が悪魔崇拝の連中に追われるのだが、死体の首の傷から手を突っ込んで心臓を抜き取ったり、光る心臓からモンスターを造ったり、冷凍保存の心臓を食べるシーンなどグロテスクなシーンも満載だった。

心臓移植

世界で心臓移植が広まったのは１９８０年代初めに免疫抑制剤シクロスポリンが開発されたことによる。これにより心臓手術・心臓移植も技術的に可能になってきた。臓器移植においては、提供者の記憶の一部が患者（受給者）に移るとされる記憶転移という現象が話題になったりしている。今のところ医学的立証はされていないが、これをモチーフにした映画も多い。

『この胸のときめき』(2000)は、心臓移植手術を受けてウェイトレスとして新たな人生を歩みはじめたグレースと、交通事故で亡くした妻の心臓をドナーとして提供した建築家のボブ。二人は偶然に出会い、互いに心が惹かれるというロマンティック・コメディ。韓国のテレビドラマ『夏の香り』(2003)も、心臓移植を受けた少女が面識のない青年に胸の高鳴りを覚える話だ。同じ韓国ドラマ『私の人生の春の日』(2014)や『純情（スンジョン）に惚れる』(2015)、日本のテレビアニメ『エンジェル・ハート』(2005)、中国・香港制作ラブストーリー『愛と死の間（はざま）で』(2005)などでも、心臓移植による記憶転移がモチーフになっている。

とんでもない心臓移植もある。『暴行魔ゴリラー』(1969)は、白血病の息子を救うため医者の父が何故かゴリラの心臓を移植するのだが、息子は予想通り怪物化して暴れ出す。最後は再度人間の心臓を移植して元に戻るという安直な展開も笑えるメキシコのZ級映画。ゴリラ繋がりで、メジャー大作の『キングコング2』(1986)は、1976年のリメイク版『キングコング』の続編だが、ワールドトレードセンターから転落した昏睡状態のコングの蘇生を試みるため、エイミー博士が巨大な人工心臓を作り、コングへの移植を計画するというとんでもない発想の映画だ。レディ・コングも登場して輸血に協力する。

移植の果てに

心臓移植が進むと、当然臓器の数が足らなくなる。政府の役人が、ある日突然内臓を取りにやって来るブラック・コメディ『モンティパイソン人生狂騒曲』(1983)や、貧乏人の入院を受け入れる優しい病院が実は内臓を摘出して金持ちに提供しているという『ブリタニア・ホスピタル』(1982)は、生きた人間から内臓を獲ろうとするとんでもない発想の映画だ。

一方、マイケル・ベイ監督の『アイランド』(2005)の主人公リンカーンや、ノーベル文学賞のカズオ・イシグロ原作の『わたしを離さないで』(2010)のヘールシャムは、人間への臓器提供のために施設で造られたクローン人間。だが、たとえクローンであっても人格があるので、やはり内臓を取られるのは嫌で逃げる。殺される恐怖を描くサスペンスだった。

カナダの巨匠デヴィッド・クローネンバーグ監督の『クライムズ・オブ・ザ・フューチャー』(2022)は、未知の臓器が身体に発生する者が増えた近未来の話。主人公は、臓器を摘出する手術を公開で見せるアーティストとして名声を得ていたが、ある日事件に巻き込まれる。内臓に刺青を入れるなどは奇抜過ぎていて流石にこれは現実化することはなさそうだが、これから先ますます科学が進んでゆくと、iPS細胞から作り出されたクローン心臓などの臓器をAIが移植手術する、という時代がやって来るのかもしれない。

サイトで内容のサンプルを
ご覧いただけます。
www.a-third.com

TH ART Series
好評発売中!!

発行＝アトリエサード 発売＝書苑新社

闇まとう禁断のエロスが花開く、
古川沙織 待望の画集、第3弾!
愛、罪、そして死の恐怖と恍惚——
愛、罪、そして死の恐怖と恍惚——
呪みちる氏（ホラー漫画家）推薦!

古川沙織　画集
「Mistress Alice」
A5判・ハードカヴァー・64頁・定価2700円（税別）

ビザールな夢の国へようこそ!

たま8冊目の少女主義的水彩画集。

「カワイイの沼に引き込まれました」

——青木美沙子（ロリータモデル＆正看護師）

たま　画集
「Nighty night～少女主義的水彩画集VIII」
B5判・ハードカヴァー・64頁・定価3000円（税別）

小川未明の名作童話に、
映像の魔術師・二階健が、
甘美かつ耽美的なヴィジュアルを
添え、新たなイメージを紡いだ
美しくも切ない魅惑の写真絵本!

二階健 ヴィジュアル
小川未明 文
「赤い蝋燭と人魚」
B5判変型・ハードカヴァー・64頁・定価3091円（税別）

無垢な少女に、
ぴりりスパイスきかせた作品に
軽妙な詩や文を添えた、大人の絵本館。
人気の絡繰りオルゴール作品も収録!
横浜ブリキのおもちゃ博物館 館長北原照久氏推薦!

こやまけんいち絵本館
「ガールグース -少女画帳-」
A5判ヨコ・カヴァー装・112頁・定価2700円（税別）

《生を謳歌する者たちのユートピア》
アウトサイドを歩む異才が描く、秘密の園
可憐な少女、少年たちが惜しげもなく
エロスを花開かせた耽美の劇場

中井結　画集
「はじまりとおわりと、そのあいだ」
B5判・カヴァー装・96頁・定価3091円（税別）

愛らしくて純粋で、だけどちょっぴり
病んでいて…少女たちの、甘く歪んだ
遊戯はおわらない。国内外で人気の
宮本香那の代表作がこの1冊に!

宮本香那画集
「おままごとのつづき」
B5判・カヴァー装・96頁・定価3091円（税別）

好評発売中!! 書店店頭で見つからない場合は、書店にご注文下さい（通信販売やインターネット書店もご利用下さい）。

カノウナ・メ

―可能な限り、この眼で探求いたします

加納星也

第55回　2024年は『平原のモーゼ』を書く

チネリト

２０２４年も四半期が終わり、新年度を迎えた。今年は初っ端から地震や航空機の事故が相次ぎ、次に季節外れの暖かい冬が訪れたかと思いきや、寒の戻りもいい加減にしろとばかりの季節外れの寒さで桜の開花も遅れ放題の散り放題。

この乱気流のような天候に左右されたか、こちらの映画館通いも例年に増して乱れうち状態。しかも、今までなかったような特集上映の連続で連日まとめ観た映画も数知れず、四半期でかなりの数を記録した。

その中で、今年初頭にハマった特集上映がこれ、「チネリト」だ。国立映画アーカイブ（以下、ＮＦＡＪ）で今年１月５日から２月４日までの約一か月にわたり「蘇ったフィルムたち　チネマ・リトロバート映画祭」が上映され、その映画祭のことを便宜上チネリトと略してみた。

このチネリトが開催されているのはイタリアの歴史ある学園都市ボローニャ。古今東西の発掘・復元された映画が一堂に上映されるとあって、世界中の映画ファン、映画批評家、アーキビスト、研究者から地元の人々までが集う。このボローニャは多くの映画人を輩出してきた地で、実は昨年の夏、自分も僅かの滞在ではあるが、偶然この地を訪ねていた。学園都市とはいえ夏休みで学生たちの姿は多くなかったが、古い佇まいを残す町並みには多くの観光客が押し寄せていた。

そこでおこなわれるチネリトは、世界中の映画復元の取り組みを紹介する一大拠点で、その修復ラボは映画復元のみならず、各種ワークショップを通じて人材育成を積極的に行う、世界でも有数のフィルム修復専門のラボとなっている。

さて、今回のＮＦＡＪでの特集上映では、長い歴史を誇るチネリトの出品作から25プログラム・54本が上映された。著者はこのうちの2プログラム・2本以外をすべて見てここに至るわけだが、この間現実世界では社会や人間関係の数々の亀裂や退色、経年劣化の問題が数々引き起こされ、現状でも修復はなっていない状況ではあるが、ここでは本題でないので詳細は省いて、まずは特集上映作品の概要を記しておこう。

今回の特集上映の作品群は、イタリアと言えば真っ先に名前が挙がる「ネオレアリズモ」、その系譜の有名な名作群だけでなく、それと共鳴するチェチリア・マンジーニやサラ・マルドロール等の女性の視点から描かれた作品が紹介されたことが特徴的である。その他にもちろん古今東西の名作だけでなく、題名や監督名さえ聞いたことのない復元作品が連日昼夜上映されるのだから、毎日、お宝探しにいくワクワク感満載の日々であった。

サイレントからモノクロ映画へ

さすがに鑑賞した52本をここで詳細に語るわけにはいかないので、全体を見通しながら印象に残った作品や本邦初公開であろうもの、日本では映画史の講義でもあまり紹介されていないものを中心にグランド・ツアーさながらゆったりと流していこう。

まずご紹介するのは「サイレント映画」。１９００年につくられた僅か１分のホームムービーから記録映画の断片、コマ撮りアニメーションからフィルム染色されたファウストを基にした中編劇映画『サタン協奏曲』（1917）まで。また、イタリア各地を回るイタリア紀行映画の特集「グランドツアー」プログラム。飛行船で大胆な強盗を企てる男装の麗人『フィリバス（空賊）』（1915）の痛快さ。

そして我が国からは、衣笠貞之助が川端康成らの協力のもと制作した無字幕のアヴァンギャルド映画を、監督邸から発見された青染色ポジを基にＮＦＡＪが復元した『狂った一頁（染色版）』（1926）。これについては上映後に復元作業のトークも行われた。

次はアメリカ映画。白人女性殺害の容疑をかけられた黒人夜警をめぐる探偵映画『ハーレムの殺人』（1935）は先駆的黒人監督オスカー・ミショー。実話に着想を得て１９２１年の自作をリメイク。黒人専用劇場向けの人種映画（レイスフィルム）と言われる一編で、独特のペー

ソスとユーモア、そして社会的視点の物語に驚愕させられる。

あまりにも有名なネオレアリズモの代表格『無防備都市』（1945）を挟んで、インド映画153分の大作『カルプナー』（1948）。インド舞踊の中心的人物ウダイ・シャンカルが4年をかけ監督・制作・原作・振付・主演した自伝的作品。実弟であるラヴィ・シャンカルはビートルズとの交友で有名だが、この兄であるウダイは古典舞踊一辺倒から現在の創作舞踊の路をつくり世界に紹介した国民的芸術家。映画では実際にインド各地の舞踊が紹介され、インド独立直後のポストコロニアルな想像力（カルプナー）、力強いメッセージが音楽と舞踊から迸る。

ドキュメンタリーから劇映画へ

まずはネオレアリズモの巨匠ヴィットリオ・デ・シーカ『自転車泥棒』（1948）から、工業化により喪失されるシチリアやサルディニアの伝統や労働を大胆な構図と音楽的な編集でラディカルに描いたもう一人のヴィットリオ。日本では知られざる巨匠ヴィットリオ・デ・セータのドキュメンタリー10作品。

そして、『風と共に去りぬ』ではなく、アメリカのカラー映画『風と共に散る』（1956）。監督はラズベリー賞で有名な俳優のカーク・ダグラスと間違えられたメロドラマの天才ダグラス・サーク。彼の作品は日本ではあまり紹介されないが、当時の赤狩り華やかなりし頃のハリウッドで、メロドラマに託して経済的繁栄にある暗部と人々の対立構造を社会批評的に描いた。また、『吸血鬼』（1957）はハマー・プロのドラキュラシリーズに先駆けて公開されたイタリア初の本格的ホラーだが、舞台になっているパリが『サスペリア』のようなモノクロの廃屋敷なのが興味深い。

★左は国立映画アーカイブでの、右は京都文化博物館での上映のチラシ
（左は『自転車泥棒』の、右は『私は彼女をよく知っていた』の写真が使われている）

冒頭で紹介したチェチリア・マンジーニはパゾリーニの小説家デビュー作『生命ある若者』（1955）に触発され制作した『都会の名もなき者たち』（1958）以降、イタリアで活躍した女性ドキュメンタリー作家。路地に生きる子供たちや工場労働従事者に寄り添い、なおかつ力強い表現を継続した6本の短編が紹介された。

ドキュメンタリーからネオレアリスモへ

『時は止まりぬ』（1958）は、ゲーテの「ファウスト」の有名な台詞を題名にしたミュンヘン・オリンピックのドキュメンタリー『時よとまれ、君は美しい』（1973）ではない。しかし、その画面に映し出される深い雪山の光景はあまりに美しすぎる。この映画は、後に『木靴の靴』（1978）等で素人俳優を起用してドキュメンタリーと見紛う独自な劇映画を制作するイタリアの名匠エルマンノ・オルミの作品。水力発電ダム建設の記録映画を自身で発展させた初の劇映画である。

レナート・カステラーニ『街の中の地獄』（1959）はローマにある女子刑務所を舞台に、世間から見放された者たちの絶望と諦念を描く。フェリーニのミューズ、ジュリエッタ・マッシーナが助演だが、「家政婦シリーズ」の市原悦子が別の単発劇映画に出ているような、異次元の違和感が興味深い。

有名なフランチェスコ・ロージ『シシリーの黒い霧』（1962）を経て、日本で発語すると、フェリーニと良く勘違いされるマルコ・フェレーリ監督の呪われた傑作『猿女』（1964）。全身が毛で覆われた女と出会い、見世物の興行を始める男。実在した多毛症のメキシコ女性に着想を得た異形のラブ・ストーリー。今回はイタリア公開版、ディレクターズ・カット版、フランス公開版の違った3つのエンディングが併映された。

　そして、近年日本ではほぼ公開されていないキューバ映画2本。キューバ初の女性監督サラ・ゴメスの『サン・ディアゴへ行こう』(1964)と『ある方法で』(1974)。後者はキューバ革命革命後の社会での男女の生き方をめぐる闘争ドラマがドキュメンタリータッチで描かれ、監督の死後に発表された。

　戦後イタリアの奇跡的な経済成長はブームと呼ばれるが、そのブーム時の刹那的・享楽的な気分を一人の若い女性（ステファニア・サンドレッリ）の日常に託して描くアントニオ・ピエトランジェリ監督の傑作『私は彼女をよく知っていた』(1965)は今見ても前衛的で、奇跡的な輝きを持つ映画。衝撃的な結末には何度見ても驚愕させられる。

1970年以降

　いよいよ、最後のセクションで現代に近づいてくるが、今回の上映で一番のサプライズはこの会場で上映されたアメリカの実験映画『マハゴニー(フィルム#18)』(1970-80)だ。監督は映像作家であり、音楽者学者のハリー・スミス。マルセル・デュシャンの「大ガラス」を数学的に分析し制作した148分の幻の大作。オリジナルは二人の映写技師が16㎜フィルム映写機を4台配置して、クルト・ヴァイルとブレヒトのオペラ『マハゴニー市の興亡』の音声と同期させながらスクリーンに4画面を同時投影させるパフォーマンス。今回の上映は2002年に一画面に田の字形に4つの映像を配置したデジタル修復DCP版。画面にはNYの風景やアート作品、イコン、アレン・ギンズバーグやジョナス・メカス、パティ・スミスら当時のスーパースター達の姿が見いだせる。貴重な上映体験だった。

　あとは、内戦続くナイジェリアからサンフランシスコにやってきた青年を主人公に映画撮影するも、本人が国外追放になる現実を描いたドキュメンタリードラマ『ブッシュマン　あるナイジェリア人青年の冒険』(1971)。そして『アルジェの戦い』(1966)の助監督を務めたサラ・マルドロールがアンゴラ独立運動の中で不可視の女性視点で描く初長編映画『ザンビアンガ』(1973)。赤子を抱いて反逆の疑いで植民地政府に捕えられた夫を探す姿は、いまだ未解決なものだろう。

　その他、イラン革命を予兆するような寓話的野心作『異人と霧』(1974)。ドイツのヴェルナー・シュレイターの撮影監督を務めたエルフィ・ミケシュによる、画面にハワイが出ないドラマ『私は時々ハワイを想う』(1978)と、画家ウニカ・チュルンのテキストがモノローグで流れるスタティックな短編『青の隔たり』(1983)。仏ヌーベルバーグのスター作家たちの陰で女性編集技師として活躍したセシル・ドキジュスの作品『イタリアの旅』(1984)、『失われた夜』(1985)、『パンの配給』(2011)が上映された。

　最後に特別上映としてロジャー・コーマンの編集出身で今やホラー・SF映画の大家であるアメリカのジョー・ダンテが大学在学中に、B級映画、産業映画、テレビ番組、CMのフッテージをスーザン・ソンタグの〈キャンプ〉の影響下でザッピング編集した282分の『ムービー・オージー』(1966-2009)も一回だけ公開されたことも記しておこう。

最後に

　気が付いてみれば、もしかすると今回のチネリト。大急ぎで網羅してしまったかもしれない。書いてしまって恐縮だが、アーカイブは結局過去の映像。これからの映像の展望や新作は?とお叱りを受けるかもしれない。ただ今回見た膨大な映像群、過去見た映画とは全く違う別の映像なのだ。だから一度見た映画のこちらの記憶が新たに修復されているのだ。特にかなり古い映画の記憶は今から半世紀以上経っており、それに当時は何度も映写され擦り傷だらけだったり何度も焼直ししたフィルムによる上映だったこともあり、今回新しく修復されよみがえったフィルムには、当時見えなかったものが鮮明に見えたり、一度見た映画の題名を覚えておらず、途中までまるで違う物語の映画と錯覚していた事もあった。あれだけ主演作品を追っかけた女優だったのに、修復版でみたら腕にBCGの接種跡がはっきり見えたとか?

　つまり修復されると発見があるという事。これは実人生でも十分あり得る。これからでも修復に乗り出そう。

　とは言え、現在やこれからの映画の事も少しは書いておこう。今回の謎のタイトルだが、これは昨年のうちに今回書く予定だったメモ書きの残りだ。『平原のモーゼ』は、昨年の東京国際映画祭で全話6話・432分で一挙上映された2023年の中国映画だ。その後、ネットで70分×6話で配信されたサスペンス映画だが、加速する現代中国社会の渦で翻弄される男女二人の悲劇としても傑作だ。興味があれば、是非検索してほしい。

私の小景異情

釣崎清隆

私にとって氷見は後ろめたい。

氷見市北大町の漁村は私の父方の実家があり、私の生家でもある。叔父が住んでいたその建物は彼の死後廃屋となり、しかしながらまだそこに立っている。立っているはずだ。というのは、元日の地震で能登半島の付け根に位置する氷見は断水などの被害を受けた。私は高岡の実家に帰省していたまさにその時に地震に見舞われたが、被害は庭の灯篭が倒れた程度でインフラの被害は皆無だった。

私にとって氷見は後ろめたい。

私たち家族もとっくに氷見を捨てて高岡に出てきた。いまでは奥氷見出身の母方も含めて、ほとんどの親戚が氷見を出て高岡に住んでいる。

私は被災地の間近にいたにもかかわらず能登地震を取材しようと思わなかった。

能登、氷見を捨ててきた者としては、室生犀星がうたうような都合のよい故郷で現実に起こった悲劇がたまらないのである。まして私は高岡も富山も捨てた人間である。

あれから二カ月、氷見の断水が復旧し、復興の一助となる北陸旅行に安く行けると聞いて、加賀温泉郷や金沢、そして氷見にも出かけることにした。

氷見の道の駅はフィッシャーマンズワーフとして有名な観光名所であるが、実は父方の実家の裏口に面している。私が幼いころ直接海水浴に出られた浜辺が埋め立てられて巨大観光施設になっているのだ。

絶品のちらし定食を食べておしゃべりに花を咲かせる地元のお婆さんたちの楽天的な氷見ことばになんともいえない旅情を感じた。そう「旅情」、私はすでに異邦人なのだ。

父方の実家の様子を見に行こうと思いたったのも、たわむれだった。家族でこの道の駅には何度も訪れているが、祖母が死んで以来この実家に寄ることがなくなった。

実は祖母と母は父との結婚当初から折が合わず、父は長男だったが、母と赤ん坊だった私を連れて家を出る決断をし、漁師をやめた。その事情を知らない私はその後、漁師をやめた理由を「時代の流れだから」と言うしかない父を、言葉通り受け取って軽蔑したものだ。私が帰省して氷見の菩提寺「浜の御坊」に墓参りするごと、母に祖母の見舞いに連れていかれたものであるが、母は嫌な顔ひとつしたことがなかった。もしかしたら、彼女も後ろめたかったのかもしれない。

私は道の駅から北大町の通りに出た。たわむれだった。

ふいに鉄槌で殴られたような衝撃を受けた。

そこは、楽天的な観光地とは打って変わって、衝撃的な惨状が広がっていた。北大町は古い漁師家の原形を留める建物が建ち並ぶ集落であるが、釣崎家を含め、見棄てられた空き家が、軒並み倒壊している。道の駅も氷見港も氷見駅も、耐震化された新しい住宅地も、目立った被災がないのに、北大町だけが派手に崩壊している。

置き去りにされた町の残酷な現実であった。

釣崎家は入口をブルーシートで覆われて立ち入り禁止の措置が取られ、公費解体の順番を待っている。

私にとって氷見は後ろめたい。

能登半島を氷見から北上すれば、北上すればするほど、置き去りにされた惨状が広がっている。

movie

中国語圏映画ファンが選ぶ2023年〝金蟹賞〟は『小さき麦の花』に！

小谷公伯

2024年2月10日春節（※1）の日、代々木のとある中華料理店で2023年〝金蟹賞〟選考会が開催された。

〝金蟹賞Tokyo Golden Crab Film Award〟とは、中国現代文学研究者で名古屋外大教授である藤井省三氏を審査委員長として、社会人向け講座の受講生が中心となっている選考委員（以下「委員」と表記）が、映画批評を行うという趣旨で毎年開催されている。初回の中華料理店で食べた蟹料理から〝金蟹賞〟と命名されたのである。受賞式が行われるわけではないので、いわば、映画ファンが勝手に選ぶ映画賞なのである。

選考の対象となるのは、日本国内の劇場および、映画祭で上映された中国語（地方方言を含む）が会話の中心となっている作品である。さらに、国内動画配信サービスによる鑑賞も対象としている。

国内映画祭上映後、翌年以降に劇場公開の場合は、二度目の対象となり、過去に上映された作品が、デジタル・リマスター版の上映、また、リバイバルや特集上映され、「私は初めて見て感動したので投票します」でも、不可としないのがユニークな点である。

基本的に有料チケットを購入して見ているため、面白くないものや、お金をかけている割に出来の悪い作品に対して、忌憚無く発言する反面、個人賞などは、贔屓俳優へは若干甘い採点となるなど、見た人の思い入れ度が投票に反映されることもある。

2023年最も評価が高かった作品は？

投票は、メーリングリストへの投稿で行われ、締め切り後、事務局にて集計された。

作品賞第1位には、2月に劇場公開された『小さき麦の花』（隠入塵煙）が選ばれた。

2011年の中国西北地方の農村を舞台にして、貧しい農民の男と、内気で障がいのある女性は、互いに家族から厄介者扱いを受けていて、見合いさせられ結婚する。二人は力を合わせ農作業をし、質素な家を建てながら、互いを慈しむ関係となって行く。そんな二人に、自然の猛威、時代の変化が押し寄せる、というストーリーである。ベルリン映画祭での上映では話題を呼び、中国の劇場公開でも、大ヒットの観客動員だった作品である。

審査委員長から、「大都市への出稼ぎ、機械化農業にも背を向けて、新婚の障がい者の妻と共に伝統的農法と手作りの村暮らし（二階建ての家まで手作りしてしまいます）の一年を過ごした後に〝隠入塵煙（土煙の中に消えていく）〟夫婦の姿に落涙を禁じ得ませんでした」との講評があり、投票者からも、「この映画で描かれたような生活は、もはや無いとしても、それでも『シャドウプレイ』の世界との対比は、凄まじすぎます」、「厳しい暮らしの中にある純粋な心の通いあいはとても美しいけれど、歯痒くて辛かった」のコメントが寄せられた。

第2位は、アモス・ウィー（黄浩然）監督の『縁路はるばる』（緣路山旮旯）が、5月に劇場されての票を集めて選ばれた。2022年大阪アジアン映画祭で『僻地へと向かう』のタイトルで上映され、第9位だった前回に続いての二年連続受賞となった。

IT企業で働くオタク男子ハウに突然モテ期が到来する。全く違うタイプの女性たちとデートで、それぞれ沙頭角、下白泥、大澳、船灣荔枝窩、長洲、茶菓嶺といった僻地へ送って行くエピソードが展開されるラブ・コメディーである。

近年日本でも人気のあるカーキ・サム（岑珈其）がオタク男子役を好演した作品である。

「香港の田舎に行きたくなりました」、「ジェニファー・ユー（余香凝）たちに散々いじられた後、最後に彼女といい仲になってホッとすると同時に、見ているこちらも嬉しくなった」とのコメントが上がっている。

第3位は、4作品が同票で並んだ。

まず一つ目は、俳優としても活躍している台湾のラン・ジェンロン（藍正龍）の監督二本目作品である『成功補習班』。1994年の台北が舞台。3人の男子高校生が、厳格な指導で知られる予備校に通う。そこで英語講師ミッキーと出会い、彼に導かれてゲイ・コミュニティーとの親交を深めるなかで、大きく変わり成長していく三人を描いている。

2005年東京国際映画祭で上映されたドキュメンタリー作品『非婚の家』を監督したミッキー・チェン（陳俊志）をモデルにして、その当時生徒だった自分の青春時代を描き、自ら監督した作品である。

投票者から、「爽やかであり、しんみりとする青春映画でした。高校時代の主人公役の眉毛が良いと思っていたら、成長したらイケメンになってしまうのはどうよ?と、不満だったのですが、監督が演じていたのを知り、まあ、しょうがないかと」のコメントが発表された。

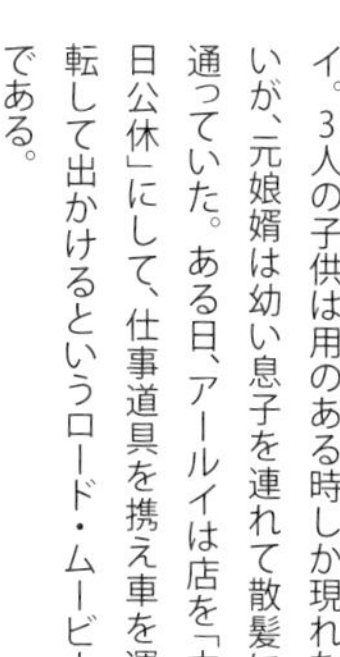

二つ目は、2023大阪アジアン映画祭で上映された『本日公休』。常連客に支えられ理髪店を40年営んできたアールイ。3人の子供は用のある時しか現れないが、元娘婿は幼い息子を連れて散髪に通っていた。ある日、アールイは店を「本日公休」にして、仕事道具を携え車を運転して出かけるというロード・ムービーである。

台湾のフー・ティエンユー（傅天余）が監督し、主演のルー・シャオフェン（陸小芬）は、本作の脚本を読んで気に入り、約20年ぶりの映画出演だった。なお、撮影に使用した理髪店は、監督の実家とのこと。

「ルー・シャオフェン姐が、古いボルボを運転している姿だけで胸一杯でした」とのコメントが上がった。

続いては、劇場公開作品ロウ・イエ（婁燁）監督『シャドウプレイ完全版』（風中有朶雨做的雲）。2013年の広州を舞台に、再開発が行われている地区での立ち退き賠償をめぐって、住民の暴動が起き、開発責任者が屋上から転落死し、警察が捜査を進めていく。社会主義市場経済が押し進められ天安門事件のあった1989年以後、激変する中国の30年間が描かれたクライム・サスペンス作品である。

投票者から、「中国がバッキバキに上昇しようとしていた時代の流れに翻弄される人々が、非常かつダイナミックに描かれている」とのコメントがあった。

三位の最後は、2023東京国際映画祭で上映されたガオ・ポン（高朋）監督の『ロングショット』（老槍）である。タイトルからハリウッドのロマンチック・コメディー作品を連想してしまうが、2023年東京国際映画祭で上映された本作は、リストラに揺れる1990年代中頃の、中国東北部の工場で起きた衝撃

"2023金蟹賞"選考結果

〈作品賞〉

1位 『**小さき麦の花**』（隠入塵煙）46点 劇場公開
2位 『**縁路はるばる**』（縁路山旮旯）37点 劇場公開
3位 『**成功補修班**』（成功補修班）36点 東京国際映画祭上映
同 『**シャドウ・プレイ 完全版**』（風中有朶雨做的雲）36点 劇場公開
同 『**本日公休**』（本日公休）36点 大阪アジアン映画祭条理
同 『**ロングショット**』（老槍）36点 東京国際映画祭上映
7位 『**僕と家族が幽霊になった件**』（關於我和鬼變成家人的那件事）35点 劇場公開作品
8位 『**長安三萬里〜思い出の李白〜**』（長安三萬里）30点 東京・中国映画週間上映
9位 『**アバンとアディ**』（富都青年）29点 沖縄環太平洋国際フィルムフェスティバル上映
10位 『**星くずの片隅で**』（窄路微塵）20点 大阪アジアン映画祭、劇場公開

〈銅蟹（どうかにー?）賞〉
『**ムービー・エンペラー**』（紅毯先生）ニン・ハオ（寧浩）監督

〈監督賞〉
ロウ・イエ（婁燁）『シャドウ・プレイ 完全版』（風中有朶雨做的雲）

〈主演女優賞〉
ジェニファー・ユー（余香凝）『縁路はるばる』（縁路山旮旯）ほか

〈主演男優賞〉
ウー・カンレン（呉慷仁）『アバンとアディ』（富都青年）

〈助演女優賞〉
マー・スチュン（馬思純）『シャドウ・プレイ 完全版』

〈助演男優賞〉
レオン・カーファイ（梁家輝）『愛してる!』（我愛你!）

〈イケメン賞〉
ウー・レイ（呉磊）『西湖畔に生きる』（草木人間）

〈新人賞〉
バイ・ルンイン『Old Fox』（老狐狸）
ウー・レンリン（武仁林）『小さき麦の花』
・決戦投票も同票で、新人賞二名となる。

このほか、国立映画アーカイブ企画上映「返還映画コレクション」に対して、撮影賞として『シャドウプレイ 完全版』、長安三萬里〜思い出の李白〜（長安三萬里）に対して、故ペマ・ツェテン監督に対してなど

的な事件を題材にして、急激な体制変化の中で苦悩する人々を描いている。

「国営企業崩壊の中での仲間達の生き様が、暗いタッチの映像の中で描かれ、最後は香港映画を彷彿させる明るさの中の銃撃シーンで閉める。面白かった」とのコメントが寄せられた。

第7位は、ネット配信での公開ながら、短期間ではあったが限定劇場公開された、『僕と幽霊が家族になった件』（關於我和鬼變成家人的那件事）が選ばれた。

『紅い服の少女』のチェン・ウェイハオ（程偉豪）が監督した本作は、警察官の青年が捜査中に落ちていた祝儀袋（紅包）を拾ったために、若くしてひき逃げ事故で亡くなったゲイの青年との結婚式をしなければならなくなってしまう、というストーリーで、台湾や中国や東南アジアの古い風習〝冥婚〟（※2）を題材にしたコメディー作品である。

「死んだ若者が同性愛という設定で、LGBTQ肯定者、否定者のキャラクターを登場させて笑いをとれる点に、台湾が歴史の中で形成されてきた共生社会の進展を感じさせてくれる」とのコメントが上がった。

第8位には、『長安三萬里～思い出の李白』（長安三萬里）が選ばれた。中国唐代安史の乱の数年後、チベット吐蕃の大軍が中国西南部に攻めて来る。長安は危機に瀕し、孤城で足止めをされた大唐の高適は、自分と友人李白の生涯を思い出す、というアニメーション作品である。2023年東京中国映画週間で上映された。

投票者から「やや難しい古典を題材に上手くまとめているアニメーションで感心しました。時代の流れ、王朝盛衰の中で齢を重ねる詩人たちの心理変化を、李白側でなく真面目な（一般常識人）の高適の側から見るのが映画らしいと感じました」のコメントが発表されている。

第9位は、国内では2023年11月初開催された沖縄環太平洋国際フィルムフェスティバルで上映されたのみだったので、投票者は少ないが、高評価の投票を得て、『アバンとアディ』（富都青年）が選ばれた。

マレーシアのクアラルンプール市内プドゥ地区を舞台にし、マレーシア生まれだが、身分証明書を持っていないために、パスポートや銀行口座さえも作れない兄と弟、兄は聾唖者で思わぬ事件に巻き込まれ、二人は窮地に立たされていく、という物語である。因みにマレー語でアバンは兄、アディは弟である。本作は中華圏最大の映画賞第60回金馬賞で、主演のウー・カンレン（呉慷仁）が最優秀主演男優賞を受賞している。

「ウー・カンレン（呉慷仁）の日に焼けた底辺の労働者で、なおかつマレー語の手話での役作りの凄さ」、「劇場公開はいつ？」とのコメントが上がった。

第10位は、『星くずの片隅で』（窄路微塵）が選ばれた。新型肺炎コロナ禍の香港、車の修理代や床洗浄剤の不足に悩ませられながら、消毒作業に追われている中年男性、ある日窓の無い部屋で暮らし、職を求めるシングル・マザーの女性と出会い雇うが、仕事先で子供用マスクを無断で持ち出したために、大事な顧客を失ってしまう。都会の片隅で生きる人々を丁寧に描いた作品で、『少年たちの時代革命』で共同監督を手掛けたラム・サム（林森）単独の監督作品である。

「香港の悲喜こもごもの暮らしの描き方が良い」、「『宵闇真珠』のアンジェラ・ユン（袁澧林）がとにかく可愛らしい。とても元気付けられるような演技で魅力的でした」とのコメントが上がった。

銅蟹（どうかにー？）賞は！

金蟹賞のラズベリー賞といえる、2023年の〝銅蟹賞〟は、ニン・ハオ（寧浩）監督の『ムービーエンペラー』（紅毯先生）が選出された。

「大スターを笑う映画に出てしまうアンディ・ラウ（劉德華）は凄いと思いますが、いま一つ笑えませんでした」とのコメントが上がっている。

監督賞ほか個人賞は！

個人賞は例年票が割れ、同点での決戦投票を経て決まることが多いのだが、今回は決戦投票を待たずに決まることが多かった。

まずは〝監督賞〟から、2023年は『シャドウプレイ 完全版』のロウ・イエ監督が選出された。投票者から「作品では『サタデー・フィクション』の方へ投票しましたが、中国での公開のための審査

で、担当局と戦いを評価してこちらへ」とのコメントがあった。

主演女優賞は、『縁路はるばる』、『白日の下』のジェニファー・ユーが選ばれた。「2023年はジェニファー・ユーに出会った年でした。今後、この人が出演する作品なら観よう、と思える役者です」とのコメントが上がっている。

主演男優賞は、『アバンとアディ』のウー・カンレンが、見ている者全てが投票し選ばれた。「彼のベストワークは『河豚』だと思うのですが、それに匹敵する素晴らしい演技でした。金馬影帝（※3）も納得でした」とのコメントがあった。

このほか、助演女優賞は、『シャドウプレイ完全版』での出演で、マー・スージュン（馬思純）が受賞。助演男優賞は、ニー・ダーホン（倪大紅）主演の『愛してる!』（我愛你）で、主人公が親しくなる恵英紅（カラ・ワイ）の夫役を好演したレオン・カーファイ（梁家輝）が選ばれた。

委員からイケメン俳優を紹介することから始まった〝優秀イケメン賞〟は、グー・シャオガン（顧暁剛）監督の長編二作目『西湖畔に生きる』（草木人間）に出演したウー・レイ（呉磊）が選出された。

また、2023東京国際映画祭で上映された台湾作品『Old Fox』（老狐狸）に出演したバイ・ルンイン（白潤音）、『小さき麦の花』で主人公を演じたウー・レンリン（武仁林）が選ばれた。監督の叔父だという。

2023年の中国語圏映画を振り返って

昨年の中国語圏映画を振り返ってみよう。別表「2023年中国本土・香港、台湾における興行収入ベスト5」を併せて参照されたい。

最初に、百度一下経由で検索し、中国本土の興行収入統計を探ってみる。国家電影局発表に基づいた「中国内地電影總票房一覧」等を参考にした。

年間興収は2022年の300・67億人民元（以下「元」と表記）から大幅に上向きとなり、549億1500万元（前年比82%増）となった。上映作品は前年174本（うち再上映5本）から、238本（うち再上映6本）となり、前年より64本増となっている。

新型肺炎コロナ感染症蔓延前の2019年の最高収入690億元に及ばず、2017年559億7100万元レベルまで回復しつつあると言えよう。ただし、動員数を調べて見ると約13億人で、2017年でなく2015年の約12億5900万人に近い数字だった。興行収入とのズレは、入場料値上げ分と推測する。

興収1位は、春節時期に公開されたチャン・イーモウ（張芸謀）監督作品『満江紅 マンジャンホン』（満江紅）45億4418万元で、2023東京国際映画祭でも上映された。

本作は、南宋時代の英雄で非業の死をとげた岳飛が残した詩「満江紅」をモチーフして、朝廷内に渦巻く謀略を描いているサスペンス時代劇である。

2位も中国作品で、SF映画としても評価の高かった『流転の地球』（流浪地球）の続編にあたる、『流転の地球 太陽系脱出計画』（流浪地球2）が40億2391元。SF小説「三体」で知られるリウ・ツーシン（劉慈欣）の短編をもとに製作されたSF超大作である。そう遠くない未来に起こりうる太陽系消滅に備えて地球連合政府による太陽系から離脱する〝移山計画〟、多くの犠牲を払いながら、人類の希望を懸けた最終作戦を描いている。第96回米国アカデミー賞国際長編映画賞中国代表に選ばれている。この大ヒットを得て、シリーズ3作目の製作も発表されている。

続いて10位まで全てが自国作品が占めているという状況。特記すべきは、巨大利権に絡んだ殺人事件を捜査する警官を主人公にしたサスペンス作品『堅如盤石』が9位で、チャン・イーモウ監督作品がベストテンに2作品もランク・インしている。

外国作品では、圏外だが、12位に米国作品『ワイルド・スピード／ファイヤーブースト』、16位に米・中国合作『MEG ザ・モンスターズ2』、日本のアニメーション『すずめの戸締り』が19位、『THE FIRST SLAMDUNK』が23位となっている。日本作品がこの位置の興収を記録したのは、初めてと思われる。中国でも日本アニメーションが受け入れられて来たと言えよう。

次に香港の状況を確認してみた。「2023年香港電影市道整體情況」（1月1日～12月31日）から見てみる。

年間では上映作品267本、うち香港（香港と中国本土との合作を含む）作品が46本で、前年の217本から約2割増加している。うち香港（香港と中国本土との合作を含む）作品に限定すると、2023年は46本の上映、前年の27本から約7割増加している。これは新型肺炎コロナ感染症の蔓延が一段落し、縮小されていた製作や興行環境が蔓延前に戻って来たことによるものだろう。

しかしながら、年間興行収入では、14億3317万香港元（以下、「港元」と表記）で、前年の横ばいという状況。蔓延前である19億2319万港元の2019年比約70%に過ぎない。上映本数が増加してきても、観客は戻って来ないといえようか。

香港C—での年末12月28日付のウェブ記事では、「クリスマス時期の興収が伸びず、過去20年間で最も低い」(※4)と、香港電影工作者協会田啓文のコメントを載せている。香港の映画業界にとっては、引き続き厳しい年となった。

公開作品1位は、香港作品『毒舌弁護人 正義への戦い』(毒舌大状)が1億1506港元を稼ぎ出し、香港作品の興行記録を更新する大ヒットとなった。

治安判事ラム・リョンソイは、新しい上司の気分を害したことで職を失ってしまうが、友人の勧めもあり、50代にして新たに法廷弁護士として道を歩み始める。そんなラムがはじめて弁護を担当したのは、とても複雑には見えない単純な児童虐待事件だった。しかし、その事件が思いもよらない展開をみせ、ラムとパートナーの若き女性法廷弁護士は、大きな権力闘争に巻き込まれていく。ダンテ・ラム(林超賢)(『密告・者』)作品で脚本を手掛けてきたジャック・ン(呉煒倫)の初監督作品である。

しかしながら、2位『オッペンハイマー』7億2971港元から10位まで全て外国作品が占めている。日本作品ではアニメーション『THE FIRSTSLAMDUNK』が6位の3億9391港元で、12月1日公開で越年しての公開なので、最終興収は更に上乗せされるだろう。『すずめの戸締り』が10位で2億8811万港元に入っている。

香港作品のみで探ってみれば、当然ながら1位が『毒別弁護人 正義への戦い』、2位が2023東京国際映画祭で上映された『年少日記』2345万港元、3位が2023大阪アジアン映画祭で上映された『死屍死時四十四』2269万港元、4位が2023東京国際映画祭で上映された『白日之下』2112万港元、5位に韓国の恐怖コメディー作品『シシルリ2Km』のリメイク作品『超神經械劫案下』1615万港元。6位に『掃毒3 人在天外』13016万港元、7位に6月に上映された『別叫我"賭神"』が13016万港元で、チョウ・ユンファ(周潤發)、アニタ・ユン(袁詠儀)主演の本作は、英領香港時代を知る香港映画ファンには、嬉しいキャスティングであろう。蛇足ながら、8位『命案』、9位『風再起時』、10位『釀魂』となっている。

次に海を渡って、台湾の状況を探ってみよう。国家電影及び視聴文化中心の集計及び台北票房データ、TNLメディアジーン等のウェブ記事を参考にした。

興収第1位は、日本アニメーション作品『THE FIRST SLAMDUNK』で、興行収入4億5800万新台湾元(以下、「台元」と表記)だった。バスケット・スポーツが盛んな台湾の子供時代に、コミックやTVアニメで触れていた世代を超えての観客を集めた様子。

2位も外国作品で『ミッション・インポッシブル/デッド・レコニングPART ONE』4億3600万台元。

3位の『僕と幽霊が家族になる』3億6300万台元が、トップ10に入った唯一の台湾作品である。2023年第60回金馬賞では長編作品、監督の主要部門を含む8部門でノミネートされた。

以下4位に『ファストX』、5位に『ザ・スーパーマリオブラザーズ・ムービー』、6位に『すずめの戸締まり』と続く、筆者の友人の一人が、「本作の災害と日本人、そして主人公少女の設定は、台湾の人々にとっても同様に共感し易かった作品だった」と述べている。また、9位にも宮崎駿監督『君たちは何を考えるか』が入っており、日本アニメーション作品の人気は高いようだ。

台湾作品のみでピックアップしてみると、1位は当然に『僕が優麗と家族になった件』で、シンガポール、マレーシアでの公開でもヒットしている。台湾のローカル的な内容ながら、商業的娯楽作品として上手く仕立てたことが成功に繋がっているのだろう。2位に民間信仰を取り入れたホラーシリーズの『縄の呪い3』『粽邪3:鬼門開』が8085万台元、3位にギデンズ・コー監督作品『ミス・シャンプー』(請問、還有哪裡需要加強)764万台元、4位は、イーサン・ルーアン(阮經天)、ジングル・ワン(王淨)主演の中国三国時代の呉の武将にまつわる故事を骨子としながら現代バイオレンス・アクションに仕立てた『周處除三害』4664万台元、5位『呪われの橋2 怨霊館』(女鬼橋2:怨鬼樓)と続いている。

特記すべきは、主演のウー・カンレンが金馬賞で最優秀主演男優賞を授賞した受賞式後に公開された、マレーシア作品『富都青年』で、僅か1ヶ月公開で8700万台元を超え、華語作品で潜ってみれば、『僕が優麗と家族になった件』に続く位置の興収を上げている。年を越えて上映されたので、最終興収は更に積み重ねるだろう。

最後に、華人人口の多い、シンガポール、マレーシアでの年間興収に関するウェブ記事も復活していたので、触れてみよう。

2023年中国本土・香港・台湾における興行収入ベスト5

興収額　中国本土＝人民元　香港＝香港元　台湾＝新台湾元

項目		1位	2位	3位	4位	5位	特記作品
中国本土	全公開作品	満江紅(マンジャンホン) (満江紅) 45.44億	(流浪地球２) 40.24億	(狐注一擲) 38.31億	(消失的她) 35.22億	(封神第一部:朝歌風雲) 26.34億	(八角籠中) 21.95億 長安三萬里 (長安三萬里) 18.23億
	中国作品	満江紅(マンジャンホン) (満江紅) 45.44億	(流浪地球２) 40.24億	(狐注一擲) 38.31億	(消失的她) 35.22億	(封神第一部:朝歌風雲) 26.34億	
香港	全公開作品	毒舌弁護人 正義への戦い (毒舌大戦:) 1.1506億	オッペンハイマー (奥本海默) 0.7297億	ミッション:インポッシブル/デッドレコニング PART ONE (職業特工隊:死亡清算 上集) 0.6053億	スーパーマリオブラザーズ・ムービー (超級瑪利歐兄弟電影版) 0.5252億	ガーディアンズ・オブ・ギャラクシー VOLUME 3 (銀河守護隊３) 0.4411億	7位 (別叫我"賭神") 0.1302億
	香港作品	毒舌弁護人 正義への戦い (毒舌大戦:) 1.1506億	年少日記 (年少日記) 0.2346億	四十四にして死屍死す (死屍死時四十四) 0.2269億	白日の下 (白日之下) 0.2112億	(超神経械却案下) 0.1615億	
台湾	全公開作品	THE FIRST SLAM DUNK (灌籃高手 THE FIRST SLAM DUNK) 4.58億	ミッション:インポッシブル/デッドレコニング PART ONE (不可能的任務 致命清算 第一章 4.36億	ワイルド・スピード ファイヤーブースト (玩命關頭Ｘ) 3.55億	ブラックパンサー/ワカンダー・フォーエバー (超級瑪利歐兄弟電影) 2.95億	僕と幽霊が家族になった件 (關於我和鬼變成家人的那件事) 3.63億	すずめの戸締り (鈴芽之旅) 2.52億 アバンとアディ (富都青年) 0.87億
	台湾作品	僕と幽霊が家族になった件 (關於我和鬼變成家人的那件事) 3.63億	(粽邪３：鬼門開) 0.81億	ミス・シャンプー (請問, 還有哪裡需要加強) 0.71億	縄の呪い (周處除三害) 0.47億	呪われの橋２ 怨霊館 (女鬼橋２：怨鬼樓) 0.33億	

邦題がある場合は邦題(含映画祭上映作品)で表記し、括弧書きにて現地公開題を表記。邦題無しまたは不明の場合は現地公開題のみで表記
中国、香港、台湾での中国文公開題が異なる場合、現地公開題で表記
中国本土：中国内地電影總票房一覧や電影票房排行榜等の興行収入統計データを検索して作成
香港：香港電影業協會及香港戯院商會の下部組織である香港票房有限公司の2023年香港電影市道整體状況データから作成
台湾：國家電影及び視聴文化中心集計データ及び台北票房データを参考にして作成

シンガポール聯合早報2023年12月30日のウェブ記事によると、「『バービー』首位、ジャック・ネオ(梁智強)(監督)アジア作品での首位、日本アニメーション上昇、韓国作品埋没」(※5)の見出しで、シンガポールでの興収1位は、米国作品『バービー』の627万シンガポール・ドル(以下、「新元」と表記)であった。ベスト10まで全てが米国作品で占めた。

華語作品のみのチャートでは無くアジア作品としての集計データだが、シンガポール梁智強監督作品『猫山王中王』が185万新元、『すずめの戸締り』150万新元、中国の犯罪ドラマ作品『狐注一擲』136万新元、『流転の地球 太陽系脱出計画』99万新元、香港武侠作品『天龍八部之喬峰傳』95万元、ジブリ作品『君たちはどう生きるか』90万(年を越えての公開なので増えている可能性有り)、『THE FIRST SLAMDUNK』80万新元、『龍馬精神』78万新元、『封神第一部 朝歌風伝』64万新元、10位も台湾作品『僕が幽霊と家族になって件』55万新元となっており、確かに、韓国作品が見当たらない状況だった。

マレーシアでは、2024年1月11日チャイナプレスのウェブ記事を参考にすると、「興収1位がハリウッド作品から奪還」との見出しが付いて、自国作品『Polis Evo3』、4位に自国作品『Malbatt Misi Bakara』、9位に中国作品『狐注一擲』で、この3作品以外は米国作品であった。

華語作品のみでは、前記の『狐注一擲』をトップに、『毒舌弁護人 正義への戦い』、『龍馬精神』、『猫山王中王』、『金手指』、『天龍八部之橋峰伝』、そして7位に『アバンとアディ』で、記事では「マレーシア作品国際的評価上がる。(主演男優賞受賞)金馬賞の『富都青年』(※6)」と、記載されていた。

さて、エンドタイトルが流れると映画は終了である。2024年は、より一層多くの華語作品が日本でも見られることを期待して、PCのスイッチを切ることにする。

(※1)中国、夏の時代に確立されたという自然界の変化を捉えた農暦(一甲子＝60年のサイクルで繰り返す暦)の正月をいう。
(※2)死者を弔う際、その魂がまだこの世にあるうちに、生者と死者に分かれた者同士を結婚させて、あの世に送り出すという民俗風習のこと。中国(特に山西省、陕西省)を始めとする東アジア、東南アジアにみられた。日本でもごく穏やかな方法で、東北の一部地域、沖縄でみられた。余談だが、フランスでは、民法において、将来の夫婦を予定していたが、戦死等の重大な理由があれば死後の婚姻が認められる条項がある。
(※3)華語圏最大の映画賞と呼ばれる金馬賞(金馬奨)の最優秀主演男優賞受賞者に対して称される。
(※4)(※5)(※6)筆者の直訳、括弧括り部分は補足による。

小谷公伯：〝金蟹賞〟選考委員。会社勤めの傍ら海外へ出かけ、時には5日間で三か国を回りながら現地の劇場で映画を梯子見したり、ローカルバスに乗って都市部で上映が終了した作品を見に郊外の映画館まで出かけたり、ロケ地巡りをするアジア映画迷。

movie

小林美恵子

よりぬき［中国語圏］映画日記

映画にみる現代中国の「夢のような」貧困
——『小さき麦の花』『青春』

春節に行われた二三年の「金蟹賞」選考で作品賞を獲ったのはおおかたの予想通り『小さき麦の花』であった。詳しくは前頁の金蟹賞記事を参照されたい。「清く、貧しく、美しい」夫婦愛を描いたこの映画、中国では二二年中国の国内興行収入二〇億円を超える大ヒットとなって「奇跡の映画」と呼ばれたという。同年のベルリン国際映画祭では五点満点中四・七点という審査員得点を得た。金蟹賞選考会時点ではすでに二三年二月の日本公開から一〇か月以上たっていたのにもかかわらず、多くの選考委員の記憶にしっかりと残って高得点を獲得したのであるが…

だれもがいい映画だというのだけれど、そういわれれば言われるほどに好きになれない。え？ それはどうして⁇本稿ではこの映画についての、ちょっとへそ曲がりな論考から始めてみる。

★小さき麦の花（隠入塵煙）／二〇二二／監督＝李睿珺

もはや中年に達しながら兄一家の納屋に住む有鉄は、兄の息子が結婚することになり、一家の持て余し者として配偶者を得て独立することを求められる。相手に選ばれたのは障がい者として一人前には扱われず、やはり一家の厄介者扱いの娘・貴英。見合いの席で本人たちの意思とは無関係に話がどんどん進められ、その地に幾つもある空き家—持ち主が都会に出て行ったまま放置されている—の一つをあてがわれて二人の新婚生活がスタートする。とはいっても祝宴があるわけでもなく、有鉄が飾るそっぽを向いて笑顔のない貴英との結婚写真、壁に貼った「双喜」の切り文字だけが新婚を示すというまことにわびしい始まりである。旧来的な家族概念と障がい者への差別を受け容れるところから始まる関係なのがなんとも歯がゆく、もどかしくつらい。

しかし、この新婚生活、一場面一場面の静かで穏やかなたたずまいや、彼らを囲む中国西北の砂漠っぽい黄色い景色とその中で育つ植物や動物の生命感が目に沁みるような麗しさで描かれる。

特に監督の叔父で、実際に農民である武仁林扮する有鉄という男の優しさ—動物にも作物にも—そして何と言っても障がいがあり体の弱い妻をいたわりながら畑も家作りもこなし、強いられてとはいえ村の同じ血液型の病人に何度も輸血までし、そして借りたものは必ず返すという律儀さ、さらに時に吐く地に足を付けた農民らしいしかし哲学的な響きも感じる言葉などから、彼が大変に有能な性格も良い男であること察せられる。土地さえあればちゃんと稼ぐこともできるし、なんでこんな男が持て余し者になってしまうのかわからない。そのあたりが不自然でもあるし、不自然でなければそういう評価をこの男に下してしまう中国社会の問題なのかとも思わされる。

空き家は持ち主が壊せば政府から一万五千元の補助が出るとかで、補助金を手に入れたい持ち主が戻るたびに夫婦は「明日出ていけ」と追い出され、別の空き家に移らなくてはならない。そこで有鉄は日干し煉瓦を作って自分たちの家を建てることに。ここでまた彼の有能な働きぶりと、不自由な体で彼を手伝う貴英の健気さが描かれる。そして畑には作物が実り、ひよこも元気に育ち、有鉄が妻に「来年はちゃんとした病院で診てもらおう（そうすれば体はよくなるかもしれない）」というまでに二人は暮らしを築いていくのだが…。

しかし、映画はこの二人に幸せな結婚生活を全うさせない。つややかに黄色いトウモロコシを収穫しロバの引く車いっぱいに積んで帰った有鉄を襲う悲劇、その上せっかく建てた家もこの家の権利を主張する甥っ子（土地の所有者?）が現れて、空き家として取り壊されることになる。近隣の住人が「いよいよ有鉄も町に住むのか」と噂するシーンがあるのだが、そうなの?という大変に思わせぶりというか象徴的なというか、ビジュアル的にはアートとして目を引くような終わり方である。

貧富格差の大きい中国でこういう映画の登場人物が共感を呼ぶのは、観客も個々の富裕度に合わせ高望みをしない生き方にシアワセを見出すべきだということなのか、あるいは政府の方針に従えばちゃんと一万五千元の補助金が出るのだから、それでいいじゃないかと言っているのか…もちろん作者はこの夫婦の人生をハッピーエンドにはしなかったのであり、それは中国社会への批判ということにもなるのであろうが…、であるとするならば少し美しく描き過ぎではないか? 取り囲む景物が美しければ美しいほど、またそこに現れた人々が素朴なたたずまいで感情を表現すればするほど、どうにもいごこち悪く素直に感動することを阻むものがあるのは私の人の悪さによるのだろうか…。

★青春／二〇二三／監督＝王兵

『小さな麦の歌』は、中国での公開二ヶ月後にTikTokが火付け役になって若い世代に大評判となり興行収入トップという記録を作ったという。とすれば、昨秋映画祭上映、四月末には劇場公開される王兵のこの新作ドキュメンタリーに登場するような若者たちこそがその感動の潮流を作ったとも言えそうだ。

浙江省湖州市織里鎮には子供服中心の縫製工場が一万八千もあるという。この街で働く一〇代後半から二〇代の若者たちが映画の主人公である。オシャレな服装、アクセサリー、タトゥの青年。ヘッドホンで音楽を聴きながら積み重ねられた布類と格闘する青年。喫煙は中学時代からという少年たちは布地の山の傍らでタバコをふかす。妊娠した娘の親は工場に休暇をもとめ中絶手術を受けさせる交渉をする。一方、男の子が彼女を妊娠させてしまったが結婚はできないとうそぶくシーンもあり、それと紙一重のように工場の片隅で愛を語る男女（だいたい女の子が冷たく、男がべたべた甘えるのは中国劇映画の世界と同じ）の場面やケンカ・口論場面などいろいろ現れる。三時間半余りのこの繰り返しに意味があるのかとも思えるが、そのことによってこれが現代中国の青年たちのある階層の現実を描いているのだとわかってくる。終わりの見えない作業労働の合間に刹那の享楽に走る若者たちだ。そういう人々の集合というか群像性を描くところがいかにも王兵映画である。

ここにあるのは、彼が描いてきた『鉄西区』（一九九九-二〇〇三）『苦い銭』（二〇一六）などのいかにも貧しい労働の世界とも、『小さき麦の花』の夢のような貧困とも違う世界だ。

青年たちは明るくにぎやかだが、ノルマの中で機械のようにミシン操作に明け暮れ、ベッド一つを与えられての出稼ぎ暮らしは決して豊かという感じではない。これが現代の貧困労働なんだろう。教育により高収入にのし上がっている中国人の若者との対極にある農村出身の青年たちの貧しさが画面の中から滲み出してくるのである。

母が建てたという「豪邸」に女性を案内する青年が出てくる。成功して故郷に家を建てる母は、まさに空き家を壊して街に居を移す『小さき麦』の住人たちの行きつく希望のような気もする。その意味では二つの貧困は夢の底流でつながっているのかもしれない。

★小林美恵子『中国語圏映画、この10年～娯楽映画からドキュメンタリーまで、熱烈ウォッチャーが観て感じた100本』好評発売中!
発行：アトリエサード、発売：書苑新社／四六判・224頁・カバー装・税別1800円 詳細・通販→ アトリエサード http://www.a-third.com/

ダンス評［2024年1月〜3月］

新たな挑戦へ
笠井叡、三東瑠璃、大植真太郎 大瀧拓哉、森山未來、島地保武 辻本知彦、菅原小春、小池博史 松島誠、今井尋也、ヴァツワフ・ジンペル

志賀信夫

三東瑠璃（Co. Ruri Mito）が、笠井叡に振付を依頼した『NOBODY IS HERE』（東京芸術劇場シアターイースト、一月二十六日）。ダンサーは三東と大植真太郎で音楽はピアニスト大瀧拓哉の生演奏。ソロとデュオの身体と音楽、ベートーベンの「エロイカ」の変奏曲とフーガ（Op.35）、バッハの「半音階的幻想曲」とフーガ（BWV903）が交錯する。笠井はバッハのフーガの技法、ゴールドベルク変奏曲、『ショパンを踊る』などピアノと踊る作品を作り続ける。

ピアノはダンス、バレエについて歴史的に大きな役割を果たしてきた。現在もバレエ団では、バレエピアニストが練習の際に生演奏で『白鳥の湖』からすべて演奏する。レコードや録音がない時代から、バレエ団やモダンダンスのグループにはピアニストがいた。ピアノとダンスは相性がいい。ソロもオーケストラ曲もこなし、打鍵楽器でパーカッシヴなリズムも生み出す。一人で演奏するため、ダンサーの動きに当意即妙に反応できる。

笠井は、音楽の多様な展開に、ダンサーがどう動くか、どう動かすかを考え、しっかり振り付けているが、バレエのような「型」がなく、即興的に踊っているように見える場面もある。そして展開のスリリングさ、男性と女性の身体感覚の違いなど、さまざまな身体表現の魅力が立ち上がり、強く魅了される公演だった。

笠井叡は二〇二一年から、「ポスト舞踏派」としてコンテンポラリーダンサーを振り付け、新しい作品に挑戦してきた。『櫻の樹の下には　笠井叡を踊る』、二〇二二年『牢獄天使城でカリオストロが見た夢』と『櫻の樹の下には　カルミナ・ブラーナを踊る』。今回はモーツァルトの『魔笛』（神奈川芸術劇場、二〇二四年一月八日）。

出演したのは、笠井、そしてこれまでも出演している森山未來、島地保武、辻本知彦、大植真太郎に加えて、菅原小春。菅原は最も知られるダンサーの一人で、独自のダンスは海外からも注目を集める。島地と辻本は金森穣主宰の初期Noism（ノイズム）出身だが、辻本は菅原とは一緒に『パプリカ』の振付を行っている。そのつながりからか、めったに生で見ることのない菅原小春のダンスは、非常に魅力的だった。ハイスピードダンスのテクニックに加えて独特の柔らかさ、「ため」と「間」が巧み。舞台上でダンサーは声を発し「口上」を述べるが、その発話もインパクトがある。彼女の演技にも注目していた。最初は宮藤官九郎脚本『いだてん』（二〇一九）に人見絹江役で登場。二〇二三年のパリピ孔明』（根元ノンジ脚本）でも、踊れる歌手の設定で見事な歌声とダンスを披露していた。

森山未來は俳優として有名だが、実家がダンススクールで、『モテキ』（二〇一〇）などの映画でもダンスを披露。イスラエルに住んだ後ダンスに転換かと思ったが、その後もダンスと芝居を両立。『パリピ孔明』『シン・仮面ライダー』『未解決事件 File.10 下山事件』など次々と出演し、アーティスト・イン・レジデンス神戸」の活動も行う。

島地保武はパートナーのバレエダンサー、酒井はなとのユニット「Altneu」で活動する。辻本はノイズムからローラン・プティ『ピンクフロイドバレエ』、シルク・ドゥ・ソレイユを経て、米津玄師など有名歌手を振り付ける。大植真太郎は、ローザンヌバレエコンクールから海外で活動した後、日本で森山や平原慎太郎、柳本雅寛などとともに公演してきた。

今回の作品は、モーツァルト『魔笛』に題材をとりながら、歌舞伎的な要素など伝統的な日本文化とダンス、舞踏が混淆する作品となった。土方巽作品でも下駄や着物など日本的な要素が使われるが、笠井の演出は異なる。西洋神秘思想やオイリュトミーなどに深く関わった笠井は、「西洋の眼」を通して日本文化を見る。外国人が見た日本に近い視点が笠井の作品には見て取れる。ポスト舞踏派が求めるのは、そういう新たな表現かもしれない。

小池博史が率いたパパ・タラフマラは一九八二年から二〇一二年まで三〇年活動。初期のヴォイスパフォーマー、小川摩利子、ダンサー、白井さち子、あらた真生、松島誠、三浦宏之。ゲストで山崎広太、野和田恵里花、岩下徹なども出演している。主宰した学校PAIからも優れたダンサーを輩出した。

初期の静謐かつ抽象性と身体性が混じり合った舞台から『三人姉妹』（二〇〇五）のようにおもちゃ箱をひっくり返したような舞台に展開。二〇一二年に「小池博史ブリッジプロジェクト」を立ち上げ、その結実が二〇二一年『完全版マハーバーラタ』である。コロナ下での映画『銀河 2072』（二〇二二年）に挑戦など新たな展開から今回、『N／KOSMOS』が生まれた（東京芸術劇場シアターイースト、三月二十四日）。

★（写真2点とも）
『N/KOSMOS』photo：許方于

ポーランドの作家、ヴィトルド・ゴンブロヴィッチ（一九〇四〜六九年）の小説『コスモス』（一九六〇年）に基づく。二〇一五年、『狂気の愛』で知られるアンジェイ・ズラウスキ監督により映画化されたが、小池はこれを、ポーランドのグロトフスキー研究所と共同で舞台にした。

イェジー・グロトフスキー（一九三三〜九九）は、アントナン・アルトー（一八九六〜一九四八）の「残酷演劇」の影響から、一九五九年「演劇実験室」で舞台や装置を拒否した「貧しい演劇」を提唱、『アクロポリス』（一九六二）などでピーター・ブルックなど多くに影響を与えた。日本メンバーはパパ・タラフマラ時代から卓越した身体感覚で知られるダンサー、パフォーマーの松島誠。鼓演奏家で前衛演劇集団を率い、多ジャンルで活動してきた今井尋也。荒木亜矢子、中島多羅、野村陽介に、シルヴィア・H・レヴァンドスカ、マレク・グルジンスキなどポーランド俳優陣も卓越した演技力の持ち主だった。

特筆すべきは音楽のヴァツワフ・ジンペルだ。クラリネットなどのリード楽器を中心に多様な音をこなし、そこに今井尋也の鼓や謡などが絡み重層的な音楽が生まれる。さらに、リアルタイムカメラの映像が進化し、山上渡の舞台美術を見事に生かす。身体と音楽と映像の万華鏡とでもいうべき、多様な色彩が混淆したような新しい世界を生み出した。また、ポーランド的ともいえる一種の闇の力が強い磁場を生じさせ、作品に厚みと深さを与えていた。スピードの速いめくるめく展開とともに、小池博史の魔法が新たな段階に入ったことを示している。

「コミック・アニメ・ゲーム」×ステージ評

ブルーロック、CAT'S♥EYE、モノノ怪

高 浩美

1月にあった舞台『ブルーロック』2nd STAGEは、初演の続きの物語。「二次選考」の様子が描かれる。300人中125人が進んだ二次選考（奪敵決戦《ライバルリー・バトル》）は、1stから5thステージに分かれている。1stステージからスタート、3人一組で、試合に勝つと相手から1人引き抜くことができ、人数に応じてステージが変動する。2ndステージを敗退し1人になった者は脱落という、非情とも言えるルール。

コロナ前は、スポーツものの2・5次元と言えば部活もの、というイメージだったが、ここではトッププレイヤーになるための非情とも言える選択や試合が行われていく。ルールの通告は映像で、絵心甚八（横井翔二郎）の語りがよりクールに冷酷に見える。メインキャラクターは潔世一（竹中凌平）だが、群像劇になっており、全てのキャラクターの想いがよくわかる。

1次選考を突破した潔は蜂楽廻（佐藤信長）・凪誠士郎（國島直希）と組み、2次選考ランキングトップ3の糸師凛（長田光平）・蟻生十兵衛（磯野大）・時光青志（中林登生）のチームに挑む。蜂楽のパスセンスと凪のトラップ力が化学反応を起こす。いいところまでいき、点を奪う。だが、糸師凛らの圧倒的な実力に敗北し、蜂楽を引き抜かれてしまう。部活ものでは主人公がいるチームは負けないパターンが多い中、力及ばず、負け、そこから新たな決意と試合時の創意工夫を試みる。

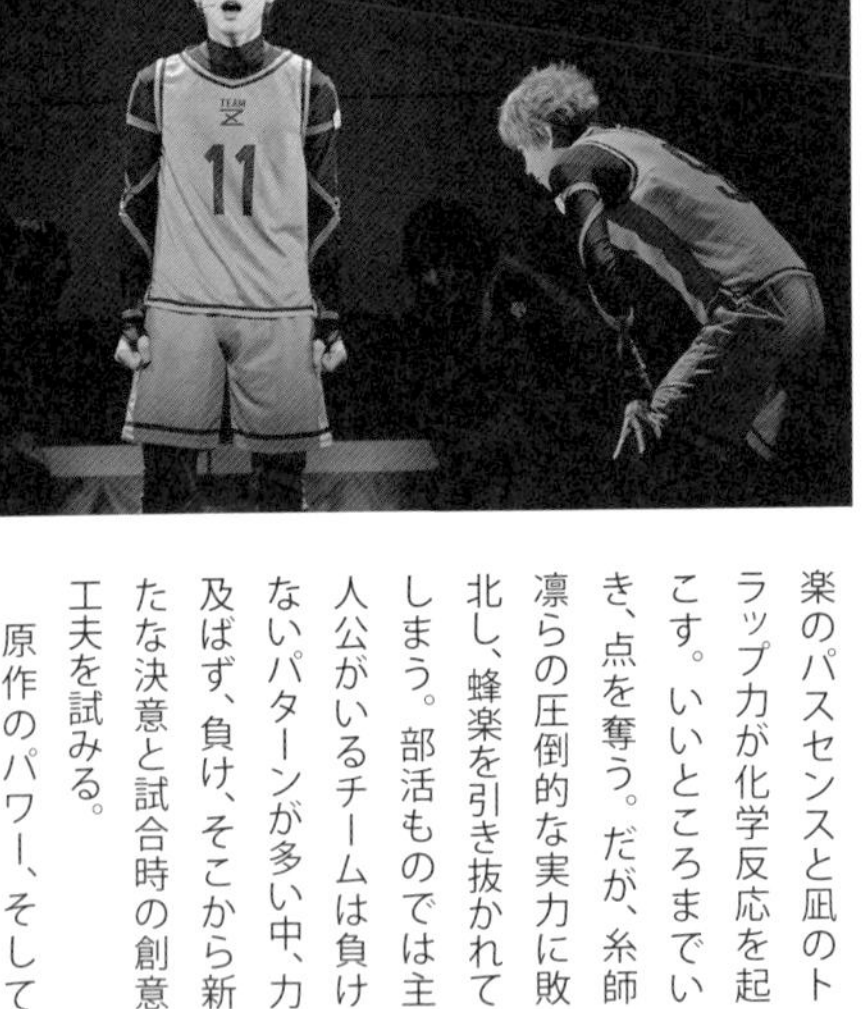

★舞台『ブルーロック』2nd STAGE
©金城宗幸・ノ村優介・講談社／舞台『ブルーロック』2nd STAGE

原作のパワー、そしてサッカーを鍛錬したキャスト、映像演出の相乗効果で見応えのある舞台になった。また、キリキリとした試合シーンだけでなく、彼らの日常も描かれており、綺麗好きな馬狼照英（井澤勇貴）は、部屋が散らかっているとものすごくキレるが、怖さを通り越してなんだか微笑ましくもなる。また名前が古臭いとコンプレックスを持つ蟻生十兵衛の挙動も可愛らしく見える。そんな彼らのオフは人間臭く、また舞台ならではのリアル感も。シリーズものはどうしても続きが観たくなるが、これもそう思わせる2nd STAGEであった。

また懐かしの『CAT'S♥EYE』の舞台化は明治座創業150周年公演。時代設定が、なんと明治時代、そこで怪盗キャッツアイの三姉妹、来生泪（高島礼子）、来生瞳（藤原紀香）、来生愛（剛力彩芽）が大活躍！ もちろん、瞳にゾッコンの警察官・内海俊夫（染谷俊之）や姉妹のアジトの喫茶店も登場（原作では喫茶「キャッツアイ」だが明治時代なので「喫茶猫目」）。もちろんオリジナルストーリーで、舞台だけのオリジナルキャラクターも登場。原作に忠実に、が王道の2・5次元で、この設定はかなり奇想天外だが、実際に観劇すると『CAT'S♥EYE』そのものと思えてく

る。三姉妹に扮している藤原紀香、高島礼子、剛力彩芽がキャラクターの性格や雰囲気を醸し出す。また、洒落の効いたキャラクター、ネズミ小僧三世に思わず笑いが起こる。もちろん、大ヒットしたあの曲も！ 演出は極めてアナログ、脚本は岩崎う大（かもめんたる）、演出・共同脚本は河原雅彦。

舞台『モノノ怪～座敷童子～』は、2007年7月よりフジテレビ「ノイタミナ」枠ほかにて放送された『モノノ怪』が原作。第一弾は、作品の原点となった同枠放送の『怪～ayakashi～』シリーズの1エピソード「化猫」の舞台化だったが、第二弾となる本作は、アニメ『モノノ怪』の第1・2話を飾った「座敷童子」。最初に徳次（西銘俊、白又敦＝Wキャスト）と久代（新原ミナミ）が登場し、「とうざい、とうざい（東西東西）」の掛け声で始まる。身重の女性、志乃（岡田夢以）が夢を見る。奉公していた家の若旦那に見初められ、身籠った子だ。どうしても産みたいと思う志乃だが、子供が男子だったらお家騒動になりかねない。どうしても産みたいがために家から逃げる。

★舞台『メイジ・ザ・キャッツアイ』

アニメを視聴していたなら、物語の展開や結末は先刻承知。アニメと同じく「前編」と「後編」に分かれ、映像演出の色彩が美しく、作品世界を創造する。タイトルの「座敷童子」は、妖怪で座敷または蔵に住む神と言われている。この広い部屋には悲しい過去があり、それで座敷童子がここにいる。身重の志乃は、子供を産みたい、そして母性も芽生えている。志乃は過去の幻影を見、この宿で起こったこと、自分の身に起こったことを悟る。薬売りは座敷童子の「理（ことわり）」を探り出そうとする。

アナログ演出と映像の融合、赤い布で様々な事象を表現、映像も過剰にはならず、物語の世界観と2・5次元らしいアニメ感も醸し出す。部屋に隠された切ない秘密など、それぞれのキャラクターのバックボーンも細かく描き、派手な立ち回りはない。勧善懲悪のような結末ではなく、どこかにほのかな救いが感じられる終わり方。座敷童子は妖怪ではあるが、「悪」ではない。彼らがなぜ、座敷童子になったのかが泣ける。

★舞台『モノノ怪～座敷童子～』
©舞台『モノノ怪～座敷童子～』製作委員会

主演は新木宏典、演出はヨリコジュン。ちなみに日本の妖怪は、奈良時代に書かれた「古事記」や「日本書紀」に登場した大蛇（ヤマタノオロチ）や鬼が起源。平安時代には、「今昔物語集」や「宇治拾遺物語」に鬼や妖怪が行進する百鬼夜行など、妖怪にまつわるエピソードがあり、鎌倉～室町時代には、物語絵や絵巻物の中で妖怪の姿かたちが表現されはじめる。そして江戸時代に入ると妖怪ブームが到来。つまり、妖怪が現れてから早1300年以上。妖怪ものは2・5次元でも王道と言えるだろう。

今後の話題では、コミック『パリピ孔明』の舞台化が5月開幕。演出は石田明（NON STYLE）。早い舞台化で、注目されている。

CULTURE

流血と痛みのアートパフォーマー 身体改造カルチャーのレジェンド ロン・アッセイに会った！

ケロッピー前田

私、ケロッピー前田が追い続ける最も過激なカウンターカルチャー、身体改造の最前線をリードし続けたレジェンド、ロン・アッセイとひさびさの対面を果たした。

いまでこそ、広く知られるようになったタトゥー、ピアス、過激な身体改造だが、その発祥はロサンゼルスとサンフランシスコといったアメリカ西海岸で、1980年代にゲイやSMのカルチャーとともに盛り上がり、のちに世界中に拡散していく。その黎明期から流血や痛みを伴うパフォーマンスで活躍してきたのがロン・アッセイである。彼との縁は、私が編集した『コンプリートピアス&タトゥーマニアル』（1997年刊）の表紙を飾ってもらったことだが、いまも現役バリバリで活躍しており、リック・オウエンスとDr.マーチンとのコラボレーションのブーツの広告にて、モデルとして登場しているのを見た人は多いだろう。

★真術的モチーフの後頭部のタトゥー

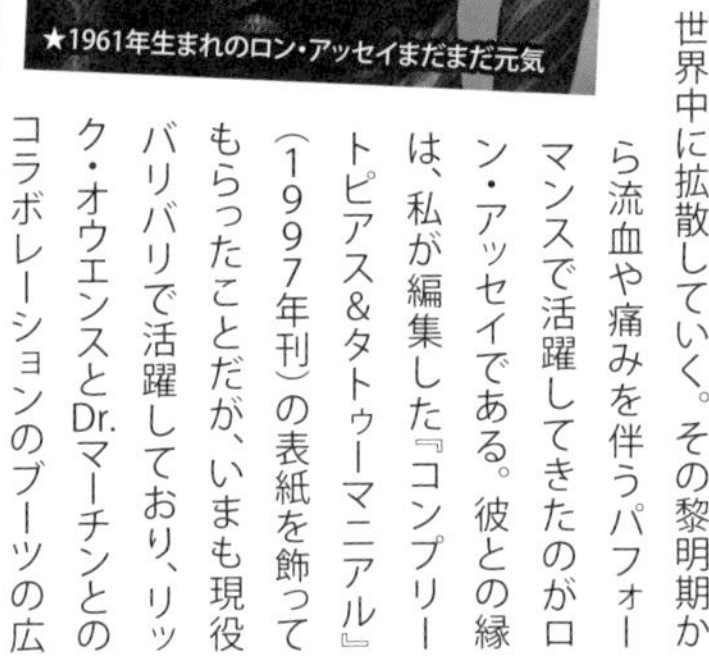

★1961年生まれのロン・アッセイまだまだ元気

2021年には、アメリア・ジョーンズのキュレーションによりニューヨークのパーティシパント・インク(2/14-4/4)とロサンゼルスのICA(7/19-9/5)にて大規模な展覧会が開催され、長年にわたる彼の活動は現代アートの文脈でも高く評価されている。2023年には本誌でも紹介したオーストラリア・タスマニアの芸術祭Dark MOFOに招聘され、衝撃的なパフォーマンスを披露したという。

そんな彼とひさびさに直接会って話を聞くチャンスを得た。彼の近年の活動、最近の身体改造カルチャーについて、また身体改造の歴史を振り返って、貴重なコメントをもらうことができた。

まずロンが強調したのが、彼の先人に当たる2人の伝説的な人物の死であった。一人は2018年に亡くなったファキール・ムサファー、アメリカ先住民のサンダンスの儀式を現代的に再現してモダン・プリミティブズの提唱者となり、ボディピアスや身体改造カルチャーの仕掛け人として、改造愛好者にはお馴染みの人物だ。そしてもう一人が2020年に亡くなったジェネシス・P・オリッジ、日本ではインダストリアル・ミュージックの創始者として知られ、スロッビング・グリッスルやサイキックTVはノイズ系音楽好きで知らない人はいないだろう。そのジェネシスは、もともと血や精液を用いたアートパフォーマンスを行っていた人物であり、魔術的モチーフのタトゥーや性器ピアスなどで全身を装飾しており、90年代後半からは妻のレディ・ジェイと美容整形によって瓜二つになる「パンドロジェニー・プロジェクト」を行うなど、ボディアートの先駆でもあった。ロンは、この2人なきあとの継承者であるというのだ。

ロンがいう「身体改造」とは、性的な快感につながるセクシャルなものと他と異なる独特なルックスを手に入れるためのもので、同時にモダン・プリミティブズという言葉に象徴される流血や痛みが伴う民族的な儀式を現代的に復興する行為のことである。ロンが最近入れたという後頭部のタトゥーも魔術的な意味がある。

「私はもともと彼らに影響されてアートパフォーマスを始めたが、私のパフォーマンスはより哲学的でコンセプチュアルなものだ。つまり、ニーチェがディオニソスと呼んだ神の姿を私自身で表現しようとすると、流血や痛みを伴うパフォーマンスをステージ上で披露することになるのであって、そのことがたびたび論争の的となってきたんだ」という。実際、彼はHIVポジティブで、男性器を体内に埋め込んで縫い合わせたり、セクシャルマイノリティとして公的助成金を受けて、流血パフォーマンスを行ったことが米国議会で問題にされたことさえあった。

そんな彼の過激なアート活動に触発されて、同様の流血パフォーマンスに挑んできた改造実践者たちも多くいる。

また、一方でマイクロチップや電子機器を体内に埋め込むボディハッキングと呼ばれる新しい身体改造のムーブメントや、現在ヒト臨床試験が進行中の脳とコンピュータを接続する、イーロン・マスクのニューラリンクなどの人類のサイボーグ化については、利便性だけで人々が改造に伴うリスクを冒すことはないだろうと冷ややかだ。それでも鍵やカードも不要になるならマイクロチップは入れてもいいと笑顔を見せる。オープンマインドなロンにとって、本人が真に望むなら、いかなる新しい身体改造も常に歓迎したいという。

★インタビューは彼の自宅で行われた

★2021年ロサンゼルスICAでの展覧会『クイア・コミュニオン』

★Ron Athey "Queer Communion"2020

★自らを生贄とする流血と痛みのパフォーマンス

それでもなお、ロンのパフォーマンスの根底にあるものは、自分自身の身体と対峙し、流血と痛みを通じてそれを愛でる行為であり、ジョルジュ・バタイユが蕩尽という言葉で表現した通り、自らの身体を生贄にすることで、そのエクスタシーを観客と共有することである。90年代初頭、ボブ・フラナガンというアーティストがスーパーマゾヒズムと称して男性器への釘打ちなどの過激なパフォーマンスで一世を風靡した。彼は90年代半ばに病死したが、ロンはフラナガンのようなネガティブなパフォーマンスは支持しないと手厳しい。ロンはあくまでポジティブに身体改造カルチャーを受け入れ、広めてきた世代であり、スピリチュアリズムがシャーマニズムや魔術として発見してきたものを流血や痛みの実践が伴うものへと価値転換したものがモダン・プリミティブズであると再定義してみせた。その体現者として、ロン・アッセイの今後の活躍に目が離せない。

チェーザレ・ロンブローゾの思想とその系譜〈52〉

「天才は狂気なり」という学説を唱え犯罪人類学を創始した奇矯な精神病理学者

村上裕徳

LOMBROSO

天才の頭骨の容積および形状の特徴

ロンブローゾは続けて言う。

天才の頭蓋容積は多い一方で、不規則(綺麗な卵型ではなく凸凹している――という意味か?)である。そして「狂人」のように神経中枢の痛ましい変更(「障害」の意味か?)に終わったものが多い。パスカルの大脳は普通より硬かった。左側の裂片(左脳のことか?)が化膿していた(死後の解剖所見と、保存された「天才脳」の現物に対して出された批評だろう。解剖学が発達した一八世紀中期以降、特殊な犯罪者の脳と同じく、天才の脳も医学資料として収集されホルマリンに入れて保存されることが多かった)。ルソーの脳髄には脳室に水腫があった。偉大にして奇矯なバイロンとフォスコロ(イタリアの初期ロマン主義の詩人で小説家のウーゴ・フォスコロ〈一七七八〜一八二七〉のこと。ゲーテやルソーに影響されたイタリア最初の書簡体小説「ヤーコポ・オルティスの最後の手紙」や、ナポレオン崇拝者としての長編詩「墳墓」で知られる)には二人ともに、(頭骨の)縫合の早期成骨が現れていた(頭蓋縫合早期癒合症のこと。乳幼児の頭骨は縫合に隙間があり、成長にともなって頭蓋を大きくし、その頃に頭骨は硬くなるが、それが早期に固くなることで頭蓋の拡大を抑制し、大脳に圧迫を加えることで、多くの場合、精神や感情に影響をおよぼす症状)。シューマンは慢性脳膜炎と大脳萎縮で死んでいる。

★チェーザレ・ロンブローゾ

天才の狂的特徴の複雑さについて

ロンブローゾは続ける。

天才の狂的な特徴は、決して単純ではない。ショパンとコント(社会学者)とタッソ(詩人)とカルダノとショウペンハウエルには、憂鬱病と誇大妄想狂と「刺激性」(たぶん造語の「刺激症」の意味で、「神経過敏」を表すか、あるいは、飲酒や麻薬などの刺激物への過度の執着を指すか?)と「性欲転倒」(性倒錯)とを認めることが出来る。ジェラール・ド・ネルヴァルには漂泊癖とアルコール中毒が合併していた。コールリッジ(イギリスのロマン派詩人で批評家でもある哲学者のサミュエル・テイラー・コールリッジ〈一七七二〜一八三四〉のこと。彼は無意識から湧き出るような神秘的で幻想的な作風で知られる)には、阿片中毒と「懐疑狂」とが一緒に現れている。

この種の狂気の最も顕著な特徴は、異なった(感情の)二面が、極端に誇張されて現れることである。例えば興奮の次の衰弱、(研ぎ澄まされた)霊感の次には(頭脳疲労の)困憊が来るという有様である。これは優れた知力を持つ人には、ほとんど免れがたい生理上の現象と言ってよいもので、最も(普通の)正常な人でさえ、そうした傾向を持っている。

そして彼らは、それぞれ(の症状)に対して(自己診断で)誤った解釈を加えている。ルソーは「いかなる仕事であろうと嫌悪する怠惰な心と、少しの不愉快にも、すぐに苛々する怒り症とは、一つの性格に結び付けられているとしか思えないほどである」――と手紙の中で告白している。こうしたわけで、無知な人が自我の変化を外界の物質によって説明(たとえば不機嫌を土砂降りの雨のせいにするような場合を指すか?)するように、天才は興奮する大喜悦の瞬間を、(まるで)神か悪魔の仕業にしてしまう。(詩人の)タッソは彼の守り神である、おなじみの精霊について、こんなことを言っている。

「それは悪魔であるはずが無い。私はそのため聖物に対して恐怖を感じたことが無いから(その霊感の源泉が悪魔であれば聖物を恐れるはずである――という意味)。しかし、かつて私の思いもよらない思想が浮かんだことを考えれば、(その源泉は)自然物でもないようだ(つまり消去法で、この霊感の主体は「超自然」の神からの啓示である――という意味)」。カルダノは彼の著述、精神界に関する知識、医学上の見解などに対して、何であろうと、すべてを守護神からの霊感に依拠していた。

タルチニがソナタを作った時（イタリアのバロック音楽の作曲家でヴァイオリニストのジョゼッペ・タルティーニ〈一六九二〜一七七〇〉のこと。このソナタは通称「悪魔のトリル」として知られる難曲で、これは彼の夢の中に悪魔が現れてヴァイオリン演奏したのを、夢から覚め、すぐさま書き取った曲という伝説がある）も、マホメットがコーランを書いた時も、そうであった。ヴァン・ヘルモント（ベルギーの医師で化学者であり錬金術師であったヤン・バプティスタ・ファン・ヘルモント〈一五七九〜一六四四〉のこと。「ガス」という概念は彼が最初）は、（彼の）生涯の最も重要な時期に、必ず守護神が彼の前に現れた――ということを断言している。（そして）一六三三年のことだが、彼は自己の霊魂が水晶のように輝くのを（霊感で）感得した。

ウイリアム・ブレイクは、しばしば海辺を彷徨い、モーゼやホメロス（ギリシャ最古の長編叙事詩「イーリアス」と「オデュッセイヤ」の作者とされる、ギリシャ神話を知るうえで重要な、紀元前八世紀頃の伝説上の人物。詩人で盲目だったとされる）やヴァジル（ヨーロッパ最初の民間伝承の集大成「お話のお話」または別名「五日物語」で有名な、イタリアの詩人で作家で軍人のジャンバティスタ・バジーレ〈一五七五〜一六三二〉のこと。彼は地方総督でもあった）やミルトン（イギリスの詩人で叙事詩「失楽園」の作者ジョン・ミルトン〈一六〇八〜七四〉のこと）と会話をした（こうした啓示は大詩人ブレイクの詩想の源泉ではあるが、言うまでもなく、幻覚である）。彼らの容貌はどうであったかと聞かれた時に「彼らは近寄りがたく厳かな灰色の影である。灰色でも光がある。そして普通の人より遥かに身長が高い」――とブレイクは返答した。

ソクラテスは、どのような行動を行うにも、必ず守護霊の指図を受けた。そして、そのことは一万の教師に勝るものだと彼は言っていた。彼は友人に、しばしば忠告し、彼のDemonn（悪魔のことだが、この場合ソクラテスの守護神としての精霊を指す。多くの場合、ソクラテスが従うのが、夢を操る夢魔のような魔物と感じたロンブローゾの表記であろう）が命じたように振舞うように勧めた。

狂天才の文体や描写や思考方法

ロンブローゾは続けて言う。

すべて、このように、偉人の絢爛豪華な文体と最も瑰麗（「特異な美しさ」の意味）で明晰な描写とは、確かに彼らが、幻想の影響を受けていることを示している。彼らは直接に、それ（幻想から派生する幻覚の総体を指す）を体験し、それに触れたのである。かの「タータラスの憂愁」や「小人島の大学」（たぶんブレイクの詩の表題と考えられるが、二作ともに出典不明）のようなものは、それ（前記の幻覚に由来する。要するに、狂気と霊感の混沌の中から、一つの作品が生み出されたということになるのである。

ルターでもマホメットでもサヴォナローラでもモノリス（不詳）でも、あるいは、かの「長髪族の巨魁」（「巨魁」は「大妖怪」「大怪物」を意味し、「太平天国の乱」別名、辮髪の中国人による反乱のため「長髪族の乱」で、その宗教的指導者の洪秀全〈一八一四〜六四〉を意味する。彼の宗教教団「拝上帝会」はキリスト教を基盤とし、時の政権である清朝に抵抗する反乱。この宗教は男女平等で、男同士は兄弟、女同士は姉妹とし、エホバを天父、キリストを天兄としたうえで、洪秀全をキリストの弟、エホバの次男とし、人間界に神の意志を伝え実行する指導者とするもので、洪秀全は「天王」を自称した）にしても、自分の霊感を勝手に解釈して、都合の良いようにしている。そして、その預言と言説を、執拗な確信によって、いかにも真理であるかのように吹聴する。そうすることで無知な多くの俗な大衆を動揺させ、新しい教義を覚醒させる。これが最も微細な、天才の狂気と奇矯なる異常に特有の特徴である。

霊感と興奮とが消え去り意気消沈の時期が来ると、これらの不幸な偉人は、自分の境遇を、さらに不可解に解釈し、カルダノのように毒殺されようとしていると信じ、あるいはハルラー（スイスの医師で、生理学者、解剖学者、植物学者で詩人だったアルブレヒト・フォン・ハラー〈一七〇八〜七七〉のこと）やアンペールのように永遠の地獄の業火に焼かれると思い、ニュートン、スイフト、バルゼズ（スペイン生まれでイタリアで活躍した神学者で言語学者のファン・デ・バルデス〈？〜一五四一〉のことか？ 彼はナポリでプロテスタントのグループを指導し、兄のアルフォンソとともにスペインの代表的エラスムス崇拝者として知られる。王侯貴族や教皇を含む宗教者などを風刺した「痴愚神礼讃」を書いたエラスムスは、自身はカトリックのまま、カトリックの内部改革を求めた思想家だが、その著作はプロテスタントに多大な影響を与えた。バルデスは異端的な神学上の著作の他、スペイン語を言語学的に論じた最初の本『言葉をめぐる対話』を書いている）、カルダノ、ルソーのように、絶えず敵の迫害を受けていると信じるようになる。

しかし、これらの人々（天才偉人を指

す）の気質は、普通の人がかかる「憂鬱症」あるいは「偏執狂」のような特徴とも異なっている。天才の気分は、まったく桁違いに気まぐれである。我々（病理学者を指す）は、それを指し示すのに天才の「心徴」（Psychosis）という特殊用語を使わなければならない（現在ではサイコシスは「精神病」と翻訳される。この「狂天才の特徴」の章の末尾となるロンブローゾの結論は、天才の心の性質は、精神病的であるが、その極端な特殊例であるという意味であろう）。

補遺としてのヘルモントの略伝

「天才論」には多くの神秘主義者や錬金術師が登場するが、この末尾の一項目にもヤン・ファン・ヘルモントが採りあげられている。彼のような身分もある敬虔なカトリック信者であり、科学者としても立派な人物が、同時に錬金術師であったことの不思議さを解明するうえで、極めて典型例と思われるので、その略伝を記しておく。

ヘルモントは、当時スペイン領だった南ネーデルラント（現在のベルギーおよびドイツとフランスの一部を含む地域）のブリュッセルで貴族の子として生まれた。一五九四年までカトリック系のルーヴェン大学で美術と古典を学び、続いてイエズス会の神学校で神学や神秘学を学んだ。しかし、どれもが彼を満足させず、最終的に医学を学び、学位を得た。貴族の身分として、学位を元に官僚となり出世することも出来たが、虚名を得るに過ぎないとして開業医の資格を取り、母校の外科学講師となる。

ところが疥癬症に罹った時、当時の医学治療の主流だったガレノス医学に従い、下剤による治療（原因を体内の毒と判定して、排便させるもの）をしたが、これにより症状を悪化させた。

ガレノスは二世紀頃（一二九年頃〜二〇〇年頃）のギリシャの医学者で、一六世紀まで西洋医学はガレノスの医学に盲従していた。ガレノスは解剖学者でもあったが、こうした「盲従」と、キリスト教が解剖を禁止したせいも加わり、千四百年近く解剖学の実践は停滞し、また、ガレノスの主張した瀉血療法（体外に血を抜くことで、一時的に血圧を下げる療法）は、弊害もあるが、場合により、あるいは一時の応急処置として効果があるために、標準的な医療行為として行われ続けた。ガレノス医学には、アリストテレスの心は心臓にあるという説に対し、脳にあると考えるなどの正しい部分もあったが、千五百年の間に、その医療は古いものとなっていた。一六世紀の解剖学者ベサリウス（一五一四〜六四）は、人間の代わりに猿などを用いた実際の解剖結果（人体解剖が禁じられていたので、例外的に、認可のあった処刑者の解剖も行った）に従い、ガレノスの誤りを修正したが、以降も従来のガレノス医学に従うものが多かった。

疥癬の治らないヘルモントはガレノス医学に疑問を持ち、当時の大学では主流でなかったパラケルスス医学に基づいた治療をし、しばらくして回復した。この後ヘルモントは十年間の旅の後、一六〇九年にベルギー中央部の地方ヴィルヴォルデを領地とする貴族の娘と結婚し、この地で化学と錬金術の研究に没頭する。

パラケルスス（一四九三〜一五四一）はスイス出身の医師で化学者のみならず、当時を代表する神秘主義者（至高の存在としての神を、その絶対性のままに、形而上学的にではなく、人間が自己の内面で直接に体験しようとする志向）であり錬金術師だった。当時主流の、経験を経ない形而上学のスコラ哲学的な解釈（当時のカトリックの教義もそのようであり、経験としての具体例は聖書に求められ、直接体験ではなかった）に対し、自然に対する直接の探求をめざした。パラケルススは化学者としてスコラ哲学を嫌い、先行文献に頼らず実験経験を重視し、また、当時主流だった四大元素説（世界を構成する物質は火・空気〈もしくは風〉・水・土の四つであるという説）に反対し、万物の根源は水銀（液体性）・硫黄（燃焼性）・塩（個体性）から成る「三原質説」を提唱した。そして疾病は、この三原質の不均衡から生まれるとして、鉱物の調合による医薬品の開発に努めた。ヘルモントの疥癬を治したのは、こうした錬金術に基づいた鉱物による調薬（たとえば水銀軟膏のようなもの）だったのだろう。また阿片剤（鎮痛や咳止めに効果のある阿片チンキ）を開発した事でも知られる。

ヘルモントは多くの点で、このパラケルススの影響を受けている。ヘルモントは魚が水中で生きられることや、生物を酸で溶かす（多くの消化機能はそうである）と「水（液体）」に変化することから、化学変化を起こして万物を生み出す元となるのは「水」だと考えた。これは旧約聖書の「創世記」における、神が世界のすべての元を創る七日間の第一日目の記述「初めに神は天と地を創造された。地は形なく、むなしく、闇が淵の表面にあり、神の霊が水面を被っていた」——とも合致すると考えた。

この様にヘルモントはカトリックとして聖書に忠実なる科学者だった。その敬虔な信仰には、ドイツのカトリックの修道会「ドミニコ会」の修道士で神秘主義者のヨハネス・タウラー（一三〇〇頃〜六一）の影響が見られる。タウラーは俗世、特に世間だけでなく、その影響を受けたそれぞれ個人の「自我からの離脱」と「自己を無にした、こよなく深い底に沈む」内面への道を説き、その手本をキリストの禁欲的な生涯とした。こうしたタウラーの敬虔主義は、カトリックだけでなくプロテスタントのルターなどにも多大な影響を与え、中世教会の型にはまった教条主義から自由になった一五、一六世紀のヨーロッパに波及していった。ヘルモントも、その影響下にあったのである。

ヘルモントは、水から数々の物質が生まれる発生原理について仮説を立て、これを「発酵原理」または「根本原理」と名付けた。その証明に行ったのが、後に「柳の実験」と呼ばれるものだった。それは、まず厳密に計量した柳の苗木を植える。それを水以外の物を与えず五年以上にわたって観察した。その結果、柳は一六四ポンド（七〇キロ）も重量が増えたにもかかわらず、土の重量は一〇〇グラムしか減っていなかった。この事から植物は水で出来ているからこそ、これだけの成長し重量増加させたのだと主張した。また六二ポンド（二七キロ）の木炭を燃やすと一ポンドの灰しか残らないことから、燃焼と共に残りの六一ポンドは、水と水が特殊な「発酵」をすることで生み出された物質となって、放出されたと考えた。そして、その物質は、それぞれの物体に元から含まれるもので、燃焼作用などによって形を変えたと考えた。彼は、この物質をギリシャ語の混沌を意味する「カオス」から「ガス」と名付け、こうした物質は四種類存在することを指摘した。この四つは、現在では二酸化炭素、一酸化炭素、亜酸化窒素、メタンであったと推測されている。彼の説には現在から考えると間違いも多いが、「ガス」という定義は時代を経るごとに内容を変えながら、その概念を作ったことは重要で、その後の化学の発展に大きく貢献した。また「浸透」という概念も彼の発明だった。

ヘルモントは医学においても新説を立てた。彼は生物の内臓器官は個別の役割を持ち、その内部には、それぞれの役割を果たすための「発酵体」があること。そして、そこに異質の「発酵体」が入ると、異常をきたして病気になると考え、病気になった器官に適した治療の必要を説いた。その説の中で、食物は胃で酸によって溶かされ、水となって腸壁に吸収されると主張した。また治療における磁石の利用も行った。この治療法はパラケルススが発見したもので、当時の下血や鬱血など、さまざまな病気の症状に効くとされ

TH LITERATURE SERIES
アトリエサードの文芸書　好評発売中

石神茉莉
「蒼い琥珀と無限の迷宮」
四六判・カヴァー装・320頁・税別2400円
美しすぎて身の毛もよだつ
怪異たちの〝驚異の部屋〟へ、ようこそ──
怪異がもたらす幻想の恍惚境
《玩具館綺譚》シリーズなどで人気の
石神茉莉ならではの魅力が凝縮された、
待望の作品集！ 各収録作へのコメント付

健部伸明
「メイルドメイデン
〜A gift from Satan」
四六判・カヴァー装・256頁・税別2250円
「わたし、わたしじゃ、なくなる！」
架空のゲーム世界で憑依した
悪霊〝メイルドメイデン〟が
現実世界の肉体をも乗っ取ろうとする。
しかし、その正体とは──。
涙なく泣く孤独な魂をめぐる物語。

伊野隆之
「ザイオン・イン・ジ・オクトモーフ
〜イシュタルの虜囚、ネルガルの罠」
四六判・カヴァー装・224頁・税別2300円
「おまえはタコなんだよ」
なぜかオクトモーフ（タコ型義体）を
着装して覚醒したザイオン。
知性化カラスにつつき回されながら、
地獄のような金星で成り上がる！
実力派による、コミカルなポストヒューマンSF！

壱岐津礼
「かくも親しき死よ〜天鳥舟奇譚」
四六判・カヴァー装・192頁・税別2100円
クトゥルフ vs 地球の神々
新星が贈る現代伝奇ホラー！
クトゥルフの世界に、あらたな物語が開く！
大いなるクトゥルフの復活を予期し、
人間を器として使い、迎え討とうとする神々。
ごく普通の大学生たちの日常が、
邪神と神との戦いの場に変貌した──

発行・アトリエサード　発売・書苑新社　www.a-third.com

ていた。

ところが三十年戦争（ドイツを舞台とするカトリックとプロテスタントの宗教戦争だが、後に宗教戦争に終わらず、新教・旧教の双方を支持する国家間の戦争となる）の最中の一六二二年に、戦争による負傷者に適用され、当時の医学および神学において常識とされていた「武器軟膏」による治療（後で解説）をヘルモントが批判したことで、彼と不仲だったイエズス会の修道士が彼を異端審問所に告発し、その結果ヘルモントは逮捕され、有罪判決の後、自宅に幽閉（貴族の身分による厚遇措置だろう）され、著作の刊行を禁じられる。その措置は彼の死の二年後まで解除されなかった。

ヘルモントの没後、息子のフランシスカス・メリクリウス・ファン・ヘルモント（一六一四〜九八）は遺稿を整理し、赦免後の一六四八年に父の全集「医学の曙」として刊行する。この貴族を継承した息子も天才だったようで、父の跡を継ぎ医師であり錬金術師だけでなく、カバラ研究者としても著名だった。友人のヘンリー・モア（一六一四〜八七）と共に、モアの友人のクリスチャン・クノール・フォン・ローゼンロート（一六三六〜八九）によるカバリスト文書に註釈を付けている。また彼は外交官であったため、同様に外交官で数学者だったライプニッツ（一六四六〜一七一六）と友人のため、ローゼンロートにライプニッツを紹介したのも、息子のフランシスカス・ヘルモントだった。著作に「カバラ的対話」があり、ライプニッツとは「モナド」の概念をめぐり討論し、緊密に協力し合っていた。

最後に前に触れた「武器軟膏」について記しておく。これは一六世紀から一七世紀にかけて、その効果が信じられていた、一種の呪術的な民間療法で、これが戦時下のためもあろうが、カトリックの暗黙に認めた療法として、素人の応急処置だけでなく、医師による治療としても通用していた。それは通常の軟膏薬治療とは異なり、薬を傷口ではなく、傷をつけた武器や刃物（対戦相手の武器は手に入らないので、こうした場合は、そのように想定された代わりの武器）の方に塗るという治療（？）法。あきらかにオカルト医学だが、これが世間で常用され、精神的効果でもあろうが、実際に効果もあったらしい。当時は傷口を触ることによる感染症も多く、下手に触って治療する（当時の一般的な傷薬は「鰐の糞」や「蝮の油」を主原料とした不潔なものだった）より、そのままにする、こうした治療と自然治癒力に頼る方が、感染症にならず完治する場合が多かったという。また、この軟膏薬には、人間の油脂（処刑された罪人の物であろう）、ミイラ、人間の血液、野ざらしの人骨に生えた苔などから生成されている物もあった（他にも異説は数々ある）。武器軟膏治療の詳細は歴史や活用方法を含めて詳しく書けないが、こうしたオカルト療法にヘルモントは、彼自身オカルトに縁の深い錬金術師であるにも関わらず、その解釈について批判したのである（療法自体に対しては否定していない）。

論争の始まりは、ドイツの医師ルドルフ・ゲッケル（一五七二〜一六二一）の、武器軟膏の効用は魔術的なものではなく自然によるものだとする、使用賛成の論文に対し、イエズス会の修道士ジャン・ロベルティは、悪魔が関係していると反論し、この論争は七年間も続いた。この論争中にロベルティから意見を求められたヘルモントは、武器軟膏の効用は、純粋に自然的物でもなければ、ロベルティのように悪魔的とするのも間違いとして、「善に対しても悪に対しても差別の無い魔術的力によって支えられている」と論じた。これが応援を期待したロベルティを激怒させ、また、ゲッケルの自然治癒ならば、その背景に「神」を想定できるが、ヘルモントに従えば、神の力と「魔術的力」が対等関係となるせいであろうが、こうした事で反感を買い、宗教的異端者として告発されたのだった。断っておくがヘルモントは、その死に至るまで熱心なカトリックだった。敬虔なカトリック信者が教条的な信仰から外れると異端者とされ、場合によって死罪になることは、今まで記した多くの天才の略伝を見れば明らかだろう。こうした理由でヘルモントは自宅での蟄居の刑罰を受けたのである。彼はその後、錬金術師らしく「賢者の石」などについて研究を続け亡くなった。

武器軟膏を徹底的の批判したのは機械論者たちだった。彼らによれば、直接的に接触しない物体同士の運動は、あり得ないものだった。そのため星の運行も「限りなく透明、かつ硬質の物質同士が歯車のように噛み合って星を運行させている」ためと考えていた。「遠隔力」による武器軟膏も、こうした理由で否定されたのである。しかし、その一方で、後の錬金術師でもあったニュートンによる万有引力の発見は、この遠隔力によるものであり、そのため長らく批判に晒されたのだった。このように科学の歴史は、数々の間違いや紆余曲折を経ながら、その間違いを手掛かりとして発展してきたのである。その事はロンブローゾの説に対しても同じである。間違いであっても、新たな発見を生むための手掛かりであり礎なのである。

A4判・並製・112頁・税別1318円
ISBN 978-4-88375-522-6

エクストラート ExtrART FILE.40 好評発売中!

こんなアートに出会ってほしい——。
ExtrARTは、少々異端派なアートファイルです。

★表紙：ヒロタサトミ

◎FEATURE:
この思いが、開くとびら

★天明屋尚

★上田靖之

★吉田潤

★鮎(Ayu)

★田中童夏

★森馨

★mica

●天明屋 尚《絵画》
ネオ日本画からメタへ。
CGや伝統技法も取り入れ、
新しいものを超える

●上田 靖之《絵画》
画面と意識的に
対話しながら
飛沫すら描きたい

●ヒロタ サトミ《人形》
「張り子技法」の製作過程を発信、
その表現の可能性も
模索し続ける

●吉田 潤《版画・絵画》
版画のプロセスや
ルールから抜け出し
日本画との統合を試みる

●衣(hatori)×森馨《人形》
闇に包まれ
冥界へといざなう
いたわしき人形たち

●ALICE×DOLL
—不思議の国のアリスと人形—
アリスのヴィジュアルイメージから
想像力を羽ばたかせる

●田中 童夏《絵画》
死や闇の幻想に支配された
子供時代の記憶を
手繰り寄せる

●花《人形》
制作した人形は
遊郭跡などで撮影。
その人生を息づかせる。

●鶴 友那《絵画》
永い未来を紡いでいく
小さな命のつながりを
リアリズムで描く

●鮎(Ayu)《絵画》
異世界的な幻想と
物語性をまとい、
艶かしくきらめく女性像

●mica《人形》
小さきものへの
あたたかな視線が感じられる
個性的な人形たち

●真木 環《絵画》
書き割りの舞台のような
奇妙な世界で
少女が繰り広げる幻想

SCIENCE FICTION

岡和田晃

山野浩一とその時代㉗
『サンリオ出版大全』と、「管理」への抵抗たるニューポップス

『サンリオSF大全』概観

サンリオといえばハローキティのイメージがすっかり浸透しており、私自身、シナモロールのキャラクターグッズで七歳の娘とよく遊んでいる。が、もとは先鋭的な出版活動でも知られていた――というのは、本連載の読者にとっては何を今さら、といったところだろう。しかし、歴史化されているわりには包括的な研究がなされていないのもまた事実。二〇二四年二月、そんなサンリオの出版活動をまとめて概観する小平麻衣子・井原あや・尾崎名津子・徳永夏子編『サンリオ出版大全　教養・メルヘン・SF文庫』（慶應義塾大学）が刊行された。

SF文庫がサブタイトルに掲げられているだけあって、加藤優「サンリオSF文庫の小説世界――山野浩一のSF評論とその実践」（以下、加藤論文）、吉田司雄「サンリオSF文庫とフェミニズムSFの地平」（以下、吉田論文）という二本の論考が収録されている。その他、全部で一三本の論考が収めれているが、うち半分超の七本（小平麻衣子、大島丈志、吉田恵理、尾崎名津子、米山大樹、井原あや、徳永夏子の各論文）までもが、やなせたかしが編集長を務めた「詩とメルヘン」誌（一九七三～二〇〇三年）に関するものとなっている。こうした一見するとアンバランスにも見える構成は、もともと本書が「日本的ファンシーをめぐる1970年代の女性性文化再編の研究――サンリオ出版を中心に」と題した科研費研究会の成果物であるためのようだ。

★「詩とメルヘン」終刊号

残りは、サンリオの創業者・辻信太郎の著作からメルヘン観をたどり直した論考（河田綾）、現在は商品のPR誌のような位置づけとなっている「いちご新聞」が当初目指していた古典文学への啓蒙（帆苅基生）、オールカラーで左綴じ横組みAB判というスタイルで、初期には古典文学への言及やク

★「リリカ」創刊号

ラシック音楽のコラムもあったユニークな少女漫画誌「リリカ」（一九七六～七九年）について（村松まりあ）、さらには木村智哉「サンリオの映画事業とその時代」、といった論文が一本ずつ収録され、外堀を埋めている。

また、詩人の川滝かおりとして「詩とメルヘン」でデビューした小手鞠るいや、「詩とメルヘン」への投稿からスタートし、今では詩壇の大家となった小池昌代、「詩とメルヘン」や「いちご新聞」のイラストレーションを担当していた永田萠、サンリオがSF文庫や映画事業などの撤退を決めた一九八六年に入社し、長年「いちご新聞」編集長をつとめた高桑秀樹、といった面々のインタビューや講演録が掲載されており、当事者の発言もフォローされている。

研究概要を確認すると、現代において〈女性的〉とされる文化の形成過程と

展開を探るのが目的で、サンリオに代表される日本の〈かわいい〉文化と、サンリオの出版物にまま見られる「不気味なものや不可知なものなど多様な表現」との関係性を確認し、制度的な「文学」と周縁的とされる文化との新たな関わり合いをも模索する主旨のようだ。

〈かわいい〉文化というのは近年の批評的なキーワードで、それだけを単体で取り出すと軽薄にも見えてしまう。ただし、そのような文脈に収斂される以前の豊穣さをすくい上げる対象として、一九七〇年代という時代性がフォーカスされ、かつサンリオという一企業が対象として選ばれたのは新規性がある。KADOKAWAのような派手なメディアミックスを展開した企業に関する研究と対比させてみればわかりやすいだろう。

本書の「詩とメルヘン」に関した諸研究はいずれも刺激的だ。晦渋で閉鎖的だと揶揄される戦後詩壇のオルタナティヴを、やなせたかしが「詩とメルヘン」を通じて模索していた、その試行錯誤がよく伝わる。あえて一言で総括すれば、無名の生活者による投稿作品にヴィジュアルを添えることで、詩の民衆性を――とりわけ「詩壇」的価値観から周縁化された女性たちに――取り戻させようとする試みだったわけだが、小池昌代にしても第一詩集に「詩とメルヘン」初出作は入れておらず、広範な読者を抱えたがゆえの厳しさと、大衆性におもねるあまり迎合的になってしまっているのではないかという葛藤がはっきりあったと述べている。

各論でカバーしきれなかった領域についてはコラムでフォローされており、尾崎名津子は、ハーレクイン・ロマンスの向こうを張ったシルエット・ロマンス、ロマンス小説専門誌「ロマンスレディ」（一九八四〜八六年）へ言及している。映画についても、吉田司雄が、配給収入一〇億円近い成功作となり、テレビ放映時には視聴率四〇％超を記録したドキュメンタリー『キタキツネ物語』（竹田津実原案・動物監督、蔵原惟繕監督）や関連刊行物を取り上げている。

ただ、筆頭編者の小平麻衣子が「日本の古本屋」のメールマガジンで告白しているように、サンリオSF文庫への言及はあっても、トマス・ピンチョンやアンソニー・バージェス、ジョン・バースやガブリエル・ガルシア＝マルケスといった先鋭的な世界文学を擁するサンリオ文庫は本書では取り上げられていない。サンリオSF文庫とは異なり、先行する形での資料整備が、ほとんど進んでいないからだろう。

加えて、遠藤周作が監訳したヴィル・ヒュイゲン＆リーン・ポールトフリートの絵本〈ノーム〉シリーズについての言及もない。日本近代文学研究のなかでは、遠藤周作学会が編んだ『遠藤周作事典』（鼎書房、二〇二一年）でも、〈ノーム〉は「翻訳」の項目で言及されるに留まる。遠藤は訳者あとがきに「この本の自由奔放な空想力とイマジネイションは、すれっからしの我輩まで夢中にさせた」とあり、メルヘン研究としても遠藤周作研究の観点でも重要な仕事だ。

井原あやのコラム「サンリオの出版物――1970年代の詩集を中心に」では、「サンリオ選書」と題された詩論シリーズが言及されている。同選書から『安部公房論』（一九七一年）や『倉橋由美子論』（一九七六年）を刊行した高野斗志美は――まだ「サンリオ」という社名が生まれる前――山梨シルクセンター出版部時代に編集者の佐藤守彦が、「北方文芸」に連載されていた高野による安部公房論に目を留め、わざわざ高野の暮らす旭川まで足を運んで出版を勧めたことが、刊行のきっかけだったと『安部公房論』のあとがきに書いている。高野の薫陶を受けた柴田望も、編集者（佐藤）との出会いが決定的だったという発言を記憶している。山野を訪問してサンリオSF文庫の監修を依頼したのも佐藤だったわけで、サンリオのハイブラウな文芸出版のラインナップは、佐藤なしには成り立たなかった。

『サンリオ出版大全』において、SF文庫を扱った二本の論考内で、それぞれ初代編集長・佐藤に関する言及はあるが、それ以外の文芸出版と具体的にリンクさせるに至っていない。ここは是非とも佐藤ないし近しい人のインタビューを取ってほしかったところだが、それはさておき、二本の論考では、具体的に何が論じられているのか。

加藤論文では、本連載を含む山野浩一の再評価という状況を所与のものとして捉えたうえで、前田龍之祐らの山野論でも扱われた「主体性」にまつわる山野浩一の思弁と、技術中心主義的な科学観を批判的に捉えた好例として山野が言及した海外SF三作を、具体的かつ仔細に撚り合わせていく点が読みどころだ。具体的には、トマス・M・ディッシュ『334』（増田まもる訳、一九七九年）、ケイト・ウィルヘルム『クルーイストン実験』（友枝康子訳、一九八〇年）、スタニスワフ・レム『枯草熱』（吉上昭三・沼野充義訳、一九七九年）の三冊を取り上げている。本連載でも紹介した「主体性」に対する実存主義的な哲学背景や、ウィルヘルムら個々の作家がSF史においてどのように扱われてきたかの言及が希薄である点に物足りなさを感じないではないが、それでも読み応えのある分析には違いない。

　他方、吉田論文は、竹宮惠子のイラストを表紙に添えたサンリオSF文庫のアーシュラ・K・ル＝グイン諸作を筆頭に、ジェイムズ・ティプトリー・ジュニアやジョアナ・ラスら英語圏のフェミニズムSFと、竹宮や萩尾望都らの少女漫画でのSFを平滑的に論じているところに特徴がある。「サンリオSF文庫はフェミニズムという政治的運動を前景化するよりも、ニュー・ウェーブSFを受け継ぐその前衛性や芸術性から女性作家の作品を評価しようとしていた」という指摘はクリティカル。反面、本連載の第二回（本誌No.83）でも言及した「別冊新評」の「SF―新鋭7人特集号」における萩尾発言を引き合いに出し、女性漫画家たちが「ニュー・ウェーブSFの意味をどこまで理解していたかも実は疑わしい」と述べる点には疑問が残る。当該対談は手塚治虫による〝マンスプレイニング〟があからさまなものであるゆえ、萩尾発言は静かな抵抗だと読むべきではないか。

★ル＝グイン『辺境の惑星』（サンリオSF文庫）装画：竹宮惠子

　総じて『サンリオ出版大全』は意義深い試みといえる。ただ全体として一点、大きな問題がある。『サンリオ闘争の記録』（マルジュ社、一九八四年）としてまとめられた――本連載の第二回（本誌No.73、なお同回での「菅秀美」は「菅秀実」に訂正する）でも取り上げた――サンリオでの労働争議が、ただの一言も言及されていない点だ。一九七八年から八三年にかけての闘争のなかでは、文化人たちによる辻信太郎社長宛要請書すら出されており、出版活動にも深甚な影響を与えているもので、看過はできまい。

『レヴォリューション＋1』とニューポップス

　小鳥遊書房から、山野浩一『レヴォリューション』（NW-SF社、一九八三年）が再刊される。単にNW-SF社版の再刊に留まらず、単行本未収録だった「スペース・オペラ」（一九七二年、『ザ・クライム』所収、冬樹社、一九七八年）をボーナス・トラックとして入れ込み、私の書き下ろし解説六〇枚を添えた、いわば完全版である。もちろん、本連載で継続的に調査・研究を行わなければ、この解説を書くこともできなかったわけで、読者や関係各位には改めて御礼申し上げたい。

　タイトルは『レヴォリューション＋1』。もちろん、山野浩一の盟友・足立正生監督の『REVOLUTION+1』（二〇二三年）に掛けているわけだ。安倍晋三元首相を銃撃する孤独な「決起」を描いた同作は――詳しくは本誌No.94での拙稿「暴力として結実した空虚な実存」をご参照いただきたいが――山野作品とは「決起」や「革命」についての表現は対照的とも言ってよいものの、根本となる問題意識は通底する。

　『レヴォリューション』連作には、ヒロインらしからぬヒロイン、ピート・ランペットが繰り返し登場する。作品によって、ピートに与えられた役割は変遷していくわけだが、そもそもピート自身は『レヴォリューション』以前から山野作品に登場してきた。「闇に星々」（一九六五年）で初登場したピートは、ヒーローによって救出され獲得の対象となる〝トロフィー〟としてのヒロインとは真逆の活動的な存在で、テレパシー能力で人の心を読み、紋切り型の「女性」として自分のことを理解しようとする語り手を、言葉と行為の双方で、華麗に翻弄してみせる。

「私は都会へ出て来てからテレパシー能力を知ったのだわ。私には男を欺く力が備わっていたわ。それに逃げ方も、何もかも男の思考を盗む事によって生まれたのよ。それに逃げ方も、何もかも男の思考を盗む事によって生まれたのよ」と、心に直接語りかけるピート。ピートは自分が見た夢の情景をも語ってゆくが、その姿に〝新しい波（ニューウェーヴ）〟のSFと、〝ニューポップス〟と称されたローリング・ストーンズらのロック・ミュージックを綜合させた「虹の彼女」（一九七〇年）の原型を見ることも容易だろう。

ここでのニューポップスとは、アメリカ発のエルヴィス・プレスリーやジーン・ヴィンセントを聴いて育ったイギリス発の「ニューロック」に代表されるポピュラー・ミュージックを指し、ストーンズやビートルズはもちろん、彼らをより「反抗的」にしたアメリカのバンド、つまりドアーズやジェファーソン・エアプレインも再帰的に「ニューロック」へと組み入れられている。その背景には、想像力の管理化に対する強い警戒があった。「SFマガジン」一九七〇年六月号の「若い創造としての〈ニューウェーブ〉と〈ニューポップス〉は、その思想性を詳しく説明している。

ジャンルとしてのSFやポピュラー・ミュージックのルールも〝管理〟であれば、ヴェトナム戦争も〝管理〟世界の産物であり、小市民的な日常生活も〝管理〟世界である。それらに対し〝解放〟を呼びかける声こそ、「ニューポップス」「ニューウェーヴ」の最も大きな役割といえよう。

かような「管理」への抵抗は、SF作家が小松左京流の〝未来学〟や大阪万博といった体制へ見事に随伴してきたことへの警戒意識があるわけが、他方で山野浩一はビートルズの『サージェント・ペパーズ・ロンリー・ハーツ・クラブ・バンド』（一九六七年）に、それまでのポピュラー音楽の常識を覆し、現代音楽の前衛性と響き合う「主体性」を看取した。あるいはストーンズの『サタニック・マジェスティーズ』（一九六七年）、『ベガーズ・バンケット』（一九六八年）も重要視しており、とりわけ前者には「イン・アナザー・ランド」のように〝そのものずばり〟のものから、「二十光年の彼方」、「魔王のお城」といった〝新しい別世界〟を歌ったものまで、かなりはっきりと〝別世界〟への指向性が打ち出されていた。そもそも「虹の彼女」もまた、『サタニック・マジェスティーズ』の同名の収録曲に由来する。

こうしたロック的な背景は本連載の第一七回（本誌№88）をご参照いただきたいが――これまで何度も本連載で取り上げてきたような――アニメ脚本とも連動するピートの造形と、「ニューポップス」とも通じる「管理社会」への反抗を取り結ぶ思想は奈辺にあったのか。ハヤカワ文庫JA版『X電車で行こう』（一九七三年）の解説で、ビートニク詩人の諏訪優はピートの造形に山田和子に通じるものを看取したと記したが、そもそも「闇に星々」は山田に会う前に書かれたものなのは明らかであるうえ、仮にモデルを発見したからといって、さほど理解が深まるとは思えない。むしろ参考になるのは、「子どもに嘘と矛盾を!」（「現代子どもセンターニュース」二一号、一九六五年）と題して挑発的なエッセイである。

しかし最も危険な事は、次々知識と体験を与え続けるあまりそれを原点として観念を作る作業が失われていくのではないかという事である。（……）

子供たちはロボットの事も知っている。ベトナムの兵器の事も知っている。王選手の生誕の事迄知っている。新幹線に乗り、高速道路も走った。こうして子供達の世界が広がって行く事によって、果して子供達の思想が豊かになったかどうかは疑問である。

観念より知識、思想より事実を求める子どもたちの姿勢に、ただ大人が応えていくだけではなく、それ以上のことを山野は求めていたのだ。それは、「子供に関してだけでなく、現代の青年、例えば我々の世代にまで」及んでいる主体的な思想体系の欠落であり、ゆえに「嘘と判っている本当らしさや、いかにも系統立ったような論理」を安易な形で与えることを警戒し、「矛盾と混乱、嘘っぱち」こそを「もっとも与えなければならない」ものだと強調する。こうした逆説は、それこそ『レヴォリューション+1』に収めた「スペース・オペラ」にはっきり現れている。

いわためぐみ

新しい「薄桜鬼」へ！
ミュージカル「薄桜鬼 真改」土方歳三篇（前編）

弦巻稲荷日記

乙女ゲーム「薄桜鬼」が2024年、15周年を迎えた。

「薄桜鬼」は、史実の人物でありながら女性ファンがそもそも多い「新選組」の物語をベースに、吸血鬼、鬼という、物語ギミックとしても最強ともいえる設定と、自らの望む結末を獲得する恋愛要素をプラス。自分が新選組隊士の誰かと最後を迎える「恋愛シミュレーション」ゲームだ。

桜の舞う中で、散りゆく隊士たちと思いを遂げる。滅びの美学と成就する思い。

架空戦記的な歴史改変の中でも大きなのは、鬼の存在する平行世界の幕末であるということ。鬼という一族がいるだけでなく、人を鬼に変える落水という秘薬のちからで「羅刹」になる。落水を飲んで「羅刹」になった人間は、驚異的な回復力と戦闘力を得るが、それは、命の原動力を使い切ることであり、寿命を縮めること。「薄桜鬼」の新選組は「羅刹」の開発によって、この幕末を生き残ろうとしている。

そして物語の途中、主要人物の一部すらも「羅刹」になる。その「羅刹」になってまでも叶えたい思い。まさに桜のように「薄命」な鬼。その薄命な鬼と幕末を生き抜く主人公「雪村千鶴」は自身が鬼の一族の最後の女鬼という運命も背負っている。鬼の一族の再興を図る鬼の一族も千鶴を狙う風間千景も、鬼として敵として存在するだけでなく、千鶴とエンディングを迎えるルートも存在する。

恋愛を夢見て、そこに自分の夢を投影する夢女子にとってこれほどの最強コンテンツがあるだろうか。このゲームは、日本の恋愛シミュレーション市場最強となり、15年という年月を重ねたのだ。

私が1980年代にゲームを遊んでいた頃は、ゲームとは男性の遊ぶもので当然のことながら、男性向けのゲームが多かった。恋愛シミュレーションゲームは、男性主人公が女の子を口説き落とすもの。そんなゲームの中で思い出すのは「ときめきメモリアル」である。入学から三年間の高校生活、共学校で学校行事を重ねつつ、迎える卒業式の日。桜の木の下で、まっている女子高生に告白される。その女子高生が誰なのかを楽しみに攻略するゲームだった。

桜は、日本の国を象徴する木でもあり日本らしさを演出もするし、また桜は卒業と、散りゆく命も象徴する。満開の桜の木の下で、迎えるエンディング。「ときめきメモリアル」のしおりちゃんと過ごした時間ほど、私は「薄桜鬼」の千鶴ちゃんとゲームの時間は過ごさなかったが、今は「薄桜鬼」の15周年に立ち会っていることを書き記さずにいられない。

2008年9月に乙女ゲームとして1作目が発売されたこのコンテンツは、ゲームとして続編が発表されるだけでなく、アニメ、舞台、ミュージカルとさまざまな形で展開、コラボメニューの食展開、オタクファンむけのグッズ展開などなど大きなビジネスが行われてきた。

正直なところ、ゲームは好きだがゲームの市場が拡大し年間にリリースされるゲームの点数も多くなり、趣味としてゲームを触る時間がなくなって数十時間を恋愛シミュレーションゲームにかけることができなかったという理由もあるのだけれど、映画や小説を楽しむようにゲームの物語を楽しむには、恋愛シミュレーションゲームにかける時間が「ときめも」時代よりもゲームが要求するようになった。これは、私の性格のせいもある。私はこの手のゲームのすべてを見たい。自慢ではないが、「ときめきメモリアル」の時は、すべての攻略対象のすべてのエンディングを見た。それだけの時間を注ぐことが、体力的にもできなくなった。年齢のせいもあるが、世の中にはまだまだ観たい舞台も、読みたい小説も、観たいドラマも映画もある。宝塚歌劇団の舞台を観ること。暗黒舞踏の現場にたちあうこと、中国映画を鑑賞し、中国歴史ドラマを鑑賞すること。そんなコンテンツの時間とくらべて、ゲームがユーザーを拘束する時間はとてもつなく長くなった。

最近は攻略本市場もすっかり低迷しているように思うが、それでも書店にいけば人気ゲームの攻略本は、レンガのような厚さがある。ユーザーに飽きられず長く遊んでもらうコンテンツ。ゲームがダウンロードコンテンツであったとしても、1980年代のゲームと比べてどれだけ多くの情報を内包し成立しているのか。

だから、私は私のむすめたち世代にむけて開発されているのだろうと思う「乙女ゲーム」に食指がわかなかった。それはキャラクターのビジュアルも含めて、もう私の心を動かさなかった。

同じようなときめきを例えば中国歴史ドラマの「宮廷女官若曦」や「宮廷の諍い女」に感じて、漢服の美術の美しさに浸ることに浮気していたといえばいいだろうか。中国歴史ドラマの一部には、まるで乙女ゲームのように、女性主人公が複数の男性を恋愛対象として設定され、いったい誰とエンディングをむかえるのかというワクワク感がある。

もちろんゲームのように自分の行動で、エンディングに現れるキャラクターを選ぶことはできないのだけれど、「ときめも」を経験した後に、「想像力」で自分の思いを構築できる人間とっては、そのコンテンツ自体を自分の中で組み立てることができてしまうからだ。もちろん、そんな「もしこうだったら」は小学生のころから小説や様々なコンテンツを、「二次創作する」というやり方で楽しみ続けているという基盤の上にあるのだけれど。

そんな中で、ゲームそのものを触らずに「薄桜鬼」のミュージカルを観ることになった。最初は配信を観た。

2・5次元ミュージカルという原作もののミュージカルは「テニスの王子様」の成功を得て、完全にひとつのジャンルとして定着した。本誌でも高浩美さんが、舞台紹介の記事を書き続けてくれているが、本当にさまざまなコンテンツが、続々とミュージカルになっている。コロナ禍を経て、舞台配信のビジネス化は急速にすすみ、過去のコンテンツの配信も含め、多くのコンテンツを時間に固定されず楽しめるようになった結果、こういった2・5次元ものは、最初から配信ビジネスまで含めたライセンス管理をすることが進んだのだと思う。

バレエやオペラ、あるいは舞台でも老舗の劇団のものでも、撮影を残し動画を円盤として発売することすら、消費する側からみるととても遅く感じるのに対し、2・5次元の舞台の上演、商品化、配信化は、本当に目をみはるものがある。

上演時にDVDやBlu-rayの予約があっても販売は半年後。一方、上演と並行して配信のある場合もある。宝塚などは、独自の専門ショップと通販、ケーブルテレビやBSチャンネルでの過去コンテンツの配信などすでに先行例としてあるが、独自の「劇団」システムではない「薄桜鬼」が、人気の役者をキャスティングし、独自のファン層を獲得し、オタクコンテンツ販売のアニメイトなどで、そのグッズや動画アイテムを販売するビジネスは、とても興味深い現象に思えた。

さて、そんな興味からの視聴ではあった「薄桜鬼」のミュージカルは、ゲーム発表から4年後の2012年から始まっている。一作目は、「ミュージカル「薄桜鬼」斎藤一編」

「薄桜鬼」は乙女ゲームとして攻略対象によってストーリー、エンディングが変わる。この原作を舞台化する場合、やはり誰のルート攻略であるかは明確にする必要があるだろう。

余談になるが、宝塚歌劇団のRRRの上演に際して『RRR×TAKA"R"AZUKA～√Bheem～（アールアールアール バイタカラヅカ～ルートビーム～）』というタイトルを見たときに、このルートという言葉にゲームの攻略ルートを思い起こした。RRRは、ラーマとビームの物語。映画の構造はそれぞれの視点の物語を観客に客観的に提示しながら進むものだったが、まるで恋愛ゲームのルート変更のように、重要なセリフ場面はそのままに、恋愛攻略ルートとして「ビーム」視点を重視した演出であったと思う。

さて「薄桜鬼」の××編は、斉藤一、土方歳三といった攻略対象による物語として、公演をくりかえしていた。つまり、好評舞台の「再演」ではなく、あくまでも、「攻略ルートごと」の新作である。ゲームの中の重要なシーン、重要なセリフ、同じ登場人物が視点によって見え方が違うだけでなく、雪村千鶴というゲームの中の視点である女性の行動によって、攻略対象によって、登場するメンバーの運命がかわる。

ある人物は、物語途中で命を落とす。攻略対象以外のメンバーの物語が変容していく。それが「薄桜鬼」ミュージカルの構造でもあった。

今回、自分の推しのキャラクターはどんな扱いを受けるのか。タイトルに冠されたキャラは、最後に千鶴とエンディングを迎えるが、その他のキャラクター推しのファンは、そのことを不安と期待の入り混じった感情で劇場に足を運ぶ。

ミュージカルファンとして役者のファンも足を運ぶ。この長い月日に、関わった役者は、入れ替わってもいる。テニスの王子様でも「何期」という言い方で、長寿舞台でありながら役者が入れ替わっている。10年以上の上演記録を重ね同じ役を演じ続けている役者もいるのだが、基本的は、「××編」の主人公を迎えた役者は、その役を卒業していく。例えば、私がファンになった「山南敬助(史実はやまなみだが、薄桜鬼ではさんなん)」役の輝馬は、前回の「山南敬助篇」で、卒業となった。

この「山南敬介」は、読み仮名が変更になっているぐらい、史実の山南とはことなった薄桜鬼独自の設定が加わっている。ある意味で、山南編が、「薄桜鬼」ミュージカルの集大成となってもおかしくないと思っていた。山南編を個人的な感動をもって劇場で立会い、いつかこのコンテンツのことをちゃんと書かなくてはと思いながら1年後。2024年15周年。満を持してもってこられたコンテンツは、「土方歳三編」だった。

ここに、プロダクションとしての大きな変更があったことも書き残して置くべきだろう。

「薄桜鬼」のミュージカルは、脚本演出家が途中で変更されている。

2012年の初演から演出・脚本・作詞とクリエイティブ面を担ってきた毛利亘宏から、2018年の「志譚 土方歳三篇」で西田大輔になり、その舞台の性格が変わったとも言われている。毛利の「薄桜鬼」は、乙女ゲームとして観客が千鶴に感情移入して経験していく。一方、西田の「薄桜鬼」は、西田の経験を活かしミュージカルチームとして、群像劇としてそれぞれの役者たちすべてに見せ場と観客へのアピールのある舞台。

どちらが正解ということではない。ただ、それぞれの演出にファンがおり、毛利ファンの言い分、西田ファンの言い分が劇評としてインターネットに存在していることを興味深く私が読んでいる。役者も「××篇の誰がよかった」という千差万別の批評が存在する。私にも贔屓の役者もいる。

そのそれぞれの舞台のそれぞれの良さを理解したうえでこの事実を受け止めるとして、15周年の舞台は、西田から毛利に脚本、演出が戻されることになった。正直、ビジネス的なことも含め多くの想像力が掻き立てられた。そのことを書く紙面は残っていないがどうしても書いておかなくてはいけないことがある。

15年目の「薄桜鬼」は、乙女ゲームの舞台はこうあるべきというエンディングを迎えた。毛利↓西田↓毛利演出の最新作。完全全編新曲で「薄桜鬼」ミュージカルのテーマ曲ともいえる「ヤイサ」を超えるとの事前情報があったが、作品を見終わったあと、特別カーテンコールで「ヤイサ」が流れたときの感動。これは、なにも知らないで舞台を見たときには得られないとてつもない感情だった。

私は、このエンディングが「薄桜鬼」ミュージカルを締めくくるにふさわしい作品になったと思っているし、この次に「薄桜鬼」ミュージカルが続くとするならば、この15周年目の「土方歳三編が、一つの時代を終わらせて、新しい「薄桜鬼」を生むことになる日なのだと思っている。

作品の上演間もないのでネタバレになると困るので、作品そのものへの言及は次号でできればと思う。

TH LITERATURE SERIES

アトリエサードの文芸書 好評発売中！

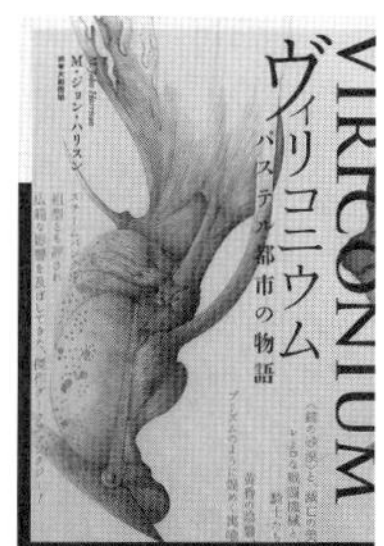

M・ジョン・ハリスン
「ヴィリコニウム ──パステル都市の物語」

四六判・カヴァー装・320頁・税別2500円

〈錆の砂漠〉と、滅亡の美。
レトロな戦闘機械と、騎士たち。
スチームパンクの祖型とも評され、
〈風の谷のナウシカ〉の系譜に連なる
SF・幻想文学の先行作として知られる
ダークファンタジーの傑作！

ケン・リュウ他
「再着装（リスリーヴ）の記憶 ──〈エクリプス・フェイズ〉アンソロジー」

四六判・カヴァー装・384頁・税別2700円

血湧き肉躍る大活劇、ファースト・コンタクトの衝撃……未来における身体性を問う最新のSFが集結！
ケン・リュウら英語圏の人気SF作家と多彩なジャンルの日本の作家たちが競演する夢のアンソロジー！

キム・ニューマン
「《ドラキュラ紀元》われはドラキュラ ──ジョニー・アルカード〈上・下〉」

四六判・上巻税別2500円・下巻税別2700円

時は70年代、ドラキュラにより転化した少年、ジョニーは、ヴァンパイア三人娘やコッポラやウォーホルらと相まみえながら、何を企むのか──。
実在・架空の人物・事件が入り乱れて展開する、《ドラキュラ紀元》シリーズ完全版第４弾！

M・P・シール
「紫の雲」

四六判・カヴァー装・320頁・税別2400円

何処からか毒の雲が立ち昇り、
地上の動物は死に絶えた。
ひとり死を免れたアダムは、
死体が累々とする世界を旅する。

異端の作家が狂熱を込めて物語る、
世界の終焉と、新たな始まり。

アルジャーノン・ブラックウッド
「いにしえの魔術」

四六判・カヴァー装・320頁・税別2400円

鼠を狙う猫のように、
この町は旅人を見すえている……
旅人を捕えて放さぬ町の神秘を描き、
江戸川乱歩を魅了した
「いにしえの魔術」をはじめ、
英国幻想文学の巨匠が異界へ誘う、
5つの物語。

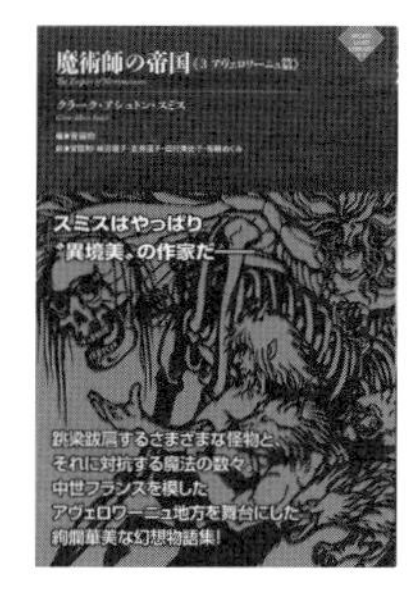

クラーク・アシュトン・スミス
「魔術師の帝国 《3 アヴェロワーニュ篇》」

四六判・カヴァー装・320頁・税別2400円

スミスはやっぱり〝異境美〟の作家だ──
跳梁跋扈するさまざまな怪物と、
それに対抗する魔法の数々。
中世フランスを模した
アヴェロワーニュ地方を舞台にした、
絢爛華美な幻想物語集！

ナウシカの先行作!?
M・ジョン・ハリスンの傑作
「ヴィリコニウム～パステル都市の物語」
Twitter感想まとめ

推しは500歳の美少女ジュヌヴィエーヴ？
眼鏡っ娘ケイト？
《ドラキュラ紀元》シリーズTwitter感想まとめ

E&H・ヘロン
「フラックスマン・ロウの心霊探究」

四六判・カヴァー装・272頁・税別2300円

シャーロック・ホームズと同時期の
オカルト探偵ものの先駆け的作品！

超常現象の謎を、自然の法則に
のっとって解き明かす、
フラックスマン・ロウのみごとな手腕を
ご堪能あれ。

発行・アトリエサード　発売・書苑新社

www.a-third.com

「イラストレビュー」◉絵と文＝三五千波

オペラ「長い終わり」 作曲・台本・芸監・高橋宏治
演出・照明・植村真 指揮・浦辺雪
ソプラノ・中江早希・薬師寺典子
すみだトリフォニー小ホール（2月27日観劇）

登場人物は
「私」と「声」（voice）
「愛」についての
音楽劇
なのだけど
パートナーを
舞台に
登場させず
内心の対話で
物語は進む
「長い終わり」に向かって

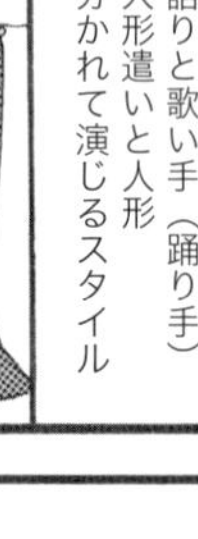

この見開きの主要4演目は
広い意味での「文楽形式」
語りと歌い手（踊り手）
人形遣いと人形
分かれて演じるスタイル

「愛」「時間」「音楽」の
擬人化みたいなヒロイン
現代の「女の愛と生涯」
のようにも思えた

サチコさまのティアラには
百均で売ってる人形
「エリーちゃん」
毒々しいロリィタと
日独パンク魂
この「弱法師」と
「かぐや姫」は
出生に
似てる所があり←

西原鶴真師匠は
ドイツ語の劇中歌
エモいノイズ
卓まわりのおもちゃ
みんな作る

薬師寺典子
「B→C」
（2月13日）

「voice」薬師寺は得意の
現代歌曲の他にバッハと謡曲
「吉祥天人」の一節も披露
日本古典に取材した
新しい語り物歌曲が
すでに始まっている

現代音楽プロジェクト「かぐや」
作詞・ベン・オズボーン 作曲・ヴォーカル・
ジョゼフィーヌ・スティーヴンソン
振付・ダンス・森山開次
東京文化会館小ホール（1月13日）

第1部はコスキネン・
サーリアホ・横山未央子の
室内楽
第2部は
「竹取物語」及び
与謝野晶子の
詩に基づく「かぐや」

西洋の目を通した
かぐや姫はポジティブ
「山の動く日きたる」
という希望を信じ
月まで梯子を掛ける勢い
日本のかぐや姫はもっと
厭世的な少女だったと思う

謡と語り物
飛んで行く鳥
花と月 踊り 雨
「究極のバラ」
「かぐや」と
重なるイメージ

桑原ゆう委嘱作品
「ふたつの声のための《二人同夢》」
妻が見知らぬ童子と居た同じ夢を
夫婦で同時に見た話
夫の役はソプラノで
妻の役は地声で歌唱

Q／市原佐郁子「弱法師」
劇作・演出・市原佐郁子　語り・原サチコ
音楽・琵琶・西原鶴真　美術・中村友美
スパイラルホール（3月10日観劇）
ベビーパウダーを
ぱた　ぱた　ぱたと
はたいてあげる
ことでしか
大切に
してあげる
気持ちを
伝えることが
できない
交通誘導員人形と
ラブドールでは
老夫婦同様に
子どもは望めないはずなのだが
「筒の中に宿った光のようなもの」が命を持つ
そんなんで実は
この可哀想な「坊や」もまた
地上で誰にも愛し愛されない
かぐや姫の同類なのだ
昨年ドイツでの
世界演劇祭
高松　豊岡と
ツアーを経て
待ってましたの
東京初演
川村絢音
博士学位審査
演奏会
（2月16日）
ここで従来のエレクトロニカとは
違う新世代　IRCAM帰りの
「ミクスト音楽」を知る
土台となるヴァイオリンも
キレッキレ
それなのに
青柿将大作品の
モチーフは
レインの
「結ぼれ」
だったりする
向井響　作曲個展「美少女革命」
演奏・小倉美春・石原悠企・千葉水晶・北嶋愛季
佐藤采香・長谷川将山・中村栄宏・田中真緒
ひとみ座乙女文楽
トーキョーコンサーツ・ラボ（2月20日鑑賞）
「美少女革命」
本朝廿四孝
奥庭狐火の段
アア…
翅がほしい
羽根がほしい
八重垣姫は
諏訪湖を渡り
時を越え
現代の恋する女のコの
動画の中にも偏在する
ヴィルトゥオーシティと
エレクトロニクスの
ライブでの融合は
この個展でも大きなテーマ
ユーフォニアム曲の
「美少女革命」の副題は
「Drama Queen」
双子の弟　向井航の
「Drag Queen」と
対になる概念かと
飛んで行きたい
しらせたい
Concert REAM vol.5
（3月17日）ミクスト音楽と
コンピュータ支援作曲の夕
中瀬絢音作品
「The Exploding Whale」
これも科学に一抹の
叙情が混じる
ヘッケルフォン

voice duo vol.4
「死ぬるが増か
生きるが増か」
すみだトリフォニー
小ホール（2月26日）

クルターク
「ヘルダーリン歌曲集」「カフカ断章」
カフカはヴァイオリン松岡麻衣子との
緊迫の二人オペラのごとく

ここでも桑原ゆう新作の語り物
「葉武列土一段」
新体詩のハムレットとオフェリアを
松平敬が裏声も駆使して一人二役

洗足学園音楽大学大学院作曲コース
アンサンブル特殊研究2・
作品発表リサイタル（3月26日）

ファゴットとチェロの編成で
「聴いてもらう」所までの授業

草原を感じる
中国留学生の作品に
「鳥が騒ぐ逢魔が時」
桑原ゆう先生の新作

先生みずから
手がける
チラシデザインは
最高（レトロ印刷）

配布されたこれ
音を出すだけで
超絶技巧が必要…

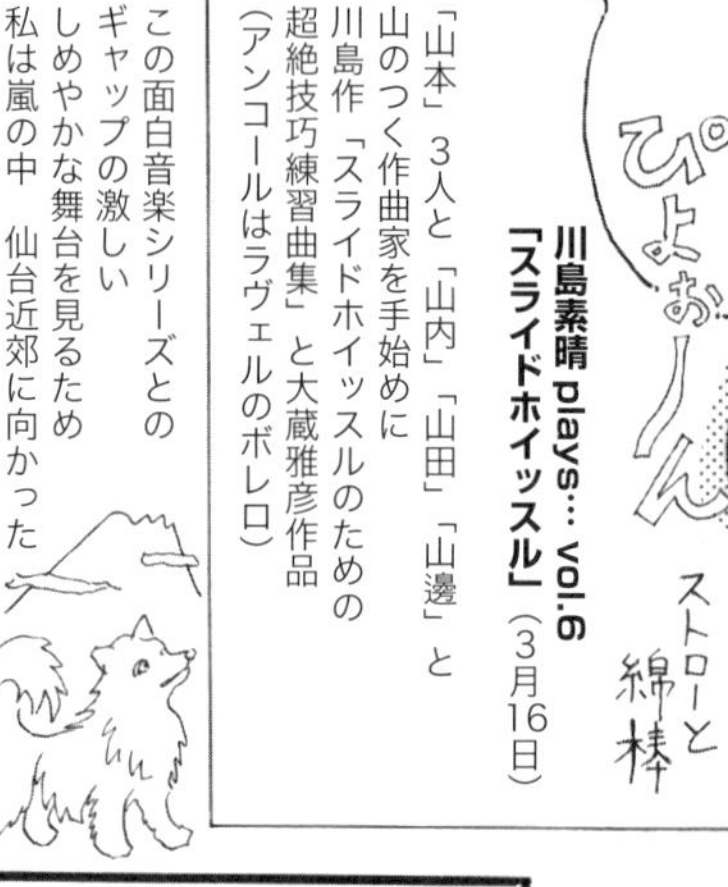

川島素晴 plays… vol.6
「スライドホイッスル」（3月16日）

「山本」3人と「山内」「山田」「山邊」と
山のつく作曲家を手始めに
川島作「スライドホイッスルのための
超絶技巧練習曲集」と大蔵雅彦作品
（アンコールはラヴェルのボレロ）

この面白音楽シリーズとの
ギャップの激しい
しめやかな舞台を見るため
私は嵐の中　仙台近郊に向かった

アートキャラバンみやぎ2023
多賀城創建記念「アンサンブル東風」演奏会
川島素晴作曲・指揮によるコンサート
（1月21日）

「笙協奏曲」と
11月初演に向け
制作中のオペラ
「多賀城創世記」
（仮称）から

松平敬＆工藤あかね
デュオが登場
繊細かつ重厚な音の
郷土史ページェント
オペラになりそう

今季は「文楽形式」「月と異界」「日本古典の語り」
「エレクトロニクスと生音のミクスト音楽」という
目立つテーマがあったけれど
それ以外のステージにも一種の流れを感じた

川口成彦「B→C」
（2月13日）

クリストフォリ
ジルバーマン
ワルターと
モダンピアノが
並ぶ

バッハから
ポスト・ミニマルまで
三百年を
ひとっとび

「園田隆一郎のオペラを
100倍楽しむ方法」
ニューイヤー・
コンサート2024
（1月6日）

脇園彩＆小堀勇介の
ロッシーニとドニゼッティ

「エルミオーネ」好きな人の
暗殺を命じてしまった
ヒロインの
狂乱の場が圧巻

オッフェンバック「美しきエレーヌ」
（2月17日）
東京藝術劇場
コンサートオペラ
台本・構成
佐藤美晴

土屋神葉の
キューピッドを
狂言廻しに
分かりやすい
喜劇にアレンジ
←こちらと共振？

ホーフマンスタール「ばらの騎士」
SPAC 静岡県舞台芸術センター
上演台本・宮城聰　演出・宮城聰・寺内亜矢子
音楽・根本卓也　静岡芸術劇場（1月8日観劇）

物売りの場などを大胆にカットして
設定は鹿鳴館時代
良き喜劇にまとまってた
重厚なオペラからは考えられない
オリジナルソング
「オックス男爵のテーマ」がたまらぬ

藤原歌劇団「ファウスト」
（1月27日観劇）

この日はタイトルロールの歌唱が
後半に向かい惨憺たる出来
なぜカバー交代の準備がないのか
それ以外は名曲揃いでバレエも入り
堂々たるグランドオペラを堪能
↑上記のエレーヌに先立ち
マルグリート役も砂川涼子
倦怠する人妻と悲劇の乙女
触れ幅大きい

「ラヴェル最期の日々」
（2月18日観劇）
東京文化会館恒例
加藤昌則の名曲劇場

お洒落と洗練を極めたラヴェルの
弱って行く晩年が悲しい
ピアノ三重奏と
バンドネオンでの
「ボレロ」
踊りと
編曲が
見ものだった

いいへんじ「友達じゃない」
作・演出・中島梓織
出演（Aキャスト）飯尾朋花・富岡英香・小林駿
北とぴあペガサスホール
（3月20日リハーサル観劇）

「変な歌を歌って
荒川を渡ろう」
路上ライブの
客として意気投合
ときどき逢うくらいの距離感って
友達なのかな？
「友達」って
「恋人」同様
相手を束縛する
わりと重い言葉
かもしれない

今季のステージ備忘録
東京藝術大学退任記念演奏会
「萩岡松韻」（3月15日）
「上條妙子」（3月16日）
「日仏文化交流に尽力した作曲家たち
・コンサートと対談」（1月29日）
新国立劇場研修所修了公演
「カルメル会修道女の会話」
（3月3日観劇）

ブランシュは
ひきこもり
修道女だよ

◉絵と文＝大黒堂ミロ

生存の耐えられない重さ

頬つたう涙よ、しずくよ
私の此の肉体よ!!　臓よ
　この頭脳よこの心臓よ
私の体の中の　赤い血よ
散れ、く、く、散ってくれ
　（中略）
永遠のかなたに散ってしまえ
　この骨さえ砕いてしまえ
　ああ、想いはままよ
私はまだ呼吸しているのである
三億何回の心臓の音よ止まれ!!
消えてしまえ――永久に
　「後悔の多い日」
　永山則夫
『無知の涙　金の卵たる中卒者諸君に捧ぐ』

この死体を
みると
勇気が出るんだ

『リバーズ・エッジ』のセリフを大ヒットしたアニメ化キャラに言わせると異常な違和感がある。マーケティング戦略が充実したメディアミックスを狙うメジャー誌では生まれなかった作品である。

あたしはね
〝ザマアミロ〟って
思った

1968年に永山則夫（当時19歳）による連続ピストル射殺事件があり、翌年に逮捕、獄中で書いた『無知の涙』がベストセラーになった。70年に新藤兼人監督が『裸の十九歳』として映画化。（同時上映は実写版『銭ゲバ』）

90年に最高裁で死刑が確定し、97年8月に刑が執行されたのだが、少年Aによる『神戸連続児童殺傷事件』が世論を賑わせていた時期である。弁護士の遠藤誠によると「これからは未成年の犯罪に対し死刑を含む厳罰をもって臨むのだという、いわばデモンストレーション的意思表示のスケープゴートとして、順番を乱して永山を殺したということ」「生まれたときから殺されるまで、彼はツイてなかった人間の代表ですね。そういう意味ではかわいそうです」（文藝別冊『永山則夫』収録）

2013年には『永山則夫　封印された鑑定記録』が出版され、NHKでも特集された。実姉の中絶した子どもの埋葬を母に命じられ、精神に変調をきたしたエピソードなど明らかになり、改めて精神鑑定の不手際も指摘されている。

ちなみに永山事件の68年にはチェコの民主化運動「プラハの春」があり、後にフランスに亡命したミラン・クンデラが小説「存在の耐えられない軽さ」を84年に発表（映画は88年）。

祖国を失った人のアイデンティティの問題など詳細は割愛。

2000年に公開されたトラウマ映画『ダンサー・イン・ザ・ダーク』の主人公セルマ（ビョーク）もチェコからアメリカへの移民、貧困と不幸の権化のような設定である。

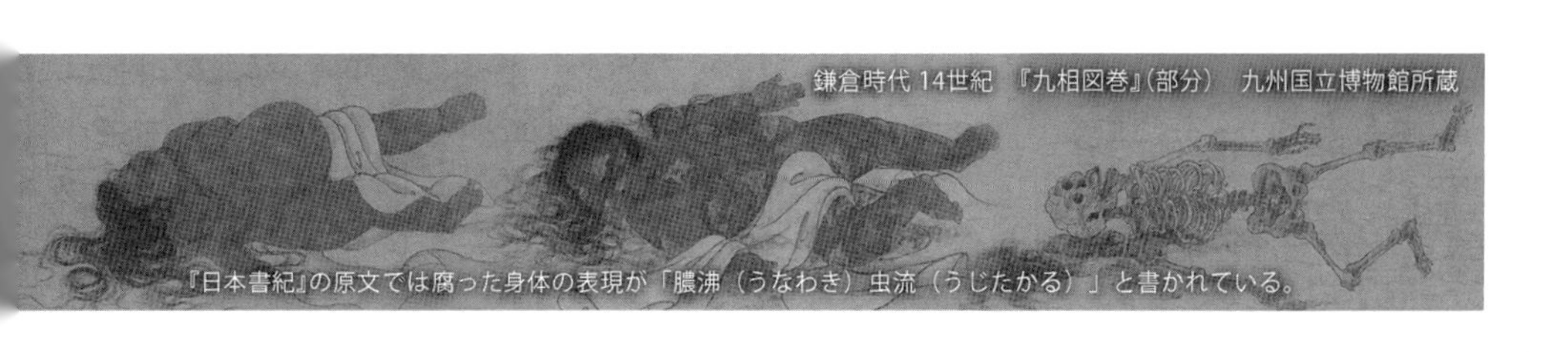
鎌倉時代 14世紀 『九相図巻』(部分) 九州国立博物館所蔵

『日本書紀』の原文では腐った身体の表現が「膿沸（うなわき）虫流（うじたかる）」と書かれている。

80年の『なんとなく、クリスタル』から日本社会が記号化・虚構化して様々なリアルが失われ、『完全自殺マニュアル』がベストセラーになる90年代、そして雑誌『BURST』に代表されるようなドラッグカルチャー、身体改造、タトゥーカルチャー、死体写真等がサブカルの主流になった2000年代。そんな時代の流れを代表する作品のひとつは岡崎京子の『リバーズ・エッジ』だろう。日本のエリートと言われる人たちがカルトに嵌まってサリン事件（95年）を起こしたり、普通の中学生だった少年Aが劇場型の快楽殺人事件（97年）を起こす前に発表していることは重要である。

高校生が郊外の河原の藪で見つけたまだ肉の残っているリアルな死体に向かい『勇気が出る』『ザマアミロ』と言っているのだが、86年に公開された映画『スタンド・バイ・ミー』では青春映画として少年たちが死体を見つけに行く旅（通過儀礼）を描いていることを考えると、かなり生々しい変化だと言えるのではないだろうか。

煩悩を払い、現世の肉体を不浄なもの・無常なものと知るための『九相図（くそうず）』（上図）は有名だが、まさか変化する死体そのものが煩悩を満たし消費される事になるとはお釈迦様でも思わなかっただろう。

もしかしてもうあたしは
すでに死んでて
でもそれを知らずに
生きてんのかなぁと思った

ところで2019年の大ヒット映画『JOKER』は今さら説明も要らないと思うが、貧困と不幸のどん底に落ちた男が悪のカリスマへと変貌を遂げる話である。主人公が教育をまともに受けられなかっただろう事や、ひょんなことから拳銃を手にして事件を起こした事、（あまり大っぴらに語られないがセルマの言動は知的障害者のそれであるが）ちゃんとした精神鑑定を受けてない事。映画『JOKER』と『ダンサー・イン・ザ・ダーク』と『永山則夫事件』はそんな共通項を持っている。

心に闇を抱える人たちは「私もJOKERだ」と感情移入してヒットにつながったが、永山則夫はベストセラーになった『無知の涙』を含む多額の印税を「永山子ども基金」としてペルーの働く子どもの学費支援等に使っている複雑なキャラクターでもあるので、そう簡単に感情移入するのは難しいだろう。

話は変わるが、23年には資格を取って地元の海のライフセーバーのデビューをした。この資格には心肺蘇生法の実技試験もあるのだが、その練習等に使う訓練人形を『アン』と言う。『セーヌ川の身元不明少女』で検索すると情報が出てくるが、史上もっともキスされた顔と言われる1960年に発売された人形の由来は、自殺した美少女のデスマスクである。そんな心肺蘇生法なのだが、AEDや救急車が到着するまで骨をバキバキ折りながら心臓マッサージを続けるのである。

『存在の耐えられない軽さ』はともかく、「命が助かってよかった」と軽々しく言えないほど生存の手段は重いのだ。

佐藤寿保監督

火だるま槐多よ

★以前から推しの、八田拳（みこいす）さんが映画にでるというから、観に行ったのだけれど。タイトルから期待大だった。『火だるま槐多よ』だ。村山槐多なら『悪魔の舌』が大好きだ、彌生書房版の全集ももっている。

いや観に行ってよかった。ずっとカオスな二時間だった。不勉強で知りませんでした、佐藤寿保監督。アマゾンプライムでも配信している『可愛い悪魔』やBDの『眼球の夢』、つぎつぎに観てこちらも凄い。

村山槐多の『尿する裸僧』を、褐色の精液が放出する強いエネルギーだと解釈し、そのエネルギーに負けない映画だった。とはいえ目ではついつい、推しの姿ばかり追ってしまうのですが。（日）

TH特選品レビュー

（イ）イガラシ文章
（岡）岡和田晃
（高）高浩美
（清）清水悠正
（シ）シン上田
（菅）菅原慎矢
（日）日原雄一
（並）並木誠
（水）水波流
（村）村上裕徳
（M）本橋牛乳
（八）八本正幸
（二）二葉亭二丁目
（穂）穂積宇理
（雅）雅晃彦
（吉）吉田悠樹彦

小島章司

美は涙の海から

東京芸術劇場シアターウェスト、23年11月2日

★これは小島章司の集大成的な舞台でもある。寺山修司の言葉にヒントを得ながら世相と対話を重ねていく中で生まれてきた。新鋭の北原志穂と共に描いた。冒頭、二人でおどる。そこにチクエロらのギター演奏、オペラ歌手も加わる。やがて青いシージョに白い衣裳の北原が加わる。そして小島のソロ、二人のデュオで締めくくられる。

寺山修司の言葉に触発された作品だがロルカの詩歌やラテンアメリカの風土に通じるような土俗な風景などスペイン語文化の要素も加わる。今年のベスト3に入るぐらいの非常に良いパフォーマンスである。大舞踊家の震災後・ポストコロナという世相を見つめたリアリティが像を結んだ。（吉）

日本オペレッタ協会

シューベルトの青春 三人姉妹の家

北とぴあつつじホール、24年2月10日・11日

★オペレッタを初めて観た。演目としては、けっこう取り上げられることが多い作品とのこと。ストーリーはといえば、わりとシンプル。三姉妹の次女と三女はそれぞれ恋人がいる。フランツ・シューベルトが住むアパートの管理人やシューベルトの友人たちの策略で、三姉妹の父親を説得し、結婚につなげていく。一方、長女はシューベルトのことが好きになる。シューベルトの友人のフランツ・ショーバー男爵がこちらもうまく結び付けようとするが、男爵の愛人であるオペラ座のプリマドンナ、グリージが現れて「フランツは恐ろしい男だ」と長女に吹き込む。フランツ違いだが、長女はシューベルトを避けるようになり、男爵と結婚することになる。シューベルトには音楽が残される。

全2幕、2時間半の舞台だったけれど、歌を聴いているだけでもけっこう楽しめた。音楽はいいですね。ただ、舞台そのものも、きちんと演出されているというか、空間がしっかりと構成されていて、観ていてとても安心できた。キャストの動きがすみずみまで計算されているっていうことです。まあ、歌の巧拙はちょっと差があったりするし、三姉妹の歌手の実年齢が高いのに恋人役の役者たちが若いので、なんだか年の差婚に見えてしまうのはご愛敬。まずは歌えることが大事。今回はとりわけシューベルト役の初主演お披露目ということもあったらしいけど、よく声が出ていて、良かったです。（M）

シオドラ・ゴス
メアリ・ジキルと囚われのシャーロック・ホームズ
鈴木潤訳、早川書房

★アテナ・クラブシリーズの三冊目、というか二冊目は二分冊だったので四冊目か。前作のラストで、メイドのアリスが誘拐され、シャーロック・ホームズは行方不明となっていたので、その続きということになる。とりあえずシリーズはここでめでたく完結。

ジキル博士やハイド氏（まあ、この二人は同一人物ですが）、フランケンシュタインやモロー博士の娘たちが活躍する、何だろう、ゴシックSFとでもいえばいいのかな。現在のSFというよりは、ヴィクトリア朝で信じられていた科学に基づくSF、というスタイル。

このシリーズのテーマは、ヴィクトリア朝では消されていた女性の声。アテナ・クラブのメンバーでモロー博士が作り出したピューマ人間のキャサリンが執筆しているという設定で、本文の合い間合い間にアテナ・クラブのメンバーと家政婦のミセス・プールがコメントを差しはさむ。コメントはどこかガールズトークみたいな感じで読んでいて楽しいのだけれども、それが登場人物たちの、あるいはヴィクトリア朝時代の女性の本音として書かれている。モンスター娘たちはみんな出自が違うので、本音もちがってくる。例えば、ダイアナ・ハイドは女性に対して要求される礼儀や服装が大っ嫌いだし、ジュスティーヌ・フランケンシュタインは女性には与えられなかった学問に対して貪欲だ。どこかで男性社会を批判しつつも、恋愛感情は大切にしている。

本作は最強の敵、蘇ったミイラとの対決だ。前作が、欧州旅行のシーンが長く、ちょっと退屈なところがあったけれど、今回は全体が引き締まった感じで展開し、とても読みやすい。新たにメンバーに加わった吸血鬼娘のルシンダも最後に活躍する。でも何より重要なのは、著者が述べているように、メイドのアリスでも活躍できる、そんなストーリーになっていることだと思う。そこには、ゴスの、ヴィクトリア朝さらには現代に続く女性の消された声、メイドなど目立たないところにいる女性の存在をはっきりと示したいという想いがあるのだろう。その一方で、ホームズは拘束されたままだし、ワトスンの行動はちょっと粗忽だし、男性が女性を助けて救われる、というシーンがまるでないっていうのもなかなか筋が通っている。そんなことも含めて、けっこう楽しく読んだな。（M）

カレン・ティ・ヤマシタ
三世と多感
牧野理英訳、小鳥遊書房

★ずいぶん昔、「熱帯雨林の彼方へ」が訳されて以来、久しぶりの翻訳。マジックリアリズムという紹介のされ方だったけれど、多量の廃棄物（ゴミ）が人類を危機に陥れるという話はすでに、現実の話になっているので、もはやマジックではないよな。

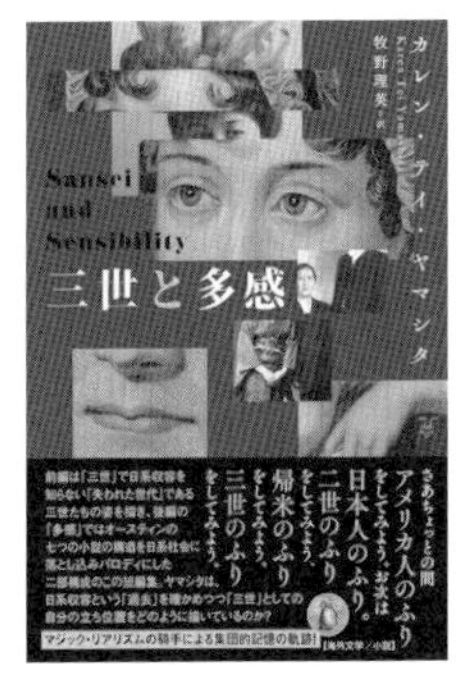

姓からわかるように、ヤマシタは日系アメリカ人。短編小説はあまり得意ではないという。タイトルからわかるように、日本からの移民とその子孫をめぐる話が中心にある。明治時代からの移民がおり、第二次世界大戦中は収容所に入れられる。どこかに日本文化を残し、日本にいる親戚のところを訪れることもある。日系人の社会がある一方、三世ともなれば希薄になりはするが、他方で新たな日本に触れることも常にある。

最初に収められたのが、ヤマシタのデビュー作である「風呂」。日系人の風呂へのこだわり、日本に行って銭湯にもつかる。二つの文化の間でどちらにも所属しない日系アメリカ人が、風呂という象徴で語られる。

そこから先、「紳士協定」では日本から移民の記憶が掘り返される。行先はアメリカだけではない。アメリカが受け入れをやめたため、ブラジルに行った日本人もいる。

「キティのキス」では「ゴジラ」からジャパニメーション、AKB48に言及するし、「コン・マリマス」はタイトル通り、片付けコンサルタントのコン・マリ（近藤麻理恵）と断捨離をめぐる話だ。

「三世レシピ」で紹介される料理は、日本とアメリカの間で開発されたもの。読むだけでも楽しい。味噌マヨサーモンとか、おいしそうだけど、アボカド／カッテージチーズと納豆はパスかな。

最後の「オマキさん」は、書簡体のピカレスクロマンっていえばいいのかな。米軍兵士と結婚した身寄りのない少女は、夫を早く亡くしたあと、娘を残してアメリカにわたり、夫の親戚からお金をまきあげて優雅に暮らすという展開。娘は娘でしたたかに生きるけれど、それは母親に似たのかな。

アメリカに移住し、生き残ってきた日系人の生命力が全体にあふれている、そのことそのものが、日本に住むぼくにとって、どこかリアリズムを超えてしまうように感じられる、そんな短編集である。（M）

日本オペラ協会
ニングル

めぐろパーシモンホール 大ホール、24年2月10日～12日

★テレビや舞台を中心に数多くの名作を世に送り出してきた脚本家・倉本聰の代表作「ニングル」が新作オペラになった。

本作が書かれた40年前、環境問題が今ほど取り上げられていなかった時代に、早くもこの問題に警鐘を鳴らしていた意欲作が、オペラ「ニングル」として新たな一歩を踏み出した。作曲はテレビ、映画の劇伴で活躍し、オペラ「禅～ZEN～」の作曲で高い評価を得た渡辺俊幸。脚本は原作者・倉本聰の信任が厚い吉田雄生が担い、オペラ脚本家としてデビューを飾る。倉本聰はこの作品で、欲望のままに自然環境の破壊を繰り返す、行き過ぎた文明社会が招く悲劇を予告し、取り返しのつかなくなる前にそのことに気付き、引き返す知恵と勇気を持つことの大事さを訴えた。

1人の老人が少女に話しかける、ゆったりとした曲調。母親は少女を産んですぐに他界し、「母さんは星になった」と歌う。それから、場面は変わって賑やかな音楽、この物語のメインキャラクターである勇太、皆から「ユタ」と言われている。「結婚する」と歌い、「森を伐って農地にする」と。豊かな暮らしをしたい、それは誰しもが思うこと。次は宴のシーン、彼の結婚式、祝いの席らしく、皆が歌い踊る。お祭りを彷彿とさせるメロディ。

その夜、勇太と才三は勇太の姪のスカンポを連れて森へ。彼らは不思議な生き物に出会う。この不思議な生き物こそ、このオペラのタイトルにもなっている「ニングル」だ。ニングルは、アイヌの伝承における小人。アイヌ語では「ニン」は「縮む」、「グル」は「ひと」を意味する。ニングルは「森ヲ伐ルナ、伐ッタラ村ハ滅ビル」。才三はニングルの言葉を信じるが、勇太は信じない。なぜなら、ニングルの言葉を信じたら前に進めなくなるからだ。ニングルの長は歌う「計画は知っていた、悪いことは言わん、森を伐るな」と。だが、勇太は信じないどころかニングルなど見ていないと言い出す。他界した母親は、「いつも見守っている」「なぜ人は前ばかり見るのでしょう…なぜ人は大切なものを忘れてしまうのでしょう」と歌う。

勇太は計画を進めようとする。だが、才三は「森を伐ったら水が枯る」「森を伐ったら滅びる」と。勇太はそれでも前に進む。「家族のことや生活を考えて」、後には引けないと思う。そして次は伐採のシーン、皆が電動ノコギリなどを手にし、生きた木を倒す。何百年と生きてきた木々を。ダンサーたちのダンス、苦しそうな様子、才三は「生きた木の悲鳴が聞こえる」と歌う。

才三やニングルの言った通り、うまく行かない。借金は増えるばかりで、また、パチンコ屋ができて借金を拵える人も出てきた始末。事態は悪い方へ。激しい楽曲、畑が全滅したり、気がふれたようになる人も。勇太の引き返せない苦しみ。ついに才三に「木を伐ってこい」と言い、才三は木を伐りに森へ。木にお神酒をかけて手を合わせる。哀しみに溢れた曲「君の声が聞こえない」「ごめんよ、ニングル」「人は傲慢」「誰かを傷つけている」と歌う。曲調が変わり「悲鳴が聞こえる」、この才三のアリアは1幕ラストの最大のハイライトシーン。切々と歌い、最後にノコギリを木に当てて「ごめんよ」と。切なく哀しく、才三のやり切れない気持ちがほとばしる。

2幕冒頭は葬儀の場面、才三は伐採した木の下敷きになってしまった。悲しみに暮れる人々、とりわけ勇太の悲しみと後悔は計り知れない。彼の死を痛む歌、

勇太は「俺が殺した」と落ち込み、「死ぬつもりで伐った」と歌う。オミのニングルや自然を思いやる気持ちを知っていながらの自分の彼への行動、後戻りできないという思いからの行動だった。開発はうまくいかず、人々は勇太に借金が膨らんでいる、出ていけと迫る。八方塞がりな状況、ニングルの長が「わしらの警告を聞かなかった」と。ピエベツはどうなるのか、勇太はどうするのか。

樹の中には樹齢何百年というものもあり、それによって森は生きていると言っても過言ではない。だが、豊かさを追い求めて人間はそれらを伐採したり、あるいは「開発」と言って山を崩したり。樹はしゃべらない、だが、無言で語りかける。ラストは未来にかすかな光を感じさせる。シンプルなセットだが、想像力をかき立てるような奥行きで、様々に変化する。20世紀半ば以降の地球の温暖化は人為起源の二酸化炭素などの温室効果ガスが主な原因であり、過去の現象より急激に起こっているため、問題となっている。ハリケーンや干ばつ、洪水といった異常気象の要因にもなっているそう。「ニングル」の舞台化は1993年、オペラ化は初。人間にとって本当の豊かさとは何か、未来に向けて何をしたら良いのか、考えさせられる。（高

こそ会
ゆうてん
The Stone Age ブライアント
あなたは何も悪くない

座・高円寺、24年1月24日～28日

★座・高円寺で行われた、カンテン「The Foundations」という日本劇作家協会によるプログラム。素舞台で、6つの劇団が1時間の芝居を行うというもので、2作品ずつ3つのプログラムで公演された。そのうち、ぼくが観たのが、表記の2作品。

「ゆうてん」は、アンデルセンの「すずの兵隊」を下敷きにした作品。日本だと「鉛の兵隊」というタイトルの方が知られているかも。

脚本を担当した花香みづほは、「すずの兵隊」を上手に解体して再構成したと思う。最初に語られるのは、一本足の兵隊の冒険譚。庭に落ちて下水にながされ、魚に食べられたけれど、その魚が漁師につかまり、買われて元の家で調理される。そのときに亡くしたはずの兵隊が魚のお腹から出てくる。では、下水に流された一本足は不幸だったのか。帰ってくることができたからそうではなかったのか。そこには、帰ることができなかった、本当に不幸な存在がある。

後半、一本足の人形は踊り子の人形に恋をする。踊り子の人形も一本足の人形のことがすきだ。その他大勢の二本足の人形は嫉妬する。一本足は一本足ゆえに踊り子に憶えてもらえる。その一本足を再度不幸にすべく、悪魔は呪いをかけ、兵隊の持ち主である子どもは一本足を暖炉に入れてしまう。その中に踊り子の人形も入ってしまい、すずが融けて1つになる。それは、アンデルセンの童話ではある種のハッピーエンドになっている。

悪魔は問いかける。持っているものを失ったときに、人は不幸になる。けれども最初から持っていない人は、不幸になることができない。でも、本当に不幸なのはどちらなのか。失うことができない悪魔は、自分こそが不幸ではないかという。

花香はこの作品を「マジョリティとマイノリティの話」だと言っていたという。それは本当に、日本においても持てるものが失うがゆえに、自分たちを守ろうと考えるが、そもそも持たざるものは失うことができない。

最初と最後に、二人の子どもが出てくる。持っているものの一部（人形の1つ）を失った子どもと、そもそも人形を持たない子ども。メッセージをわかりやすく示してくれる。

という作品なのだけれども、俳優たちの演技がどうしても、学芸会っぽさがでてしまって、ちょっと残念だった。

「あなたは何も悪くない」は、かつてのオウム真理教事件を題材とした作品。主人公の男性が所属していた宗教団体はテロ事件を起こし、多くの実行犯が逮捕された。しかし、実行犯ではないにもかかわらず、主人公は女性とともに逃亡していた。事件を起こした宗教法人は消滅し、残った信者は新しい宗教団体をつくっている。その新しい団体の幹部から、逃亡を続けるように命令されていた。

ところが新しい宗教団体が方針を転換し、主人公に「罪がないのであれば出頭せよ」と命じる。それが、主人公を救うことになる、というのが新宗教法人の幹部の考えだ。

この作品はいくつかの論点を提示している。まず、そもそもの宗教法人の教えは人を救うことであったはずだが、それ

が誤った方向に行き、テロ事件を起こした。本来の教えはそうではなかった、として新しい宗教団体が活動していること。どこかで人を殺す宗教団体と人を救う宗教の思想は、分けられてもいいのではないか。そして、現実の世界において、後継となる新しい宗教団体に対し、その思想に耳を傾けることがないのではないか。さらに言えば、何の罪もないその宗教の信者に対して、事件後にあからさまに差別をしてきたことに問題はなかったのか。そして、だからこそ、新しい宗教団体の幹部は、主人公を救うために出頭を求める。

　実際にオウム真理教事件においては、微罪逮捕が繰り返され、罪もない信者の住民票不受理や学校への入学拒否などが平然と繰り返され、多くの人が異を唱えることはなかった。ましてや、その宗教がもともと持っていた人を救い、あるいは救われるという思想が顧みられることはなかった。そうした問題を、この作品は提示している。

　そうは思うのだけれど、せっかくの広い素舞台なのにこたつを持ち込んで狭い劇場のように使ってしまったことや、宗教法人の幹部たちの造形が、ちょっとありきたりすぎて教えが伝わってこないかな、という感じがしてしまった。元はもう少し長い作品だったものをショートバージョンにしてしまった、ということはあるのかもしれないけれど。割と深い問題なので、もっと掘り下げることができたんじゃないかな。（M）

エドゥアルド・ウィリアムズ監督

ヒューマンサージ3

★アルゼンチン出身の気鋭による新作実験映画が、前衛映像芸術の祭典、恵比寿映像祭において上映された。明確なストーリーはないが、一言で言えば若者たちの形而上的な放浪を描くロードムービーといってよいだろう。そのテイストはつげ義春「ねじ式」を思わせる。最大の特徴は多国籍性と、自在に国境を飛び越える感性だ。鳥や獣の鳴き声にあふれるペルーのジャングルをさまようシーンが続く。登場人物らの会話からは、何かを探していることがうかがえる。ふと気付くと円形をした幻想的な住宅が立ち並ぶ地域にいる。ここはスリランカの津波被災地、暮れていく田園地帯は蛙の声に満たされていく。言語はスペイン語からタミル語に変わっている。そこで眠りから覚めると、中国語が飛び交う台湾の下町にいる。飯屋で牡蠣のスープを食べていると、隣の客が行く先のヒントを与えてくれる……

　出演者は現地で集めた一般人で、大まかな台本はあるが即興部分も多い。そもそも監督が理解できない言語も多く使われているとのこと。現地の生の声が使われることで、「フィッツカラルド」などヘルツォーク監督作にも通じる手作りの熱気があふれるのだ。放浪は「仏陀の足跡」の異名を持つスリランカ最高峰スリー・パーダへと続き、地球を人体にみなしての胎内巡りの様相を示す。プロでない演者にカメラ映りを意識させないために導入したという三六〇度カメラを駆使した映像は、時にはノイズ混じりの見たことのない絵を映し出す。突然画面が回り始めるシーンには客席から悲鳴のようなものが飛んだ。筆者の印象に残ったのは、ナイーブな会話を続けながら静謐な湖を泳ぐ場面だ。「僕たちは後退しているんじゃないだろうか」「言い伝えによれば、前に進んでいるらしいよ」といった会話から、我々の時代における神話を創造しようとする真摯な知性を感じた。

　長編映画は二作目。前作「ヒューマンサージ」（日本未公開。ちなみにヒューマンサージ2はなく、その理由は明かされていない）も三カ国をさまよう多国籍映画だったが、劇映画としての見やすさ、エンターテイメント性は本作で格段に進歩している。三回だけの企画上映で終わるには惜しく、規模を拡大しての再上映を期待したい。（菅）

ストアハウス＋龍昇企画

エレジー 〜父の夢は舞う〜

上野ストアハウス、24年1月24日〜28日

★初演が1983年、清水邦夫の戯曲である。演出は西沢栄治。

　主人公は息子の草太を亡くした平吉、69才。兄依存の強い弟の右太が同居している。亡くなった息子は、父親とは折り合いが悪く、家を出て、事実婚の女性、塩子と暮らしていた。そして、いずれ実家を買い取るとして、父親に対してローンを支払っていた。

　塩子も草太とともにローンを払ってきた。そして、今後もローンを支払うという。とはいえ、一人では払えきれず、同居

している独身の叔母、和枝にも払ってもらうことにする。叔母は、いつかその家が自分のものになることを夢に見る。和枝が連れてきた青年医師の清二は、家を建て直すことを提案する一方、塩子と結婚しようとする。

平吉と、最初は邪険にしていた塩子との距離が、平吉の趣味の凧を通じて近づく。一方、右太も和枝との間が近づいていく。塩子に迫る清二が、すべてを自分の思い通りに進めようとする。

舞台に黒電話を置き、何となく40年前の空気を演出しようとした舞台。塩子に少し心が動く平吉、ひかれあう右太と和枝、そんな関係を示しながら、随所に笑いをはさんでいく。でも、亡くなった草太にも塩子にも秘密があった。コンパクトな人間関係の中で、いろいろなものが詰め込まれた作品だ。

冒頭、踏切のシーン、その向こうには死があり、死んだ者は電車に乗って去っていく。残された平吉による哀歌、ということなのだろう。登場人物が少ないけれど2時間を超える作品は、当時としては十分な言葉だったのだと思う。けれども、40年後にこれを演じるというのは、もう少し工夫があっても良かったのではないか。例えば、平吉のおとなしさと右太の過剰な兄依存のバランスが悪かったとも感じた。兄に対するよび方を変えても良かったのではないか、くらいに思う。そのくらいしないと伝わらないものもある。ベテランの俳優陣の安定した演技は、けれどもそこにとどまっていやしないだろうか。

上手に演じるだけでは、今演じる意味がないのではないか。演出家も俳優も作品を解体してリフォームするくらいではないと、伝わらないような気がした。(M)

日本劇団協議会

みえないくに

東京芸術劇場シアターイースト、24年1月18日〜21日

★作・演出の鈴木アツトはこれまで、劇団印象において、チャペックやケストナー、ブルガーゴフらを主人公とした作品を書き、演出してきた。それらの作品は、場所は異なり、時代も近代ではあるものの、現在の日本に地続きの世界でもあり、説得力のある舞台だったと思う。

では今回、日本を舞台に、まったく架空の国とその国の文学を扱うとしたら、どうなるのか。

グラゴニアという小国の辞書と文学作品を出版したいと考える翻訳家と編集者が主人公。

人口わずか60万人の砂漠にある小さな国、グラゴニア語はそこでだけ話されている言葉だが、カレーラ・ヨゼヨゼという作家の「砂の薔薇」という作品が翻訳家の鴨橋真由を捕らえる。しかし、辞書の出版契約をした直後、グラゴニアは隣国に戦争をしかけ、国際的な非難を浴びることになる。そのため、出版は中止となり、編集者の重山朝子は引きこもってしまう。その後、戦争はグラゴニアという国が戦争に敗れて消滅することで終わる。消滅した国の言語の辞書はなおさら必要ない、ということになる。

鈴木が書きたいことというのは、かなり直接的だ。冒頭で若い編集者が鴨橋に「やばい」という言葉を使ってみせるが、現在において「やばい」は良い意味も含むようになった。言葉の意味が時代によって変わる代表的事例だ。そして翻訳においては、グラゴニア語と日本語が一対一の関係であるとは限らない。グラゴニア語には香りを示すたくさんの言葉があるが、その背後にはグラゴニアの困難な歴史がある。

世界には数千の言語があるが、Google翻訳がカバーしているのはほんのわずかでしかない。英語が言語の帝国として存在している。そして、あまり知られていない民族の知られていない言語がみえないまま忘れられつつあるというのも現実だ。人そのものが存在しないことになってしまう。グラゴニアの辞書がなければ、日本人はグラゴニアに触れることすらできないままだ。

鈴木の問題意識はその通りだと思う。けれども残念だけれど、それ以上の深みが見られず、その分だけ余分な要素を加えすぎてしまったのではないか。かつて鈴木が脚本を書くためにチャペックやケストナーについて調べてきたことが血や肉となって作品に厚みをもたらしていたことに比べると、今回は頭だけで書い

たかな、という気がしてならない。演出はしっかりしているけれど、ダンサーは不要だと思うし、編集者と社長が昔付き合っていたこととかわりとどうでもいいような気がする。

みえないくにということであれば、多くの人にとってパレスチナがそうだったし、あるいは西サハラなど今でもそうなっている。そして忘れられた言葉であれば、日本におけるアイヌ語や沖縄語だってそうだ。それはもっと近くにあって、リアルな問題だ。そうしたところまで深く入り込んでいけなかったことは、次の作品に向けた課題として残るだろう。(M)

菊地拓史個展
airDrip

ストライプハウスギャラリー、24年3月1日〜10日

★冥い詩情と耽美的な瞑想へと誘う。錆びた音楽。永久機関たる釘を打つ時計の音の黄昏。孵化する夢想。白と黒。光と闇。静寂と音楽など二項対立的なマルセル・デュシャンやジョセフ・コーネル的な謎かけ。停止原基。永遠の午睡の中に佇むシルクのワンピースが可愛い透明感溢れる美妙な森閑の怜悧な「琥珀」と「アナベル・リイ」。山吉由利子の囚われの瞳ともいうべき感傷的な「フレデリック」。総合芸術たる菊地拓史のミッシングピースのような展示には、優雅な悪夢のような静謐で濃厚な刻が確かに存在していた。記憶の遠近法のなかで捻転した空間のような妖美で感傷的なノワールな魅力を秘めていた。(並)

現代舞踊協会
コレオグラファーズコンサート vol.3

赤レンガ倉庫1号館3Fホール、24年1月20日・21日

★現代的な演出や構成を通じて新しい境地を示した作品が多かった。川村真奈『オトギバナシノヨウニ』はミニマムな動きを展開する仙石孝太朗、大野舞踏にも通じるような舞踏を披露する若葉幸平の全く異なる3者がお互いにプラスに引き出していくことで新しいダンスの予兆を感じさせるような作品である。舞踏の間合いを埋めていく川村と仙石の技が魅力的といえる。高橋淳『こもれび』は、かつて水と油のメンバーだった高橋の近況を感じさせる良作である。マイムの江口隆哉のような日本マイム研究所をでて水と油というマイム出のコンテンポラリーダンスグループとして活躍をした高橋は、マイムを出てダンスに出てきている。非言語を通じてお互いに掛け合うような要素もあるが、二人の踊り手の肉体が連なりあい場面を構成していくのは見ごたえがある。加藤理愛『どこまでもステップ』はコンテンポラリーな構成と動きで圧倒する現代ダンスである。時には会話のようなやりとりを交えながら展開をしていく世界は作品としてはしっかりとまとまっている内容といえる。国内のマーケットを巡演できる作品になっている。同年代の女性を扱うテーマをさらに煮詰めて普遍的な地平を加味していくとさらなる飛躍が狙えるとも感じた。

五代菜月『voiceless』はムーヴメントを通じて作品を構成している。非言語を通じて社会問題を描いているが、構成や展開を明確にすっきりさせると良いかもしれない。藤井友美『DAWN―はじまりの刻―』は白い大きな布と群舞が展開していく。これまでに見せなかったムーヴメントと構成で大きな伸びをみせている。初見者にクリアにみえるコンセプトが課題といえるが、2010年代から独立して奮闘を重ねてきたこの才能の一つの地平といえる。

高橋・川村はベテランの域に入っている作家たちである。加藤、五代、藤井も期待できる才能たちと言え、国内外のマーケットや現代文化の諸相へ送り出していくことが重要だ。

今年は江口隆哉のイゴザイダーのデモンストレーションもみることができた。ルドルフ・フォン・ラバンの正20面体を使いながら踊る作品で江口のドイツ留学時代の体験も踏まえている。江口隆哉『イコザイダーa』(1947)はゴジラの音楽で一般的に知られ、江口とも長年仕事を重ねた音楽家・伊福部昭の音楽を用いている。二人の才能の出会いの最初の作品である。ここから名作『プロメテの火』など後

年の才能への歩みがはじまった。この演目は正20面体のなかで一人のダンサーが基本的なムーヴメントをみせる。そうすると伊福部ならではの硬質な旋律と共にライン状に並んだダンサーたちがさらなる動きの展開をみせていくといった内容の作品である。長年写真でのみ見てきたこともあり実に貴重な経験であった。

　さらに楽曲をゴジラ的にAIを通じてアレンジをしてみたバージョンと、宮脇誠によるワークショップ作品が上演された。テクノロジーを使った楽曲アレンジはユーモラスである。宮脇作品はジェストを中心に立体の中でダンサーが動く作品となった。ラバンのこの発想はフォーサイスなどにもつながってくる。思考と理念を通じて江口のこの試みを越えていくことも求められるのかもしれない。（吉）

落下の解剖学

★人の数だけ事実はある。しかし、皆が真実を話しているとは限らない。事件は自宅を民宿に改装する工事を行っていた夫が三階から転落死するところから始まる。第一発見者は犬の散歩に出ていた視覚障害を持つ息子だった。検察は妻に疑惑の目を向ける。映画全体を張り詰めた緊張感が包み込んだ法廷ドラマとなっており、他者によって夫婦関係の「臓物」ともいえる「証拠」が裁判に提出されていく。妻はうまくいっていなかった部分はある程度認めつつも、それは夫婦関係の全体のごく一部に過ぎないと証言するが、生前に夫が隠し撮りしていたケンカの音声が公開されたことでドラマは一気に急展開を迎える。

　ストーリーが進むにつれて、事実がどうであったかということよりも、他者によって自分とその周囲との関係性が一方的に断定されていくことに恐怖を感じた。この映画で主人公である妻はある意味冷徹に描かれているが、これは夫と夫婦関係は結んでいるし、悩みも抱えてはいるが、一人の人間としてとことん「精神的に自立している女性」という意味で、フェミニストを自認するジュスティーヌ・トリエ監督ならではの視点だろう。最後までスッキリしないところが、安易にキレイごとに逃げなかったという意味で好感が持てた。（雅）

うずめ劇場
地球星人

東京芸術劇場シアターウエスト、24年2月16日〜18日

★村田沙耶香の小説を舞台化。この小説は未読だけれど、村田の小説って、社会に対する違和感が、極端な設定を導入することで増幅されたものになっている、そんな傾向があるような気がする。「地球星人」では、主人公の奈月が小学生時代、毎年お盆に長野県の田舎に行き、そこでいとこの由宇と出会い、奈月は魔法少女であり、由宇は宇宙人だと信じ、将来の結婚を誓う。けれども東京に戻ると塾の講師に性的いたずらをされる。しかし両親はとりあわない。田舎の祖父が亡くなり、奈月たちは葬儀に参加するが、そこで追い詰められていた奈月は墓地で由宇とセックスしようとする。その場面が大人たちに見つかる。そこまでが第1幕。

　第2幕では奈月は大人になり、アセクシュアリティの智臣と結婚生活をしている。それは、親からの監視を逃れるため。とはいえ、親たちは奈月たちに子供を作るように圧力をかける。他方、回想シーンでは、奈月は小学生時代に魔法少女として性的いたずらをした塾講師を殺害する。奈月が犯人だとは誰も思わず、事件は未解決のまま。そんな奈月と智臣は、田舎に行き、かつて祖父母が住み、現在は由宇が住む家に身を寄せる。冬で食糧の少ない農村で、三人は暴走していく。

　子どもをセックスから遠ざけようとする親、アセクシュアリティを理解しない親、そんな親に代表される大人たちに対し、奈月たちは違和感を持っているし、自分たちは地球星人ではなく宇宙人なのではないか、と思うしかない。

　とまあ、そういった話。ラスト暴走する中で、奈月は確かに自分を取り戻すのだけれども。

　第1幕と第2幕の間に休息を挟む3時間40分の舞台だが、全体としては高いテンションを保っていたので最後まで観ることができた。そうなのだけれども、やはりもっとコンパクトにまとめた方が良かったのではないか。奈月の子ども時

代を描いた第1幕は全体をカットしても良かったし、奈月に性的いたずらをする塾講師はストレートに描きすぎたのではないか。観ていてつらいと思う人もいただろう。また、場面転換がめまぐるしく、ちょっと疲れる。おちついて場面を構成して欲しかった。ラストの暴走も長すぎるし。演出したペーター・ゲスナーは美術作品のように舞台をつくりすぎるんじゃないかなあ。

これはたぶん、だけれど、原作の小説を読む体験を超えることができていないような気がする。もっときちんと、作品を解体して再構成していく、そういった作業がもっと必要ではないかなあ。(M)

優しい劇団
マイ・エクスプロージョン
APOCシアター、24年3月9日

★優しい劇団というより、尾崎優人の一人芝居。どんな話かというと、うれしいと爆発してしまう体質の男子高校生、尾崎エクスプロージョンが主人公。同級生の女の子に一目ぼれして爆発する場面からスタート。日常はうれしくならないようにして爆発を抑えているが、それでもたまに爆発する。カラオケでもうれしくなる歌は歌えないので、山崎ハコで。

夏が過ぎ、秋の文化祭も過ぎた頃、JAXAの人が訪れる。「地球に隕石が衝突するので、それを防ぐために宇宙で爆発して欲しい」というお願い。もちろん生きて帰ることはできない。しかし、悩んだ末に宇宙に行き、隕石による地球の大災害を未然に防ぐ。生きて帰ることはできない、と思っていた。しかし、尾崎が宇宙から地球に落下しつつあることを知った友人たちは、尾崎が宇宙で再度爆発して、その爆風で無事に着陸できるよう、うれしくなる歌を届けようとする。地球の人々がみんなMONGOL800の曲を歌う。

とまあ、そんな話なのだけれど、20分に及ぶ前振り、終わった後の次回作の予告編まで、なんか面白く観てしまった。かつて、マルセ太郎がスクリーンのない映画館という一人芝居をやっていたけれど、尾崎がやっているのは、スクリーンのない映画館ライトノベルアニメ化劇場版バージョンみたいな感じかな。ときどきセリフが聞き取りにくいとか、ツッコミどころはあるけれど、20分におよぶ前振りからグダグダした感じだけれど、それも含めて楽しい舞台だった。

それにしても現代の24才、山崎ハコを聴き、武田鉄矢や田中角栄の物まねもするんだ、というのは発見。すべてが同時代の文化でできているわけじゃないんだな。(M)

優しい劇団
歌っておくれよ、マウンテン
K'sスタジオ、24年3月20日

★一人芝居の「マイ・エクスプロージョン」が面白かったので、劇団の公演も観に行きました。

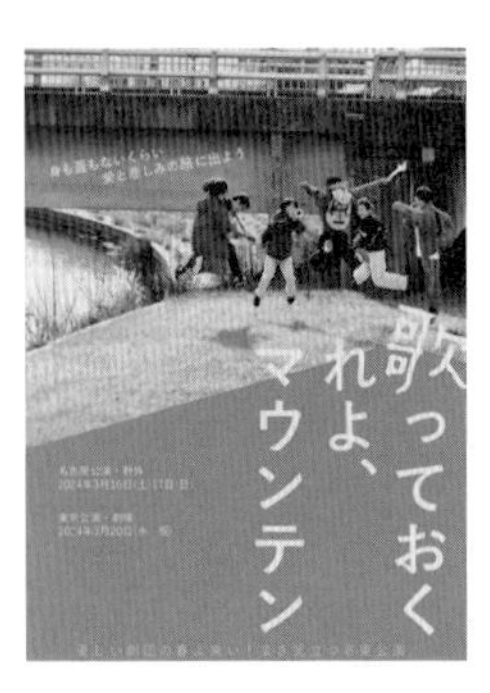

基本的には野外で公演をしていて、3月16日と17日の名古屋公演も野外だったとのことですが、東京公演は屋内。というわけで、野外で鍛えられた役者のエネルギーはなかなか強力でした。尾崎優人はここでも、芝居をしつつスマホで音響を操作しているし、照明は小さなLEDワークライトがいくつかあるだけ。早口でセリフは聞き取れないところも多いけど、そこは力で押してしまう。野外だと、お客は途中で帰っちゃうから、90分間も観てもらうのも大変なはず。

話はというと、チョメチョメとゴニョゴニョの二人姉妹が遠くにある山を目指して旅を続ける間に、柳生十兵衛などいろいろな人と出会い、時間を飛び越えたり姉妹が別れたり再会したり、とまあそんな話なのだけれど、実はそれはどうでもよくって、ただどこかに向かう話というのが、使いやすいくらいのこと。いかにも小劇場っぽい小ネタをどんどん詰め込んでくる。いい意味でくだらないネタなんだけど、正直に言えば、もっともっとくだらなくっても良かったんじゃないかな。あらためて、彼らが影響を受けた80年代、90年代の小劇場の演劇が、けっこう中身がないものだったなあって、再認識もしたけれども。でも、社会批判とか、そんなものがなくたって、くだらない内容をエネルギーで押し切ってしまうことの存在そのものが、十分に意味のあることだと思う。だから、もっとくだらなくて笑える小ネタで過去の小劇場を振り切ってもいいんじゃないかなあ、などと思ってみたりもするのでした。（M）

金田一蓮十郎
NとS 全8巻
講談社

★金田一蓮十郎のラブストーリーはしばしば、通常とは逆のプロセスをたどっていく。この作品では、高校生の新菜がバイト先のカフェの常連客の朔と恋に落ち、結ばれてセックスもするのだけれど、新年度に赴任してきた担任教師が恋人だった、というところから始まる。いくら知らなかったとはいえ、未成年者とセックスしたら犯罪だろう、というかそれがばれたら教師もクビになるし。ということで、いったんは恋人関係を解消するのだけれど、磁石のN極とS極のようにどうしてもひかれあってしまうというストーリー。

　前半こそ教師と生徒という関係を維持しようとしてトラブルも起こるけれども、ゴールは約束されていて、その障害をひとつひとつクリアしていけばいいというのは、ラブストーリーとしては違った景色を見せてくれると思う。金田一が描く男性は、ジェンダーを感じさせないところがある。逆に男性という設定に近づくほど、内面よりも形式的に理想的になっていく。高校生とセックスしたのに苦悩することよりも相手を大切にしようとする朔も、そうした位置にある。後半、ただひたすら幸せに向かっていく話は、それはそれで気持ちがいい。（M）

ダンジョン飯 ワールドガイド 冒険者バイブル完全版
KADOKAWA

九井諒子ラクガキ本 デイドリーム・アワー
KADOKAWA

★九年半に渡る連載（2014-23）が大団円を迎え、今年1月から放送開始したアニメも人気を博している『ダンジョン飯』。地下迷宮探索中にドラゴンに喰われた妹が消化されるまでに救出すべく、魔物を料理しながら最深部を目指す……という、一見すると安易なグルメコラボのような導入だ。しかしその本質は練り込まれた世界観を背景に持つ、本格的なハイファンタジー漫画と言っても過言ではなく、根幹には著者である九井諒子氏の古今東西のファンタジー全般への深い造詣が窺える。作中の端々からは海外製コンピュータゲームへの豊富な知識、特にウィザードリィの影響が強く見られるが、いわゆる洋ゲーを遊びだしたきっかけは実は本作の参考にするためだったそうでその探究心には脱帽する。そうして描かれた本編全14巻を補完する副読本と言えるのが今回発売した二冊だ。

　まず『冒険者バイブル完全版』。こちらは２０２１年既刊の増補改訂版で、最終回までの全内容を踏まえて加筆され、判型も単行本と同じB6サイズから一回り大きなA5サイズになり、文字も絵も全ての情報が見やすくなっている。中でも詳細なのは「ワールドガイド」の名が示すとおりの設定資料で、この世界に住む種族の特性や文化・風習、モンスター図鑑等をはじめ、ページ片隅の小さなコラムに至ってもハーフフットやエルフ、ドワーフの命名法則が事細かに記されるなど、本編を読むだけでは知り得ない情報が網羅されている。作中で描かれたものの裏には著者の膨大な世界構想があった事が窺え、作品の舞台となる『島』の外に広がる、広大な世界への憧憬が掻き立てられる事だろう。筆者などはこの背景世界で遊べるテーブルトークRPGが登場しないかと密かに期待をしている。本編終了後の登場人物たちのその後のエピソードも描き下ろされており、なにより著者のまだまだ話し足りない、描き足りないという思いが溢れでている。

　そしてその思いは、もう一冊の『デイドリーム・アワー』が更に顕著だ。「九井諒子ラクガキ本」という冠が示すように、著者のブログや雑誌付録などに描き散らされた様々なイラストやスケッチがフルカラーで257点、漫画も57ページ掲載という贅沢ぶりである。冒険者バイブルとは打って変わって、こちらは登場人物たちのオフショットのエピソードや様々なポーズ、表情、服装のスケッチをはじめ、現代服を着せてみたり、ショッピングやお好み焼き屋に行く様子など、著者の妄想する「ーF」の世界が、これでもかと言わんばかりに思うまま描かれている。

どちらも本編を読み終わった後も、まだあの世界に浸っていたいという読者には必携の書だろう。また最近になってアニメから入ったという方も本編へと進む道標となること請け合いだ。膨大な歴史をもつファンタジーを咀嚼した料理人・九井諒子が手がけたハイファンタジーフルコースの締めのデザートとも言えるこの二冊、ぜひ味わわれてはいかがだろうか。(水)

犬木加奈子

ホラー漫画の女王ができるまで

ぶんか社

★バブルが弾けてもまだ金に余裕があった90年代日本では、格闘技や現代美術といった、今ではあまり流行らなそうなものがブームになった。漫画界においても、それまで日陰者だったジャンル誌が注目されたのだった。麻雀漫画では福本伸行、ホラー漫画では犬木加奈子がそのジャンルを牽引していた。

福本伸行はブームを越えて大家(?)になったが、犬木加奈子は90年代にすっぽりとはまり、そしてブームを終わらせた張本人でもあるようだ。ホラー漫画はその後、ソフィスティケイトされたミステリー系レディコミとして命脈を保つことになる。

『ホラー漫画の女王ができるまで』は、作者の回顧録といった体制で、ひとつのブームが花開いてから閉じるまでの過程を内側から見せてくれる。全体を俯瞰した一時代の風景は当事者でなくても描けるものだが(むしろ第三者のほうが良かったりする)、この本はブームの中心にいた当事者でしか描けないだろう、内側からのぞき穴を通して眺めるような生々しい視点がある。一方で、主だった対話の相手が担当編集者であったり、ブームの盛り上がりを読者ファンの存在ではなく、「雑誌の売り上げ」で象徴させるドライな感覚が並走し、その微妙なバランスで、ホラー漫画業界という、言ってしまえば「狭い世界」の出来事をインタレスティングな対象として魅せてくれる。

そして巻末の「特別収録作品」は、本編で触れられていない作者のプライベートに関する短編だが、本編の後にこれを見せられたら作品の内容よりも作者本人に興味が行ってしまい、これも本編を魅せるための作戦だったのかと考えると、なるほどと意味もなく納得してしまいました。(二)

セッコの豪遊

殺意―ストリップショウ

APOCシアター、24年3月8日〜10日

★ジャージのイタコシリーズと銘打った一人芝居。その最初として三好十郎の1950年の作品を取り上げたという。

ダンサーが自分の過去を語る、という設定。左翼活動家の兄は釈放されるも結核を患っている。その兄の友人である山田教授を頼って、九州から東京に出てきたのが、主人公の緑川。

でも山田は転向していた。緑川は劇団に入る。最初はリベラルな芝居をしていたものの、戦局が悪化し、国威発揚のような芝居をする。それを冷ややかな目で見ていたのが、山田の弟の徹夫。緑川は徹夫を好きになるが、彼は出征し、戦死する。一方、緑川は軍需工場で働く毎日。

そして終戦後、演劇の経験を生かして、ダンサーとなり、娼婦となる。そんな中、山田教授を見つける。再び、マルクス主義の学者として講演を続ける山田教授に殺意を抱く。しかし、その山田教授は美しい妻がありながら、ひそかに別の娼婦を愛していたことを目撃する。そこで殺意が薄れてしまう。人間なんて、所詮……。そんなことを語る、緑川の最後のストリップショウである。

ジャージのイタコというのは、特別な衣装も舞台装置もなしに、過去の人の代弁をするというしくみ。その語りから、70年前の作品を通じて、1940年代の

日本で、日本人がいかにくだらないことで踊らされ、死んでいったのかが伝えられる。結局のところ、今の日本も同じようにくだらないことで踊っている、ということも言えるのだけれども、それを元の脚本にあった衣装や舞台装置を使うのではなく、イタコとして、過去の死者の言葉として語りなおすことで、かえって70年以上の時間の堆積を感じることになる。

ひたすら早口で、1・25倍速で演じることで、なんかもう、芝居というよりはロック、ここはライブハウスか、というノリで、高いテンションで最後まで突っ走ったなあ、という舞台だった。かつて、ケラ率いる有頂天というバンドが、チューリップの「心の旅」をパンクロック風にカバーしたけど、あの感じに近い。本当に、過去の作品を演じるのは、その必然性が問われると思うけれど、その一つの答えになっていると思う。(M)

神木隆之介
30祭

ニューピアホール、23年12月2日

★神木くんも三十歳である。誕生日当日の五月十九日は、オンラインイベントがおこなわれた。新型コロナが五類になって、まだ有観客イベントもおっかなびっくりだったころだ。

そして十二月になって。ようやく世間もおちついてきたのか、きてないのか微妙な気持ちになってきたころ、ようやく本格的な祭ができるようになった。マジで神イベントだった。

神木くんにお出まし願うのに、「神木くーん」「だいすきー」という声だしの練習に、延々と「わたしたち」「入れ替わってるー!?」って。あの『君の名は』の名場面のセリフをコールする。

そして現れた神木くん「疲れたでしょ、みんな」って。こっちも気づかってくれつつ、朝ドラ『らんまん』秘話や、過去のインタビューで答えた「三十歳までにやっておきたいこと」で、全然おぼえてなさそうだったのに、みごと「山田涼介とアイドル活動をする」って当てて見せたり。

そして「神木と自由時間」ってコーナーでは、客席から神木くんにしてほしいことの要望を訊くなかで、「アイドルみたいに、客席にバンバン!って撃ってほしい」という話がでて。ちゃんとやってくれて、もちろんわたしたち撃ち抜かれました。サイコーだ。

しかも、帰り道は神木くん直々にお見送りまで。二十人規模の落語会では、二つ目さんがやってたりするが、こんな千人規模のホールで、やってるひとあんま観たことない。それこそずっと前に、家元・立川談志がやってたくらいだ。神木くんの神対応ファンサの数々に、ふらふらになって帰ってきました。(日)

I.O. Dance Flame 2024

シアターカイ、24年1月26日

★今回のこの企画は3日間で2日は満席と大変に盛況ということである。その初日をみた。

田中朝子「ブレイク」はダイナミックに躍動しながら、同時に分節化された身体を振付を通じて描こうとしている良作である。田中と安達雅らが空間に弾けていく。山内梨恵子の「月の鏡」はドレスを着て舞う丁寧な演技が印象的な作品である。佐々木紀子はチェロを使いながらパフォーマンス的な空気も漂う「はざま」で盛り上げた。中村駿「Avalon」はクリアにわかりやすいと良いが、ユニークな構成が印象に残った。

ベテランの中では藤田恭子「かしの木にきいてみる その2」は石井小浪に通じる古典味と現代的な感覚の相互が歩み寄ることで生まれた優れた作品といえる。木の姿を体の表情で描いて見せる場面などを交えながら崇高な情景を描いていく。折田克子であればポストモダン世代の感性などが映える踊りとなるのだが、世界への慈しみを感じさせる表情がまた新しい時代の舞踊表現を感じさせていた。

石井みどりのリトミックのデモンストレーションでは折田作品「裸足のカノン」を題材にリトミックがどのように用いられているかが示され、折田も石井みどりのリトミックにかなわないと述べていたことが語られ、体験的に石井のメソッドとしてのリトミックを知ることができる内容となっていた。木許恵介は異形の肉体派の才能で、雑賀淑子は〝なまはげのような精霊・妖怪のような風貌〟と描写をしたことがある。そんな木許が分かりやすく踊りとその哲学を語る姿もまた印象深かった。

折田が活躍をした1970年代の現代舞踊は当時を知る人にいわせると豪華でお金がかかっていたという。高度経済成長期で多様なファッションが生まれる

一方で、公害問題がクローズアップされてきたのもこの時代である。２０２０年代初頭のシーンが次第に形になってきた。（吉）

安部公房
飛ぶ男
新潮文庫

★『飛ぶ男』の文庫化は今回が初めてという、安倍公房の未完の遺作。未完作というのはありふれているが、例えば夏目漱石の『明暗』などのように連載中に作者が死去した場合、未完の様もきれいなものだ。単純に話がぶった切られる。

　本作品は作者の死後、ワープロのフロッピーディスクから発見されたもので、草稿やメモ文章が混ざり、どこまでが完成部分でどこからが未完成（下書き）か境界がはっきりしない。そもそも草稿やメモのまとめ方で複数のバージョンが存在するという。

　右記のような前知識なしに本作を読んだため、途中から前衛的な現代詩（みたいな文章）が混入して「さすが安倍公房」と唸ったのだが、それは単なるメモの断片だと読み進めるうちに気付いた。まあメモ描きからどう文章に組み立てていくかの過程が垣間見られ、ソフトウェア

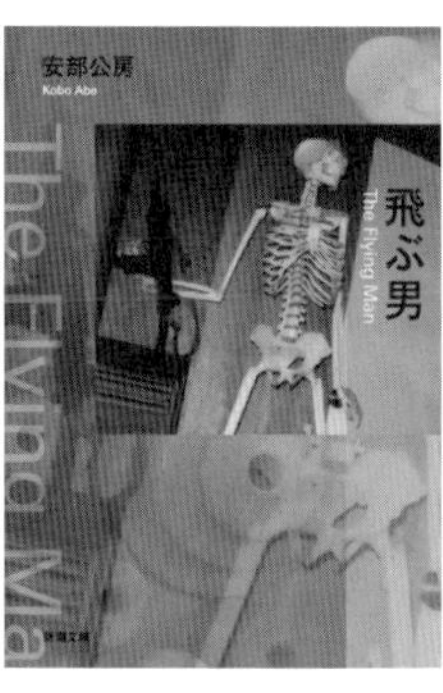

工学的に言えばウォーターフォール型ではなくスパイラル型の思考だったと分かる点も作者の先進性が感じられた、とでも言っておく。

　それはともかく安倍公房作品で気付くのは、本書もしかり「〜の男」というタイトルが散見されることだ。初期の『砂の女』がその逆を踏んでいることも象徴的に思える。いずれの作品も登場する女性は意思が強く自分を持っているのに対し、男はたいてい情けなく気が弱い。引きこもった挙げ句、段ボール箱で生活したりするのだが、女性はそんな男に性的な接触を試みる。どういうことだ。

　作者の作風について、現実と非現実の曖昧とか内面の追求などと言われるが、現代批判もテーマの一つに挙げられる。女性優位のキャラ設定はその目的によるものだろう。だがフェミニズムの進んだ現在から見るとどう映るのか。先鋭的な作品ほど経年により変化が大きくなるものだからである。（二）

佐々涼子
夜明けを待つ
集英社インターナショナル

★さいきんしみじみと死を考える。まえは熱烈に考えていたが、近頃はしみじみ考えることができるようになった。死ぬまでのあいだを、どう生きていくかに関しても。

　そんな自分に、より深く考えさせてくれる本だった。著者は、悪性の脳腫瘍をわずらい、母親など家族も重い病気だった。なのになぜだろう、軽やかな文体で、すいすいと読める。「文章は体で書くのだ」、「もう、待たなくていい。さあ、家に帰ろう」、「現実でだって、あっと驚くどんでん返しが書けるのだ」、「葬儀で私たちはもう一度死者に出会い直しているのかもしれない」、「立ち止まっているうちに、運命の女神が横を素通りしていくかもしれない。会ったら、いつでも両手を広げてハグできるようにしておかなくちゃ」。ああ。引用のなかでも、からだに刻みこんでおきたいフレーズがいっぱいある。

　きょうの仕事はたいへんだった。ついてないこともたくさんあった。あと終業時刻まで二時間あるが。さあ、家に帰ろう。と、口に出してみる。それだけでだいぶおちつく。（日）

モダンディーズ実験劇場vol.2
釣月耕雲
シアターカイ、23年12月26日

★ベテラン男性ダンサーたちによるグループの実験劇場が話題となっている。今回は禅の悟りの境地をタイトルとしている。アブストラクトと舞踊劇の両方を楽しめる内容で、70年代以降の舞踊表現を集成したような舞台である。禅のよう

に無の境地になって見てみると大人たちが見いだせない面白さがみえてくるかもしれない。悟りに達していない観客はまだまだといえるかもしれない。(吉)

王様戦隊キングオージャー

東映・テレビ朝日、23年3月〜24年2月

★初回からCGを使いまくり、「進撃の巨人」を実写化したような迫力ある映像だったので、逆にこのテンションで続かないのではないかと不安になったけれども、映像と同時にストーリーもよくつくりこまれていて、本当に高いテンションで続いた1年間だった。

舞台はこの地球とは別のチキューという星。5つの王国があるが、地下の昆虫の国であるバグナラクの攻撃を受け、危機に直面する。シュゴッタムの国王であるラクレスは独裁者となり、他の4つの王国をも従わせ、シュゴット(昆虫型のロボットみたいなもの)を使って戦うことを提案するが、他の王国はそれを拒否し、独自で戦う。そしてシュゴッタムの国民であるギラが王のみが使えるオージャカリバーを手にし、変身してシュゴットとともに戦う。しかしラクレスはギラを反逆者とみなし、シュゴッタムから追放する。という感じで始まる。

王様戦隊というように、メンバーはギラをのぞいて、王様として登場するのだけれど、だから赤がリーダーということもなく、ヤンキー、お嬢様、裁判長、お殿様といったキャラが魅力的に振り分けられ、それぞれに秘密を持つ。特にお殿様のカグラギはラクレスと通じていて仲間を裏切ったりもするし。バグナラクよりもラクレスの悪役ぶりの方が存在感が強いのだけれど、途中でラクレスとギラが兄弟であることが明かされ、兄弟の対決になっていく、とか。シュゴッタムの民衆はプロパガンダに惑わされっぱなしだし。

でも、そんなこんなもすべて伏線になっていて、最後はきちんと回収してくれる。キャラクターも良く作られていて、わがままなのではなく自分をきちんと主張するお嬢様、冷徹な裁判官、民を守るためには手を汚すお殿様、というだけではなく、わき役も含めてよくできていて、力強いストーリーを支えてくれる。

最後は、敵の攻撃で荒廃したチキューにおいて、王様戦隊は民衆とともに戦う。最終回近くの盛り上がり方も、半端じゃない(それにしても、荒廃したチキューの映像に、「この作品はフィクションです」というテロップが重なるというのは、現在において、どう考えたらいいのか、あらためて思わせるものがある)。

スーパー戦隊といえば、基本的には毎回、おまぬけな悪役が登場しては倒され、最後にラスボスが倒される、というのが一般的なパターンだけれど、前作の『暴太郎戦隊ドンブラザーズ』では、悪も正義もない話だった。むしろ人と人の出会いの話かな。そうした人間の本質的な話において、スーパー戦隊の最高傑作と思っていたのだけれど、『キングオージャー』の大人の鑑賞に堪える巧みなストーリーテリング、キャラクター、世界観、映像などのクオリティと強いメッセージ性は、これもまた最高傑作だと思わせてくれる。

スーパー戦隊が幼児向けで仮面ライダーが小学生以上、以前はそんな感じだったけれど、この2年はすっかり逆転しちゃったな。ただ、おもちゃが売れなかったんじゃないかって心配になるなあ。(M)

佐東利穂子 ペレアスとメリザンド

KARAS APPARATUS、24年2月9日〜18日

★モーリス・メーテルリンクが書いた戯曲を元にしたクロード・ドビュッシー唯一のオペラ。ペレアスとメリザンドの悲恋を佐東利穂子が踊る。舞台前方には、森厳とした夜の秩序を象徴するかのように黒い布が置かれる。昏い情念に滾る。溟闇に谺する死の翳。モディリアーニの彫像のような佐東利穂子の面持ちが美妙であった。象徴主義的な耽美で流麗なドビュッシーの音楽が彫琢する沈痛な運命愛とそのノワールで深淵な彼岸の世界。最近のKARASのダンスの強度の充実、その精彩は比類なきものである。黒の美学ともいうべき、冥府から立ち昇るような鮮烈な強靭さが、なによりも美しい舞台であった。(並)

ケイ・タケイ・ソロダンス
39本の小径IV
樹影／小石

シアターカイ、23年12月28日

★ケイ・タケイのソロダンスは美術を上手く用いた作品である。天に巨大な円形の美術があり、地に小石を並べた小路があるという空間の中で展開する。冒頭、タケイはマイムのジェストのような仕草をみせ、やがて足元の小石を使い動いていく。それだけの作品なのだが、かつての日本舞踊の経験や近年の能楽研究の成果といえるような東洋的な身体の表情が楽しませてくれる。舞台美術は河内蓮太であるが、前田哲彦のイメージに連なるようなところもある。前田が伝統となり20年代にさらに新たな才能の手を経て現代に展開していくような印象も受ける。（吉）

田村祥宏監督
Dance with the Issue
電力と私たちのダイアローグ

★何だか出来の悪いプロパガンダ映画みたいだったな。電力と気候変動と経済っていう問題について、東京電力や経済産業省やNPOや新電力や研究所の人たちが語るインタビューシーンの間に、コンテンポラリーダンスと問題を解説するアニメーションが組み合わせられる。言葉で語るものでは、確かに気候変動問題は深刻だし、福島原発事故も経験したし、だからエネルギーをどうするかということを考えるのは大切なことなのだけれども、表面的なことばかり語られてもなあ、と思うのと同時に、ダンスのシーンはよくできていて、十分に饒舌になっている。きれいごとっぽく、問題をみんなで考えましょう、などと言わなくても、ダンスだけで十分に伝わると思うし、その方が問題の本質に近づくことができるとも思う。だからこそのアートなんだけれど、識者の言葉で伝えようとするのは、だめなんじゃないかなあ。本当に、ダンスの映像だけで伝えることができたら、いい映画になったんだろうなあ。

それと、エンドロールのあとに、そのまま席に座らせて、落ち着かせて映像について思いを巡らせてみよう、というようなナレーションがずっと流れる。まあ、このあとアフタートークも用意されていたのだけれど、何だか新興宗教みたいで気持ち悪かったなあ。

映画を社会課題解決に使うというのが、この作品を制作したブラックスターレーベルの立場なんだけど、そんなに直接的に言わなくても、アートには力があると思うんだけどなあ。（M）

宝満直也
でたら芽

新国立劇場、23年12月20日

★創作で活躍が期待されていた宝満直也がその集大成といえるような作品を、日本バレエ協会令和5年度Balletクレアシオンで上演した。

紙飛行機をもつ女が登場すると、巨大な紙による舞台美術が情景いっぱいに広がる。その前でダンサーたちが踊る。やがて舞台美術（紙）を破るなど舞台美術との対話も生まれてくる。70年代的な感覚を伴う作品といえるがしっかりとした内容である。光がライトアップするなかで男が現れるシーンは圧倒的といえる。ラストは男女が踊って締めくくられた。

このアーティストは当初は新国立劇場バレエ団で踊っていたが、俸給が入る国のシステムに頼ることなく、そこからスピンアウトするようにNBAバレエ団（『海賊』、『白鳥の湖』）など在野へ活動の場を変えて現在にいたる。いわゆる「別の道を行く」ことができる才能の一つの集大成といえる。（吉）

高田安規子・政子 公開制作
くり返すカタチ

府中市美術館、23年12月16日～24年2月25日

★高田安規子と政子による一卵性の双子によるアートユニットの公開制作。府中市美術館が位置する府中の森公園を舞台に行われた自然のフィルドワーク的な小学生を対象にしたワークショップの成果でもある。高田姉妹は、イアン・スチュアート著『自然界に隠された美しい数学』（河出文庫）に影響を受け、スケール（尺度）、フラクタルや螺旋など自然界に見られる法則的秩序に関心があり、フィボナッチ数列などの数的秩序に美を見出す。鸚鵡貝の比率や雪の結晶やオーロラの形状などが挙げられる。こうした自然の形態の観察的な芸術は、レオナルド・ダ・ヴィンチなどが例証されるように多

くの芸術家の関心と重なる。ひまわりの種の形態やアンモナイトの螺旋の形状やシダ類の植物のテクスチャーの比率的な相似や相同は、銀河系の組成などにも連なるミクロコスモスであると共にマクロコスモスでもある。会場には、鸚鵡貝の拓本が、天の川銀河を象る形状に通じたり、小さな発見が目白押し。アンモナイトや押し花とコラージュ、シダやポストカードなど物の詩学ともいうべき美しい品位を感じさせる公開制作の展示。澁澤龍彦的な博物学的な視点をも感じさせた。高田姉妹の芸術は、自然科学的な知性と感性的な美が弁証されたバランス感覚の妙とポエティークな瑞々しさを感じさせる。同時期に開催された府中市美術館での白井美穂『森の空き地』展の言語哲学や記号論的な方法論を感じさせる展示とも天球の音楽的な観念的な共振が興味深かった。2月23日（祝・金）には、今回の公開制作の総決算的な高田安規子・政子によるアーティスト・トークも行われ盛況であった。（並）

バレエカンパニーウエストジャパン
ライモンダ

神戸文化ホール、23年11月23日

★山本康介版の舞台。ストーリーを大事にしながら盛り上げていく。瀬島とアンドリュー・エルフィンストンの演技が優れている。見せ場のGPDDまで盛り上げた。厚地康雄（特別出演、元バーミンガムロイヤルバレエ団プリンシパル）の描くアブデラフマンも見事なものであった。佐々木夢奈と稲毛大輔らによるチャルダッシュが良い。

この演目を全幕上演することは日本ではあまりないとされるが2023年は井上バレエ団などで上演されることがあった。そんな中で首都圏のバレエ団と比べても見劣りせず、バレエグループとしてキミホ・ハルバートなど同年代の団体と比べても比類ないしっかりとした内容だった。

新興勢力によるイノベーションをバレエ界に与えることができる内容といえる。彼らは団体名にあるように関西（ウェストジャパン）のバレエ団を目指している。プログラムの中でこれは〝瀬島五月バレエ団ではない〟ともしている。新しい挑戦や試みがある団体を意識している。

この演目はかつて新国立劇場バレエ団で瀬島がゲストとして主演した演目である。瀬島の1つの活動の中で重要な作品であり、それを第5回目という節目に持ってきた。なおこのバレエ団の2022年の舞台ではバランシンの上演が優れていた。（吉）

ヒッピーという生き方
部族降臨

富士見町高原のミュージアム、23年4月8日～5月7日

★1960年代中頃、アメリカを中心に全世界的に流行したヒッピームーブメント。その影響は日本にも及び、脱資本主義を掲げるヒッピーの中には新しい生活様式を模索する者たちも現れた。文明社会に背を向け、コミューン（共同生活場）を全国に作り始めたのは自然な流れだったといえよう。

今回の企画展は、1967年に長野県富士見町でコミューン生活を始めた部族と名乗るヒッピー集団を中心としたヒッピーカルチャーにスポットを当てたもの。自らの手で家を建て、借りた畑で野菜を作る自給自足のコミューンライフの様子を伝えるパネル写真や資料、部族の中心メンバーである山尾三省、長沢哲夫、山田塊也（ポン）、ナナオサカキの著作物などが数多く展示された。

ヒッピーたちと交流があった人たちの証言も残されている。盆踊りや畑の草取りで、触れ合う機会があったという。コミューンに足を踏み入れて、人生観が変わる体験をした高校二年生のエピソードが特に印象に残った。部族のヒッピーたちが暮らしていたのは3年間。決して長い期間ではないが、富士見町の人々に与えた影響は計り知れない。企画展を通して、改めて認識させられた思いである。（シ）

タテヨコ企画
繭の家

シアター風姿花伝、24年3月27日～31日

★青木柳葉魚作・演出のひきこもりを

テーマとした新作。

ひきこもり支援を行うNPO法人と業務を委託する行政担当者を中心に、ひきこもりの2つの家族とのかかわりを描いた作品。

NPO法人には穏健な代表の男性と先進的なひきこもり支援を行う担当員の女性。そこに市役所から配属されてきた若い女性が一緒にひきこもり支援を行うが、彼女にとってはひきこもりの現実も対応もショックを受けるばかり。初日はひきこもり当事者とビデオゲームをするだけの支援員を見ているだけなので、いら立ってしまうくらい。

ひきこもりのケースの1つは、厳しい父親の下で中学受験に失敗したあと、公立中学でいじめられ、10年以上ひきこもっている。支援員がゲームをしたのもこの当事者。父親は相変わらず厳しく、最後には戸塚ヨットスクールのようなところに息子を預けてしまう。

もう1つのケースは、ごみ屋敷に住む高齢の母娘。母親の過剰な娘への期待が娘を押しつぶし、ひきこもりになったケース。妹もいるが、母親から粗末に扱われたことで、家を出て母親とは縁を切っている。

人は話を聞いてもらうことで回復していくし、それは時間がかかること。親による子どもの支配はいかに子どもを苦しめているか、も。よく言えば、とてもわかりやすい作品だったし、悪く言えば人物がステレオタイプすぎる、と思った。ただ、ひきこもりの問題そのものは、情報が社会にあまり出回っていない上に、支配的な親子関係は根強く残っているので、その点では、わかりやすいということが良かったのかもしれない。とりわけひきこもり当事者の父親とか、スパルタ塾の経営者とか、観ていて嫌悪感を超えて笑えるほど、典型的な人物像だった。ぼくとしては、社会において「ケア」が粗末に扱われているといったことなど、もっと掘り下げて欲しかったし、それはラストにもいえることだけれど。

セットはシンプルだけどすごくよくできていて、箱とドアの組み合わせなのに舞台上でうまく動かして空間をつくっていくというのはとても良かったし、演出も舞台空間をうまく構成していたと思う。主役となる若手の役者をベテラン陣がうまく支えていたとも感じた。(M)

二木先生

夏木志朋

ポプラ文庫

★2020年にポプラ社の小説新人賞を取った作品。もともとのタイトルは『ニキ』だったが、文庫化にあたって『二木先生』に改題されている。タイトルも、ブックカバーイラストも文庫版のほうがマッチしているのでこちらを。作者名で検索すると『ニキ』と『二木先生』が別の作品のように並んで表示されまぎらわしい。最初に『ニキ』を読んで、その面白さに続編と勘違いした者が、同じ中身の文庫版『二木先生』を買ってしまうかもしれないじゃないか。続編があったら絶対読みたいし、また続編が書かれてもよさそうな終わり方でもある。
本作品が作者のデビュー作なのだが、まだ次の作品は書かれていないようなので少し心配だ。デビュー作で新人賞を取り高評価を得たものの、後が続かなかった例としては、本間洋平の『家族ゲーム』を思いだす。これは松田優作主演で映画化されたほか、三度もテレビドラマ化されているのだが(長渕剛版が有名)、作者はその数年後に一作品を書くのみで消えてしまった。

『二木先生』にしても、テレビドラマ化などの話は出ていると僕は踏んでいるのだが、内容に一つハードルがあるため実現できないのではないか。現在の風潮ではペドフェリアは最も禁忌とされる性的嗜好の一つになっている。作品中で扱われる性嗜好がLGBTQだったらどうだったろうと考えると、少数者をさらに分類し、特定の対象を排除したがる動きは、流行りの「多様性」とは逆にますます世界を窮屈なものにしていると思うし、そのような現状であるからこそ、本作品が教師を人畜無害なペド設定にした理由もわかる気がするのである。(二)

Neue Licht "Eins"

下北沢Live Haus、24年2月3日

★「夢は現実の投影であり、現実は夢の投影である(Träume sind eine Projektion der Realität, und die Realität ist eine Projektion von Träumen.)」。ジグムント・フロイトの挑発的な文言を掲げたダークなライヴ・イベントが、去る二月三日に開催された。

本誌№97では、ゲームデザイナーのロブ・ボイルことDJ Spriteに、パートナーのターリーことDJ Flesh (DJ Flesh_Bot とも) を招いたイベント「Die Nacht #Eins」の模様をご紹介したが、そちらと対になる催しである。Die NachtはDJやVJ、劇団のパフォーマンスが中心だったが、Neue Lichtは三バンドによる本格的なライヴ一本というところが相違点になるだろうか。

もうもうと焚かれたスモークのなかから、最初に現れたのは、SchiZoidだ。DJ千尋(Vo)、影朗(Gt)、Takmi(Ba)という布陣で(ドラムは影朗の打ち込み)、Unhalorほか全九曲を演奏。ジョイ・ディヴィジョン、バウハウス、スージー・アンド・ザ・バンシーズらポストパンク/ニューウェーヴ/オルタナティヴ・ロックの先達への確かなリスペクトを感じさせながらも、アレンジは現代的で、悪しき意味でのノスタルジーに溺れた感じは受けない。曲の雰囲気の作り込みが達者で、途中、ギター・アンプからうまく音が出なくなる不意のアクシデントに見舞われたようだが、さほどの違和感を受けずに、うまく聴衆をノせつつ、勢いよく夢幻的に全曲を駆け抜けていった。

続く二番手はPadoだ。アラブ・ゲリラを思わせる衣装に扮したEa (Vo、Synth)、Yuda (Synth) に、黒髪・革ジャン・ミニスカートのOni (Ba) の三人よりなるが、音の取り合わせが、これまた幽幻。Yudaのベースはシンプルなライン弾きだが、そこに二台のシンセサイザーによるシンフォニックな音色が重なり、奇妙に無国籍的な雰囲気を生む。ベラルーシのシーンに影響を受けたというが、うるさがたの聴衆の称賛も頷ける。聞けば、二〇二三年結成の若いバンドで、ファースト・アルバム『Gazook』では、「資本主義に対する無気力な抵抗」をテーマに掲げるものの、旧社会主義体制への郷愁からは一線を画し、国家に支配されない「相互扶助」としてのアナキズムを奉じる。

三番手のRemnantは、Marie (Vo)、Takmi (Gt)、F.Dsbm (Ba) という面々からなる(ドラムはTakmiの打ち込み)。活動一五年目に入ったベテランで、すでに数々のCDを発表、海外での評価も高く、積極的に遠征を行ってきた。ゴシック・ロリータなファッションに身を包んだMarieが囁くように歌いかけると、稲妻のように分け入るTakmiのギターが盛り上がりを演出し、F.Dsbmの刻むベースラインも心地よい。妖艶ながらも高貴にして荘厳、という形容がうわつかない。Fallenほか全一〇曲を完奏。

そしてラストは、SchiZoidとRemnantの面々がジョイントし、BUCK-TICKのICONOCLASMをカバー演奏するというサプライズがあった。メランコリックでアグレッシヴな曲調は、メンバーの音楽的ルーツを窺わせるとともに、二〇二三年に亡くなったBUCK-TICKのフロントマン・桜井敦司への追悼も兼ねていたのかもしれない。

三バンドを貫くキーワードがあるとしたら、「ダークなニューウェーヴ、印象的なベースライン」といったところで、いずれも音楽的に筋を通す、という意思が伝わってきた。Marieは「正直ハコの音が良かった」と述懐し、主催のTakmiも確かな手応えがあったと語っていた。四月二七

★SchiZoid

★Pado

★Remnant

日には、桜台Poolで「Die Nacht "Zwei"」が予定されており、こちらも期待できる。（岡）

コリーン・フーヴァー
ヴェリティ／真実
二見書房

★とある事故で植物人間になってしまったベストセラー作家ヴェリティのシリーズ小説を完結させてほしい。冴えない作家である主人公の元にある日こんな夢のような話が舞い込んでくる。多額のギャラと一緒に。

主人公はヴェリティの夫の好意に甘え、ヴェリティの家に行き、彼女の部屋で新作執筆のためのメモやノートを探すことになる。主人公はある箱の中から一冊のノートを見つけ出す。それは家族についてヴェリティが書き綴っていた自伝だった。そのノートの内容に驚愕しながらも、ヴェリティの夫に好意を寄せ、同じ家に中にいるヴェリティにある種の警戒心や嫉妬心を燃やす主人公。自分は女としてパッとしないと自覚していながらも、ヴェリティの夫にはやたらと前のめりの姿勢を見せるあたり、女の性なのだろうか。

ヴェリティの自伝に描かれている倒錯してしまった夫や子供への感情がリアル。これは作者自身の考え方もある程度反映されているのかと想像してみるとぞっとする。結末は少し突拍子のなさも覚えたが、そこまで一気に引っ張っていってくれるストーリーなので読み通すことができた。新たに追加されたエピローグは個人的には蛇足だと思った。（雅）

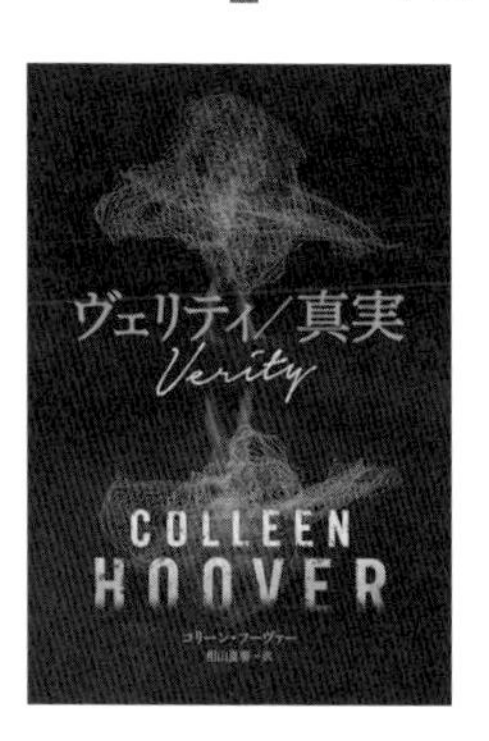

まよい句会
山野博大追悼句会

★まよい句会は昭和も末となった1988年（昭和63年）に、谷桃子、貝谷八百子、雑賀淑子、有馬五郎といったダンサーや評論家の山野博大らがはじめた。1月15日に雑賀のバレエスタジオで設立メンバーの山野を偲ぶ会が行われ、設立からの歩みを振り返った。皆で鎌倉にいったことがあるとのこともあるようだ。

この日は参加メンバーは設立メンバーから連なる舞踊界の関係者やスタッフ、様々な形で舞踊界とつながって応援してくれている方々である。句会の回想も行われるわけで、皆で鎌倉へ行った思い出などが語られた。

雑賀は小牧バレエ団の思い出として1時間ぐらい先生の悪口をいわないと返してもらえず、その後皆で銀座の餡蜜を食べた小話をしていた。昔はオン★ステージ新聞でダンサーや関係者がアルバイトをした時代があったようで、合田成男の下で仕事をした話題もでた。参加者の江原朋子と斎藤淳子は厚木凡人のスタジオで一緒に過ごした日々について語っていた。山野博大の思い出では「彼が自分の評論がきっかけで踊りを離れたダンサーがいたことから、常に良いところをみて書くようにしていた」という逸話が雑賀や光尾秀から語られた。それは藤井修二の毒と対照的だという意見もでた。

この日の句会の兼題は「舞踊、酒、星」だった。私は3句ほど出し、その中の1つの「客席に 一年中 その姿」に2票いただいた。これは山野のことを詠んだ句であるが、同時に私自身の事だという声もあった。山野は俳句を大事にしていた評論家で江東区の芭蕉記念館に投句に入選もしている。私も投稿句をやってみて「月の下響く水面にオリオン座」で入選したこともあった。

山野は俳人という横顔もあった戦後の舞踊批評家である。句会を通じて舞踊人をつなげた様子を衣裳の光尾は語る。その傍らでは雑賀が様々な才能をこの場に集う舞踊人に紹介することも行っていた印象も受けた。この会は交流の場として機能をしていた。句会が終わるとアトラクションになる。雑賀は山野の代表作の俳句を琵琶の演奏と共に吟じた。木許恵介と雑賀の余興のパフォーマンスは盛り上がった。フランス語で日本語で歌いながらのパフォーマンスは句会の雰囲気にも合い喝采を浴びた。日本のダンスの系譜を見ていくと最初の洋舞の批評家とされる永田龍雄は与謝野晶子らと交流し歌人でもあり、石井漠や高田雅夫の死といった舞踊界の出来事をニュース詠のように短歌にしたこともある。舞踊人による継続した句会があったという記録はあまり目にしたことがない。そんな事もあり、この句会はユニークな試みといえる。（吉）

名取事務所、キム・ミンジョン作
『509号室』迷宮の設計者
下北沢小劇場B1、24年2月16日〜25日

★舞台は韓国の3つの時代。軍事政権下

で拷問が行われる収容所が建設される前年の1975年、民主化運動が起きるきっかけとなる逮捕者への拷問事件が起きた1986年、そしてこの収容所が民主人権記念館として開設された翌年の2020年の3つの年が平行して語られる。

1975年のパートは、収容所の設計を依頼される著名な建築家のアシスタントと、依頼する治安本部の警察によって進められる。スパイ容疑者を収容し、拷問するための施設の設計に対し、建築家アシスタントは拒否しようとする。当の建築家は忙しいので常に不在だ。収容所の特徴は、部屋が互い違いの配置となっていて、収容者がコミュニケーションをとれないこと、脱出不可能な狭い窓、そして水攻めのための浴槽。

1986年のパートでは、恋人の下に向かう途中の大学生が逮捕され、拷問を受ける。大学生は無罪を主張するが、当局は受け入れない。

2020年のパートでは、ドキュメンタリー監督が記念館を訪れ、解説員の案内を受けながら撮影するが、そこで過去が明らかになっていく。

3つの時間が1つの舞台の上で交錯していくことは、歴史のつながりをうまく示している。それ以上に、細長く狭い窓をいくつも配した舞台装置、時代ごとに切り替える照明、2020年のドキュメンタリー監督が持つカメラが同じ舞台で起きている過去を映し出し、投影されるハイライト。こうしたビジュアルが良く計算されていて、見事だった。全体として、モノローグによる説明口調が多く、その点では戯曲としてどうなのかな、と思わないでもないが、セットも照明もそれを補って余りあるものだった。

民主化運動の関係者が逮捕されて拷問を受ける、ということは、日本人にとっては戦前の、例えば小林多喜二が殺された事件を思い浮かべるかもしれないが、隣の韓国では40年前の出来事である（もっと言えば、ロシアでは現在も起きていて、ナリワヌイが殺された事件はつい最近のことだ）。演出の眞鍋卓嗣はパンフで、「すぐ先の日本かもしれない」と書いている。（M）

アトリエサードの文芸書
好評発売中!!

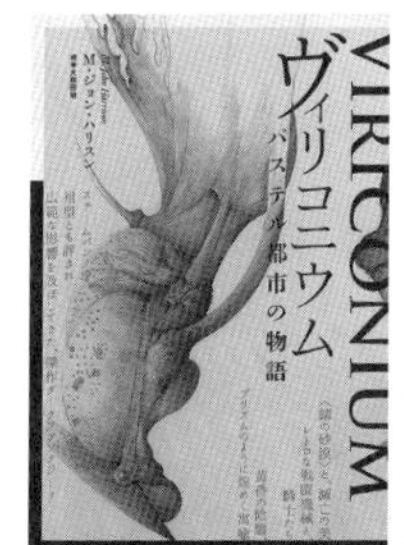

M・ジョン・ハリスン
「ヴィリコニウム
――パステル都市の物語」
四六判・カヴァー装・320頁・税別2500円
〈錆の砂漠〉と、滅亡の美。
レトロな戦闘機械と、騎士たち。
スチームパンクの祖型とも評され、
〈風の谷のナウシカ〉の系譜に連なる
SF・幻想文学の先行作として知られる
ダークファンタジーの傑作!

ケン・リュウ他
「再着装(リスリーヴ)の記憶
――〈エクリプス・フェイズ〉アンソロジー」
四六判・カヴァー装・384頁・税別2700円
血湧き肉躍る大活劇、ファースト・コンタクトの衝撃……未来における身体性を問う最新のSFが集結!
ケン・リュウら英語圏の人気SF作家と多彩なジャンルの日本の作家たちが競演する夢のアンソロジー!

キム・ニューマン
「《ドラキュラ紀元》われはドラキュラ
――ジョニー・アルカード〈上・下〉」
四六判・上巻税別2500円・下巻税別2700円
時は70年代、ブラム・ストーカーの〝歴史改変〟小説『吸血鬼ドラキュラ』が映画化されようとしていた――。
ドラキュラにより転化した少年、ジョニーは、コッポラやウォーホルらと相まみえながら、何を企むのか――。

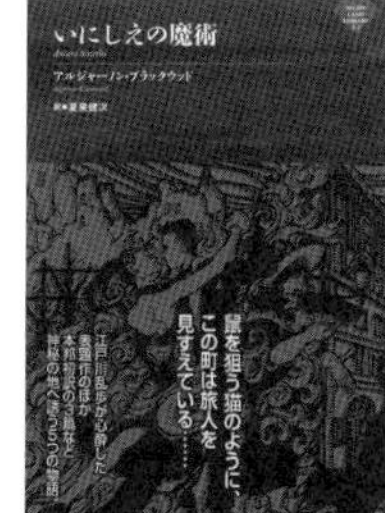

アルジャーノン・ブラックウッド
「いにしえの魔術」
四六判・カヴァー装・320頁・税別2400円
鼠を狙う猫のように、
この町は旅人を見すえている……
旅人を捕えて放さぬ町の神秘を描き、
江戸川乱歩を魅了した
「いにしえの魔術」をはじめ、
英国幻想文学の巨匠が異界へ誘う、
5つの物語。

発行・アトリエサード　発売・書苑新社　www.a-third.com

サイトで内容のサンプルをご覧いただけます。
www.a-third.com

TH ART Series
好評発売中!!

発行＝アトリエサード 発売＝書苑新社

明治～昭和の希代の責め絵師・伊藤晴雨が極めた艶美の境地！抒情も漂う恍惚の美に満ちた秘蔵画。貴重なデッサン等も多数収録！

「伊藤晴雨の世界2 **伊藤晴雨 秘蔵画集**
～門外不出の責め絵とドローイング」
B5判・カヴァー装・128頁・定価3500円(税別)

希代の責め絵師・伊藤晴雨がかかわったとおぼしき、生々しくも美しい風俗資料館秘蔵の責め写真の数々を収録した、ファン垂涎の写真集！

「伊藤晴雨の世界1［秘蔵写真集］
責めの美学の研究
風俗資料館 資料選集」
A5判変型・カヴァー装・128頁・定価2000円(税別)

ひとりの依頼主のために描かれた臼井静洋、四馬孝による残酷絵。卓越した表現の観世一則の責め絵。特異な昭和の絵師の貴重な画集！

「**秘匿の残酷絵巻**［増補新装版］
～臼井静洋・四馬孝・観世一則
風俗資料館 秘蔵画集」
A5判変型・カヴァー装・160頁・定価2200円(税別)

青空のもとに解き放たれた、裸身たちの美景。多様な裸体の個性を伸びやかに解き放ちそのフォルムで夢幻の光景を描き出す写真家・七菜乃の集団ヌード写真集！

七菜乃 写真集
「LONG VACATION」
B5判・カヴァー装・144頁・定価3800円(税別)

村田兼一の原点、禁断の手彩色写真集！エロスとタナトスが交錯する13の秘密の夜。自身が見た夢などを添えた濃密な魔術的世界。

村田兼一 写真集
「宵待姫 十三夜」
B5判・ハードカヴァー・96頁・定価3200円(税別)

幸せの魔法が強くなるように――優しくリスペクトする視線で、11人のモデルを優しくリスペクトする視線で、エロスとイノセンスをあわせ持つ魅力を写し出した写真集。

珠かな子 写真集
「蜜の魔法」
B5判・カヴァー装・80頁・定価2500円(税別)

好評発売中!! 書店店頭で見つからない場合は、書店にご注文下さい(通信販売やインターネット書店もご利用下さい)。

サイトで内容のサンプルを
ご覧いただけます。
www.a-third.com

THART Series
好評発売中!!

発行＝アトリエサード 発売＝書苑新社

「Dolls～瞳の奥の静かな微笑み」に続く
田中流が写した魅惑の人形写真集!
可愛いものから前衛的なものまで
23人の作家の多彩な人形作品を掲載!

田中流 球体関節人形写真集
「DOLLS II ～瞳に映る永遠の記憶」
A5判・カヴァー装・96頁・定価2500円(税別)

かつて祖父がハルピンで開いたキャバレー。
時代の束の間の栄華と、利那的な享楽。
球体関節人形と人形オブジェで、
歴史の陰翳を描き出した幻影の劇場!

清水真理 人形作品集
「VITA NOVA～革命の天使」
B5判・ハードカヴァー・64頁・定価2700円(税別)

異形の子供たちは、夜をさまよう――
「Dream Child」に続く、人形・林美登利、
写真・田中流、小説・石神茉莉による
コラボ作品集、第2弾!

林美登利 人形作品集
「Night Comers～夜の子供たち」
A5判・ハードカヴァー・96頁・定価2750円(税別)

天衣無縫なガーリーアート!
渋谷PARCOなどでの個展や音楽等、
多彩な活動を続けている真珠子の
20年の軌跡を凝縮した記念作品集!

真珠子 作品集
「真珠子メモリアル～"娘"を育んだ20年」
B5判・カヴァー装・128頁・定価3200円(税別)

「同じ夢」に続く、待望の椎木かなえ画集!
音、夢、空、部屋、人間と、5章に分けて
椎木ならではの、奇妙でシュールで、
だけどどこかユーモラスな世界を凝縮!

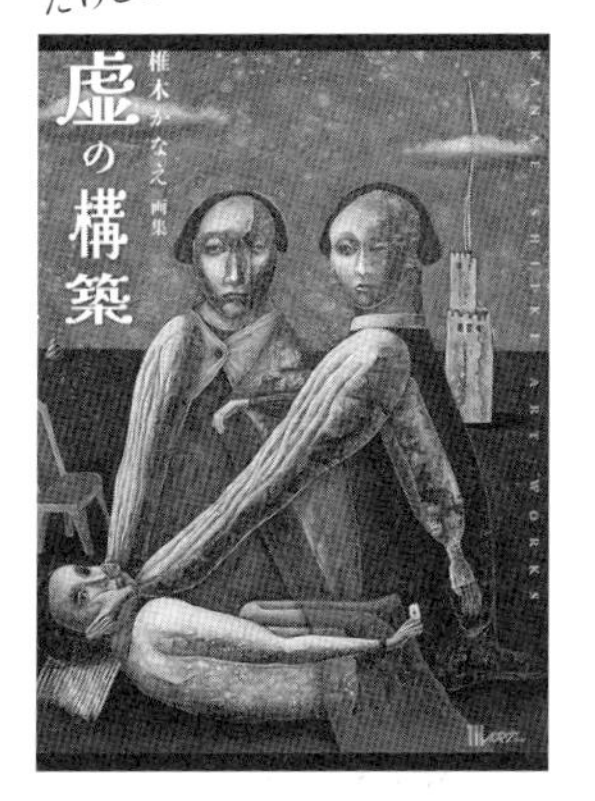

椎木かなえ 画集
「虚の構築」
A5判・ハードカヴァー・64頁・定価2700円(税別)

妖しいきらめきに満ちた、澄んだ美の結晶――
皆川博子、タニス・リー、シェイクスピア等の
装画など、耽美かつ幻想的な世界で
魅了し続ける浅野勝美の初画集!

浅野勝美画集
「Psyche(プシュケー)」
B5判・ハードカヴァー・64頁・定価3000円(税別)

好評発売中!! 書店店頭で見つからない場合は、書店にご注文下さい(通信販売やインターネット書店もご利用下さい)。

トーキングヘッズ叢書（TH series） No.98

骨と心臓

〜死と生のシンボリズム

編　者　アトリエサード
　編集長　鈴木孝（沙月樹 京）
　編　集　岩田恵／望月学英・徳岡正肇・田中鷹虎
協　力　岡和田晃

発行日　2024 年 5 月 9 日

発行人　鈴木孝
発　行　有限会社アトリエサード
　東京都豊島区南大塚 1-33-1 〒170-0005
　TEL.03-6304-1638 FAX.03-3946-3778
　http://www.a-third.com/
　th@a-third.com
　振替口座／00160-8-728019
発　売　株式会社書苑新社
印　刷　株式会社平河工業社
定　価　本体 1500 円＋税
ISBN978-4-88375-522-6 C0370 ¥1500E

©2024 ATELIERTHIRD
本書からの無断転載、コピー等を禁じます。

http://www.a-third.com/

ご意見・ご感想をお寄せ下さい。
Web で受け付けています。

新刊案内などのメール配信申込も
Web で受付中!!

●アトリエサード twitter　@athird_official

●編集長 twitter　@st_th

アトリエサード HP

AMAZON（書苑新社発売の本）

A F T E R W O R D

■今号でNo.98、3桁に突入できるのか、それとも終焉の時を迎えるのか……戯言はさておき、この世の中が終末に突き進んでいる気がするのはたぶん私だけではない。「メメント・モリ（死を想え）」とか言われなくても、そんなこと毎日想っているよ、っていう今日このごろだろう。まぁ世の中はどうなるか分からんが、自分自身の方は確実に日々老いて終末に向かってるわけで、老眼にちょっぴり優しくと思い、特集の本文の文字を若干大きく。無駄な抵抗はしたいんですね。で、次はExtrARTが6月下旬、THが7月末です！（S）

★弦巻稲荷日記一「薄桜鬼」にハマってしまい、宝塚歌劇団の舞台を見に行く電車の中で宝塚の主題歌じゃなくて「薄桜鬼」のヤイサを聞きながらテンションを上げている。紹介原稿や批評のちからを信じてまだまだ続けていきます。以下次号（め）

■展覧会・個展や上映・上演等の情報は、編集部あてにお送りください（なるべく発売の1カ月半前までに。本誌は1・4・7・10の各月末発売です）。

■絵画等の持ち込みは、郵送（コピーをお送りください）またはメール（HPがある場合）で受け付けています。興味を持たせて頂いた方は、特集や個展など、合うタイミングでご紹介させて頂きます。

■巻末の「TH特選品レビュー」では、ここ数ヶ月の文学・アート・映画・舞台等のレビューを募集中。1本400字以内で、数本お送り下さい。採用の方には掲載誌を進呈します（原稿料はありません）。THの色にあったものかどうかも採否の基準になります。投稿はメール（th@a-third.com）でOK。

■詳しくはホームページもご覧ください。

※応募の際には、本名・筆名・住所・TEL・E-mail・年齢・職業・趣味の傾向等簡単な自己紹介・本書のご感想を必ずお書き添え下さい。

※恐れ入りますが、原則的に採用の方にのみご連絡を差し上げています。ご了承ください。

アトリエサードの出版物の購入のしかた・通信販売のご案内

● TH series（トーキングヘッズ叢書）の取扱書店は、http://www.a-third.com/ へ。定期購読は富士山マガジンサービス及び小社直販にて受付中！（www.a-third.com のトップページにリンクあり）●書店店頭にない場合は、書店へご注文下さい（発売＝書苑新社と指定して下さい。全国の書店からOK）。●ネット書店もご活用下さい。

●アトリエサードのネット通販でもご購入できます。

■各書籍の詳細画面でショッピングカートがご利用になれます。■郵便振替 / 代金引換 / PayPal で決済可能。

■インターネットをご利用になれない方は、郵便局より郵便振替にて直接ご送金いただいても結構です（送料の加算は不要！ 連絡欄に希望書名・冊数を明記のこと）。入金の通知が届き次第お送りいたします（お手元に届くまで、だいたい 1 週間〜10 日ほどお待ち下さい）。振込口座／00160－8－728019　加入者名／有限会社アトリエサード

■また TEL.03-6304-1638 にお電話いただければ、代金引換での発送も可能です（取扱手数料 350円が別途かかります）